# MA RAISON DE VIVRE

REBECCA DONOVAN

# MA RAISON DE VIVRE

*Traduit de l'anglais (États-Unis)*
*par Catherine Nabokov*

POCKET JEUNESSE
PKJ·

Titre original : *Reason to Breathe*

Collection « Territoires » dirigée
par Pauline Mardoc

Loi nº 49-956 du 16 juillet 1949 sur les publications
destinées à la jeunesse : mars 2015.



ISBN : 978-2-266-24610-1

*Pour mon amie Faith – nous étions amies avant même de nous rencontrer –, intuitive et perspicace, qui m'a aidée à découvrir ce que j'ai toujours été : un écrivain.*

# 1

## INEXISTANTE

Inspirer.

Souffler.

Les yeux humides et la gorge serrée, j'ai avalé ma salive. Énervée par ma propre faiblesse, j'ai essuyé rageusement la larme qui glissait sur ma joue. Je devais chasser ces pensées. Et tenir le coup.

Mon regard a erré sur les rares meubles de ce qui me tenait lieu de chambre : un vieux bureau et une chaise bancale achetés dans un vide-greniers, ainsi qu'une petite commode qui avait dû, elle aussi, connaître de nombreux propriétaires. Aucune photo aux murs, pas le moindre souvenir de ma vie d'avant. Cette pièce était mon refuge, le seul espace où je pouvais me retirer, cacher ma souffrance, à l'abri des regards assassins et des mots cinglants.

Comment m'étais-je retrouvée là ? La réponse était simple : je n'avais pas d'autre endroit où aller. Ils étaient la seule famille qui me restait. Les seuls à pouvoir m'accueillir.

Pour échapper à ces sombres pensées, je me suis allongée sur mon lit et j'ai essayé de me concentrer sur mes devoirs. En tendant le bras pour attraper mon livre de maths, j'ai laissé échapper un gémissement. La douleur était déjà bien là, une douleur lancinante qui me transperçait l'épaule. Les souvenirs ont aussitôt resurgi. La colère est montée en moi. J'ai serré les poings de rage, les mâchoires crispées, tandis que les images défilaient devant mes yeux.

Respirer.

J'ai fermé les paupières et pris une profonde inspiration pour laisser le vide m'envahir. Il fallait à tout prix lutter, ne pas laisser ces pensées gagner mon cerveau. Je me suis plongée dans mon livre.

C'est un léger bruit à ma porte qui m'a réveillée, une heure plus tard. Je me suis redressée vivement et, scrutant l'obscurité de la chambre, je me suis efforcée de reprendre mes esprits.

— Oui ? ai-je dit, tendue.

— Emma ? a répondu une voix flûtée tandis que ma porte s'ouvrait tout doucement.

— Tu peux entrer, Jack.

Sa petite tête est apparue dans l'entrebâillement. Il a jeté un œil autour de moi avant de me regarder d'un air inquiet. Du haut de ses six ans, il avait déjà compris beaucoup de choses.

— Le dîner est prêt, a-t-il annoncé en baissant les yeux.

Il semblait presque malheureux d'être le messager de cette information.

— J'arrive, ai-je répondu avec un sourire forcé.

Tournant les talons, il est sorti de la chambre. De la salle à manger m'est parvenu le bruit des assiettes et des verres qu'on pose sur la table, accompagné du joyeux babillage de Leyla. Je connaissais la suite : dès que je rejoindrais la jolie petite famille, l'atmosphère se chargerait d'électricité. Comme si ma seule présence était un outrage à ce bonheur parfait.

Je me suis armée de courage et, à pas lents et l'estomac noué, je les ai rejoints. Les yeux baissés, je suis entrée. Heureusement, *elle* ne m'a pas vue tout de suite.

— Emma ! s'est écriée Leyla en se précipitant vers moi.

À l'instant où je me suis penchée pour la prendre dans mes bras, j'ai senti cette douleur à l'épaule. Je me suis mordu les lèvres pour ne pas crier.

— Tu as vu mon dessin ? m'a-t-elle demandé en montrant fièrement une grande feuille recouverte de coups de feutres roses et jaunes.

Dans mon dos, j'ai deviné *son* regard meurtrier.

— Maman, tu as vu mon tyrannosaure ! a lancé Jack pour attirer l'attention de sa mère.

— Il est très beau, mon chéri, a-t-elle répondu.

— C'est magnifique, ai-je glissé à Leyla. Va te mettre à table, maintenant, s'il te plaît.

À seulement quatre ans, elle était à mille lieues d'imaginer que sa démonstration de tendresse avait déclenché les hostilités. J'étais sa grande cousine qu'elle adorait, elle était mon soleil dans cette maison de malheur. Comment aurais-je pu lui en vouloir de son affection ? Mais j'allais le payer cher.

La conversation a repris et je suis redevenue invisible aux yeux de tous. Après avoir attendu qu'ils se soient servis, j'ai pris à mon tour du poulet et des pommes de terre. Sentant que chacun de mes gestes était épié, je n'ai pas levé les yeux de mon assiette. Ma maigre ration ne suffirait pas à calmer ma faim, je le savais. Mais je n'avais pas osé en prendre davantage.

*Elle* parlait sans cesse, racontant dans ses moindres détails sa journée au bureau. Sa voix me retournait l'estomac. George, comme toujours, la réconfortait avec des paroles gentilles. Lorsque j'ai demandé à voix basse si je pouvais sortir de table, il m'a lancé un de ses regards insaisissables et a hoché la tête en guise d'autorisation.

J'ai emporté mon assiette à la cuisine, ainsi que celles de Jack et Leyla qui avaient déjà filé dans le salon pour regarder la télé. Ma routine du soir commençait : débarrasser, rincer les assiettes avant de les mettre dans le lave-vaisselle, puis laver les plats et les casseroles que George avait utilisés pour préparer le dîner.

J'ai attendu que tout le monde soit dans le salon avant de prendre ce qui restait sur la table. Après avoir fait et rangé toute la vaisselle, sorti les poubelles et passé la serpillière dans la cuisine, je suis retournée dans ma chambre. Le plus discrètement possible, j'ai traversé le salon où les enfants riaient et dansaient devant la télévision. Personne ne m'a remarquée, comme d'habitude.

Je me suis allongée sur mon lit, j'ai mis mes écouteurs et ai monté le volume à fond pour laisser la musique m'envahir. Le lendemain, j'avais un match. Je rentrerais tard et n'assisterais donc pas à ce merveilleux dîner de famille. Une journée supplémentaire s'écoulerait, rendant plus proche le moment où, enfin, tout cela serait derrière moi. Quand je me suis tournée sur le côté, la douleur m'a cruellement rappelé ce que « tout cela » était. J'ai éteint la lumière et me suis laissé bercer par la musique pour trouver le sommeil.

En passant dans la cuisine, mon sac de sport dans une main et mon sac à dos sur l'épaule, j'ai pris un biscuit sur la table. Lorsque Leyla m'a vue, ses yeux ont pétillé de joie. J'ai déposé un baiser sur ses doux cheveux bruns, malgré le regard acéré qu'*elle* m'a envoyé. Jack mangeait ses céréales. Sans lever la tête, il m'a glissé un papier dans la main. En lettres majuscules, il avait écrit « Bonne chance » et dessiné un ballon. Il m'a lancé un coup d'œil rapide et je lui ai renvoyé un sourire discret.

— Au revoir, tout le monde, ai-je dit.

J'allais ouvrir la porte quand *sa* main d'acier s'est abattue sur mon poignet.

— Repose-le, a-t-elle sifflé entre ses dents.

Je me suis retournée. Elle m'a jeté un regard haineux avant d'ajouter :

— Tu ne l'avais pas mis sur ta liste donc il n'est pas pour toi. Rends-le-moi.

J'ai posé le biscuit sur sa paume tendue et, aussitôt, elle m'a lâchée.

— Désolée, ai-je murmuré en me dépêchant de sortir.

— Alors ? Comment ça s'est passé ? m'a demandé Sara dès que j'ai ouvert la portière de sa décapotable rouge.

La musique était à fond, j'ai baissé la radio.

— Quoi ?

— Quand tu es rentrée hier soir… Comment ça s'est passé ? a répété Sara.

— Rien de spécial. Des cris, comme d'habitude.

La scène violente à laquelle j'avais eu droit en revenant de mon entraînement est repassée devant mes yeux. Tout en frottant mon bras blessé, j'ai décidé de ne rien raconter à Sara. Je l'aimais, et je savais qu'elle était prête à tout pour m'aider, mais je préférais la préserver de certaines choses.

— Juste des cris, vraiment ? a-t-elle insisté.

— Oui, je t'assure, ai-je marmonné en détournant le regard.

Devant sa sollicitude, j'ai senti l'émotion me gagner. Je me suis concentrée sur les arbres qui défilaient le long de la route, observant les couleurs rougeoyantes du feuillage en cette fin de septembre.

— Donc tout va bien ? a-t-elle tenté une nouvelle fois.

Puis, comprenant qu'elle n'obtiendrait pas de confession, elle a monté le son et s'est mise à chanter à tue-tête pour accompagner les paroles du groupe de punk anglais.

Comme d'habitude, lorsque nous nous sommes garées sur le parking du lycée, tous les regards ont convergé vers nous. Et, comme d'habitude, Sara ne s'en est même pas rendu compte. J'ai empoigné mes deux sacs et nous nous sommes dirigées vers le bâtiment. Presque à chaque pas, des élèves la saluaient. Elle répondait par un gentil sourire. Moi, on ne me calculait pas. Mais je m'en moquais. Au contraire, même, ça m'arrangeait. Les rares fois où on me disait aussi bonjour, je savais très bien que c'était parce que j'accompagnais Sara. Elle avait une telle présence, et un charme si magnétique, qu'il était normal d'être éclipsée. Avec sa cascade de cheveux flamboyants qui ondulaient jusqu'au bas de son dos, elle était le fantasme de la plupart des garçons du lycée et même, à mon avis, de certains profs. Elle était grande, avait des mensurations de mannequin et un visage ravissant. Mais surtout – et c'est ce que je préférais en elle – elle était incroyablement naturelle. Elle avait beau être la fille la plus convoitée de tout le lycée, elle n'avait pas pris la grosse tête pour autant.

— Je crois que Jason a enfin remarqué mon existence, a-t-elle lâché tandis que nous prenions nos livres et nos cahiers dans nos casiers.

— *Tout le monde* connaît ton existence, ai-je répondu en riant.

— Lui, en tout cas, il ne me voit carrément pas. Même quand je suis assise à côté de lui. C'est vraiment énervant…

Elle m'a dévisagée avant d'ajouter avec un sourire malicieux :

— Et toi, à force d'être toujours plongée dans tes bouquins, tu ne te rends même pas compte que les garçons te regardent.

Je suis devenue écarlate et lui ai lancé un regard noir.

— N'importe quoi ! C'est uniquement parce que je suis avec toi.

— Mais oui, bien sûr…

— C'est bon, laisse tomber, ai-je marmonné. Alors ? Qu'est-ce que tu vas faire ?

Elle a poussé un soupir, s'est adossée à son casier et a laissé ses yeux bleus errer au loin.

— Je ne sais pas encore, a-t-elle répondu avec cet air songeur qui lui donnait un visage si doux.

Je devinai sans difficulté vers quoi ses pensées la portaient : le magnifique Jason, avant-centre et capitaine de l'équipe de football américain, ses boucles blondes, ses yeux bleu délavé et son sourire ravageur. Difficile de faire plus cliché.

— Comment ça, tu ne sais pas ? Toi qui as toujours un plan !

— Là, c'est différent. Il ne me regarde même pas, je te dis. Il faut que je la joue fine.

— Mais tu viens de me dire qu'il t'avait finalement remarquée…

Ses yeux sont revenus de leur lointain voyage pour se poser sur moi. Son sourire, lui, avait disparu.

— Moi non plus je ne comprends pas, justement. Hier je me suis débrouillée pour être à côté de lui en cours d'éco et il m'a juste dit « salut ». Il sait que j'existe, point barre.

— Je suis sûre que tu vas trouver un moyen. Sauf s'il est gay…

— Arrête ! s'est-elle exclamée en me donnant une tape sur l'épaule.

Aïe. J'ai éclaté de rire pour masquer ma grimace de douleur.

C'était à la fois amusant et déconcertant de voir Sara à ce point perturbée par quelqu'un. En général, elle savait y faire et arrivait toujours à ses fins – surtout avec les garçons. Avec Jason Stark, les choses ne se passaient pas comme d'habitude, et ça l'exaspérait. J'étais curieuse de voir ce qu'elle allait faire. Jusqu'à présent, les seules personnes avec lesquelles sa stratégie n'avait pas fonctionné étaient mon oncle et ma tante. J'avais beau lui répéter que ça n'avait rien à voir avec elle, cela ne faisait que renforcer son envie de les conquérir. Elle espérait, de cette manière, rendre ma situation un peu plus supportable. Je savais, moi, que c'était peine perdue.

Nous nous sommes quittées pour rejoindre chacune notre classe. C'était l'une des rares heures de notre emploi du temps où nous n'étions pas ensemble. Je suis arrivée au cours de littérature et me suis assise au fond de la salle, comme d'habitude. Avant de commencer, Mme Abbott nous a rendu nos derniers devoirs. Elle s'est approchée de ma table et m'a regardée en souriant.

— Excellent devoir, Emma, très pertinent, m'a-t-elle félicitée en me donnant ma copie.

Mon regard a croisé le sien, j'ai esquissé un sourire gêné.

— Merci, ai-je murmuré.

En haut de la feuille il y avait un grand A et des commentaires élogieux étaient écrits au feutre rouge dans la marge. Cette note n'était une surprise, ni pour moi ni pour mes camarades. De toute manière, peu m'importait ce que les autres pensaient de mes excellents résultats. Je savais, moi, qu'ils étaient la clé de ma liberté. En dehors de Sara, personne ne se doutait que la seule chose qui me préoccupait, c'était le moment où je pourrais enfin partir pour l'université. En attendant, je pouvais bien supporter quelques chuchotements dans mon dos.

Mon lien principal avec les élèves du lycée, c'était Sara. Surtout, j'avais une confiance absolue en elle. Et, compte tenu du caractère imprévisible de ce qui m'attendait chaque soir, cette confiance signifiait beaucoup à mes yeux.

— Alors, quoi de neuf ? m'a-t-elle demandé lorsque nous nous sommes retrouvées devant nos casiers, avant le déjeuner.

— Rien de spécial. Et toi, le cours d'éco ? Des progrès avec Jason ?

Sara avait généralement des milliards de choses à me raconter à ce sujet.

— Si seulement ! s'est-elle exclamée. Mais non, rien du tout. C'est super frustrant. D'autant plus que là j'ai envoyé des signaux clairs pour montrer que je suis intéressée.

— Mais comme tu n'as pas ce qui l'intéresse…

— C'est bon, là ! a coupé Sara avec un regard presque fâché. Je crois que je vais devoir être encore plus claire. Au pire, il me dira…

— « Je suis gay », ai-je lancé, en pouffant de rire.

— C'est ça, rigole ! En attendant, je te garantis que je vais réussir à sortir avec Jason Stark.

— Je n'en doute pas une seconde.

J'ai acheté mon déjeuner en piochant dans le maigre pécule que mon oncle et ma tante me donnaient chaque semaine et qu'ils prélevaient sur l'argent que j'avais gagné pendant l'été. Je n'avais pas le droit d'y toucher : ils se chargeaient de me donner le minimum vital. C'était une des nombreuses règles arbitraires qui dirigeraient ma vie pendant encore six cent soixante-treize jours.

Nous avons emporté nos sandwichs dehors pour profiter de la douce chaleur de l'été indien. L'automne était pour le moins imprévisible en Nouvelle-Angleterre : il pouvait faire un froid polaire un jour et, le lendemain, une chaleur digne d'un mois de juillet. Pas comme l'hiver qui, une fois installé, prenait racine pour de longs mois.

La plupart des élèves avaient enlevé leur pull. Je me suis contentée de remonter mes manches, pas trop haut pour ne pas montrer les nombreuses cicatrices sur mes bras.

— Qu'est-ce que tu as fait à tes cheveux ? m'a questionnée Sara. Ils sont plus disciplinés que d'habitude. C'est très classe !

J'avais en effet dû les attacher ce matin car je n'avais pas eu le temps de rincer l'après-shampooing sous la douche. Mes cinq minutes réglementaires s'étaient écoulées, l'eau avait été coupée.

— Tu plaisantes ? Ils sont atroces.

— Laisse tomber. Tu n'acceptes jamais les compliments.

Elle a changé de sujet :

— Tu pourras venir au match de football américain demain soir ?

En guise de réponse, j'ai croqué dans ma pomme. Le message était clair. Sara a attrapé son Coca et l'a approché de ses lèvres.

— Il le fait exprès, c'est pas vrai..., a-t-elle murmuré en reposant sa canette sur la table, fixant un point derrière moi.

Je me suis retournée. Sur la pelouse, Jason et un autre garçon de première aussi athlétique que lui s'amusaient avec un ballon de foot, tous deux torse nu. C'est vrai qu'il attirait l'œil. Je l'ai observé quelques instants pendant que Sara s'agitait dans mon dos. Autour de nous, toutes les filles avaient l'air de le trouver aussi très à leur goût.

— Peut-être qu'il ne se rend pas compte du succès qu'il a, ai-je plaidé.

— Comment veux-tu qu'il ne s'en rende pas compte ? a dit Sara, l'air sceptique.

— Bah, ça reste quand même un garçon... Ça n'est pas parce que, pour nous, il est comme la septième merveille du monde que lui se voit comme ça.

Nous avons contemplé en silence sa longue silhouette et ses muscles remarquablement dessinés. Comme Sara, je ne pouvais m'empêcher de détailler son corps parfait. J'avais beau être obsédée par le travail et par mes résultats, j'avais aussi ce genre de préoccupations. Enfin... parfois.

— C'est vrai que vous iriez super bien ensemble, ai-je soupiré.

— Em, il faut absolument que tu viennes avec moi au match, demain soir. J'ai besoin que tu sois là.

J'ai haussé les épaules en signe d'impuissance : la décision ne m'appartenait pas. Tout ce qui concernait mes sorties était entre les mains de mon oncle et de ma tante. Autant dire que ma vie sociale était à peu près inexistante. Du coup, je me débrouillais pour être impliquée le plus possible dans la vie du lycée : je pratiquais trois sports différents, j'étais rédactrice en chef des *Nouvelles de Weslyn* et je participais à l'élaboration de l'annuaire des élèves ; je faisais aussi partie de l'atelier d'arts plastiques et de celui de français. Avec tout ça, j'étais occupée chaque jour après les cours. Et pour peu que j'aie un match ou un bouclage, il m'arrivait même d'être prise certains soirs. En cumulant toutes ces activités, j'espérais mettre toutes les chances de mon côté afin d'obtenir une bourse pour l'université. C'était le seul domaine de mon existence sur lequel j'avais l'impression de pouvoir agir. Bien plus qu'un plan de fuite, c'était une question de survie.

# 2

## Première impression

Une fois en cours de journalisme, je suis allée m'asseoir devant l'ordinateur et j'ai ouvert le numéro en cours des *Nouvelles de Weslyn*. Je devais boucler avant la fin de l'heure et lancer l'impression dans la foulée pour pouvoir le distribuer dans la matinée. J'ai à peine entendu Mme Holt faire le point avec les élèves sur les papiers pour le numéro suivant. Toute mon attention était concentrée sur les pages qui défilaient sous mes yeux. Je déplaçais des pubs pour harmoniser la maquette, rectifiais le format des colonnes et des encarts et insérais des images.

— C'est encore possible de proposer un article pour le numéro de la semaine prochaine ?

La question a éveillé mon attention. Je ne connaissais pas cette voix. J'ai continué à fixer mon écran, attendant la suite. Les élèves s'étaient tus.

— Je souhaiterais écrire un article sur l'opinion que les adolescents ont d'eux-mêmes et comment ils perçoivent leurs défauts, a poursuivi la voix. J'aimerais bien faire une enquête et interviewer des élèves pour savoir quelle est la partie de leur corps dont ils ont le plus conscience.

Mon sang n'a fait qu'un tour, et je me suis retournée pour voir celui qui avait eu l'idée d'un tel sujet et qui parlait sur un ton aussi affirmé. Limite prétentieux.

— L'article pourrait montrer que, quel que soit le milieu social dont on est issu, nous avons tous des doutes.

C'était la première fois que je voyais ce type. Comment un garçon comme lui, visiblement assez peu en proie aux doutes et qui devait se croire sans défauts, pouvait prétendre interroger des adolescents sensibles et vulnérables et les faire parler de ce qu'ils n'aimaient pas en eux ? Franchement, qui avait envie de parler de ses boutons, de ses bonnets taille A ou de ses pectoraux rachitiques ? Ça semblait cruel et pervers. Plus j'y pensais, et plus la colère montait en moi. Mais c'était qui, ce nouveau ?

Assis au dernier rang, il portait une large chemise bleu ciel assortie à ses yeux bleus, et un jean qui lui allait à la perfection. Ses manches étaient retroussées et le col de sa chemise assez déboutonné pour laisser entrevoir sa peau mate et les muscles de son torse. Il promenait son regard à travers la pièce d'un air détendu, pas plus dérangé que ça par les quatorze paires d'yeux braquées sur lui. Visiblement, il était habitué à capter l'attention.

Quelque chose me troublait chez lui : il paraissait plus âgé. On aurait presque pu le prendre pour un étudiant. Il avait un visage juvénile et doux, mais sa mâchoire carrée et ses épais sourcils lui donnaient un air plus mature. Avec son nez droit et ses lèvres très dessinées, il avait une structure de visage harmonieuse et des traits gracieux, dignes des plus belles œuvres d'art.

L'aisance avec laquelle il s'exprimait me laissait penser qu'il avait l'habitude de parler devant des adultes, mais je n'arrivais pas à déterminer si je le trouvais plutôt arrogant ou plutôt élégant. Après quelques secondes de réflexion, j'ai tranché : arrogant. Il était tellement sûr de lui !

— C'est une idée intéressante..., a dit Mme Holt.

— Sérieusement ?

Le mot a jailli de ma bouche. Tous les regards se sont aussitôt tournés vers moi, incrédules. Y compris le sien.

— Soyons clairs : tu veux utiliser la fragilité de quelques ados pour écrire un article sur leurs nombreux défauts et complexes ? Tu ne crois pas que c'est un peu destructeur ? En plus, je te rappelle que c'est un journal d'actualités. Ça peut être amusant ou léger, mais toujours avec des infos, pas des ragots.

Il a réagi à ce dernier mot :

— Ça n'est pas..., commença-t-il.

— Mais peut-être que ton idée, c'est de faire un papier qui raconterait pourquoi les filles veulent plus de poitrine et les garçons plus de muscles ? Non merci. Les sujets superficiels ou sordides, c'est bon pour la presse à scandale. Peut-être que c'était le genre, là où tu étais avant, mais en ce qui me concerne, je considère que nos lecteurs ont du plomb dans la cervelle.

Quelques rires étouffés ont ponctué mes paroles. J'ai continué à regarder l'inconnu droit dans les yeux, sans flancher. Un léger sourire flottait sur ses lèvres. Était-ce à cause de ma sortie ? J'ai serré les dents dans l'attente de la riposte.

— J'ai pour habitude de prendre mon travail au sérieux, a-t-il répondu. Avec ce papier, j'aimerais montrer ce que nous avons en commun en tant qu'individus, au-delà de la popularité ou du pouvoir d'attraction de chacun. Je ne pense pas que cet article « utilisera » qui que ce soit. Il expliquera au contraire que tout le monde a des doutes sur son physique, même ceux qui sont considérés comme parfaits. Par ailleurs, je respecte la confidentialité de mes sources. Et enfin, je sais faire la différence entre un article de caniveau et une véritable enquête.

Sa voix était calme et claire, mais je la trouvais condescendante. J'ai senti le rouge me monter aux joues.

— Et tu penses obtenir des réponses sincères ? Tu crois qu'ils vont se confier *à toi* ?

J'ai été surprise par l'agressivité de mon ton. Les autres élèves aussi, à en croire l'épais silence qui régnait autour de moi.

— Je sais m'y prendre pour amener les gens à me faire confiance, a-t-il lâché avec un sourire tout ce qu'il y a de plus suffisant.

Mme Holt est intervenue avant même que j'ouvre la bouche.

— Merci, Evan.

Elle m'a lancé un regard inquiet.

— Emma, comme tu as quelques réserves à l'égard de la proposition d'Evan et que tu es la rédactrice en chef du journal, je te propose la chose suivante : tu lui donnes le feu vert pour qu'il fasse son article mais c'est toi qui décideras, en dernier lieu, de le publier ou pas. Qu'en penses-tu ?

— Je suis d'accord.

— Evan, ça te convient ?

— Tout à fait. C'est elle la rédactrice en chef.

Mais quel prétentieux ! J'ai replongé mon nez dans mon ordinateur pour ne plus voir sa tête de beau gosse imbu de lui-même.

— Parfait, a conclu Mme Holt, soulagée. Tu as bientôt fini, Emma ? J'aimerais qu'on démarre la discussion du jour.

— Je viens juste de terminer, ai-je répondu sans lever la tête.

— Très bien. Maintenant, s'il vous plaît, ouvrez votre livre à la page quatre-vingt-treize, à l'article intitulé « L'éthique du journalisme ».

Elle avait haussé le ton pour regagner l'attention des élèves. Je suis allée m'asseoir près de Sara et, sentant son regard insistant posé sur moi, j'ai gardé les yeux baissés sur mon livre.

— Mais qu'est-ce qui t'a pris ? a-t-elle chuchoté.

J'ai haussé les épaules en guise de réponse.

Les trois quarts d'heure qui ont suivi m'ont paru durer une éternité. Quand la fin du cours a sonné et que nous sommes enfin sorties de la salle, j'ai explosé :

— Mais pour qui il se prend, ce type ? Quel poseur !

Je marchais à grandes enjambées le long du couloir, hyper remontée. Lorsque nous sommes arrivées devant nos casiers, j'étais tellement agitée que Sara m'a dévisagée comme si elle me voyait pour la première fois de sa vie. J'ai enchaîné :

— Et c'est qui ce mec, d'ailleurs ?

— Evan Mathews, a répondu une voix grave derrière moi.

Mon cœur s'est arrêté de battre une fraction de seconde et j'ai lancé un regard paniqué à Sara. Qu'avait-il entendu au juste ? Je me suis retournée lentement, les joues en feu.

— J'espère que je ne t'ai pas contrariée en proposant cet article. Ça n'était pas mon intention.

Il m'a fallu quelques secondes pour reprendre mes esprits.

— Je n'étais pas contrariée du tout. Je veille juste à ce que les contributions respectent une certaine intégrité.

Je m'efforçais à employer un ton calme et distant, comme si rien ne s'était passé en cours.

— Je comprends parfaitement, a-t-il dit. C'est ton rôle.

Il avait l'air sincère. Ou condescendant...

J'ai changé de sujet de conversation.

— C'est ton premier jour ici ?

— Euh non, pas vraiment... Ça fait une semaine que je suis là et on a déjà eu cours ensemble.

— Ah..., ai-je répondu en regardant mes pieds.

— Ça ne m'étonne pas que tu ne t'en sois même pas rendu compte, tu as l'air très concentrée pendant les cours, on dirait que rien d'autre n'existe pour toi.

— Tu es en train de me dire que je suis égocentrique ? ai-je aussitôt répliqué d'un ton sec.

— Quoi ? Mais pas du tout !

Il a souri. Une lueur amusée brillait dans son regard, ce qui m'a exaspérée. L'air outré, j'ai planté mes yeux noirs de colère dans ses yeux gris acier – et non bleu clair, comme j'avais cru voir. Il était tellement content de lui, c'était insupportable ! J'ai secoué la tête, écœurée, et je lui ai tourné le dos pour m'éloigner.

— Mais qu'est-ce qui t'arrive ? m'a demandé Sara après m'avoir rattrapée. Je ne t'ai jamais vue dans un état pareil.

— Non, mais tu as vu ce crétin totalement imbu de lui-même ?

— Je crois qu'il voulait seulement être sûr qu'il n'avait pas été désagréable pendant le cours, a dit doucement Sara.

Elle a hésité une seconde avant d'ajouter :

— Si tu veux mon avis, je pense même qu'il s'intéresse à toi.

— Ouais, c'est ça, ai-je rétorqué d'un air dédaigneux.

— Franchement, Emma, je sais que tu es hyper concentrée en classe, mais quand même : comment tu as fait pour ne pas le voir avant ?

— Ah, toi aussi, tu penses que je suis égocentrique, c'est ça ? ai-je lancé méchamment.

Sara a écarquillé les yeux.

— Tu sais très bien que non, arrête de dire n'importe quoi ! Je sais que c'est vital pour toi de réussir ton entrée à l'université. Mais à cause de ça, tu es fermée aux autres et, du coup, personne ne fait attention à toi. Tout le monde est habitué à ton manque de…

Elle a cherché un instant le mot juste.

— … de curiosité. Du coup, ça fait bizarre, ce type n'est là que depuis une semaine et il a déjà remarqué à quel point tu étais investie en cours. C'est évident qu'il t'a repérée.

— Mais c'est pas parce qu'il m'a repérée ! C'est juste que son ego en a pris un coup pendant le cours et qu'il a essayé de contre-attaquer.

Sara a éclaté de rire.

— Tu es un cas désespéré !

J'ai ouvert mon casier pour y déposer mes livres avant de demander :

— C'est vrai que ça fait une semaine qu'il est là ?

— Tu te souviens que lundi, pendant le déjeuner, j'ai parlé d'un nouveau très mignon ?

Avec un rire moqueur, j'ai claqué la porte de mon casier d'un coup sec.

— C'est de lui que tu parlais ? Tu le trouves mignon ? !

— *Super* mignon, tu veux dire ! Comme à peu près toutes les filles du lycée, d'ailleurs. Même les terminale l'ont remarqué. Et si tu essaies de me faire croire que ça n'est pas ton cas, je t'étrangle !

J'ai levé les yeux au ciel.

— Bon, on change de sujet ? On ne va pas passer la journée sur lui, quand même.

Après avoir choisi notre déjeuner, lorsque nous avons traversé la cafétéria pour aller dehors, j'ai entendu chuchoter sur notre passage. C'était la première fois que je perdais ainsi le contrôle de moi-même et j'avais beau essayer de penser à autre chose, la scène avec Evan Mathews tournait en boucle dans ma tête. Pourquoi cette discussion avec ce type que je ne connaissais même pas me perturbait-elle à ce point ? Quelle idée de me mettre dans cet état…

Soudain, ma colère s'est envolée.

— Sara, je suis vraiment grave, ai-je dit d'une voix morne.

Allongée sur le banc, les manches de son tee-shirt retroussées jusqu'aux épaules, elle savourait le soleil. Les garçons qui passaient regardaient le spectacle avec gourmandise.

Elle s'est relevée et m'a dévisagée avec étonnement.

— De quoi tu parles ?

— Je ne comprends pas ce qui m'a pris. Franchement, qu'est-ce que ça peut bien me faire que ce type écrive un article sur le malaise des adolescents ? Comment j'ai pu faire toute une histoire pour ça ? Plus la scène dans le couloir… J'ai super honte.

Je me suis pris la tête dans les mains avec un grand soupir.

— C'est vrai que tu as été un peu excessive sur ce coup-là, a-t-elle répondu, le sourire aux lèvres.

— Merci, tu me remontes vraiment le moral.

En voyant son regard malicieux, j'ai éclaté de rire. Dix secondes après, on était toutes les deux pliées en quatre et les gens qui passaient tournaient la tête, étonnés. Au bout de quelques minutes, le ventre et les joues douloureux à force de rire, nous avons enfin réussi à nous ressaisir. Sara s'est alors penchée vers moi, émettant un dernier gloussement.

— Tu vas peut-être pouvoir te racheter. Il vient vers nous…

— C'est une blague ?

Mon estomac a fait un salto dans mon ventre.

— J'espère que ça n'est pas de moi que vous riez, s'est enquis cette voix assurée et charmante que je reconnaissais désormais.

J'ai fermé les yeux, paniquée à l'idée de me retrouver face à lui. Après avoir pris une grande inspiration, je me suis retournée et j'ai planté mes yeux dans les siens.

— Absolument pas. Sara a juste dit quelque chose de drôle.

J'ai hésité un instant avant de me lancer :

— Je n'aurais pas dû m'énerver contre toi, tout à l'heure. Désolée, c'est pas mon genre.

— J'ai besoin de me rafraîchir un peu, je vais chercher de l'eau, a annoncé Sara, les yeux encore humides.

Elle est partie. En nous laissant seuls !

— Je sais que tu n'es pas comme ça, m'a-t-il glissé avec un sourire doux.

La facilité avec laquelle il l'a dit m'a sidérée.

— Bonne chance pour ton match tout à l'heure, a-t-il ajouté. J'ai entendu dire que tu te défendais bien.

Et il est reparti. Sans attendre de réponse.

C'était quoi, ça ? Qu'est-ce qu'il sous-entendait par « Je sais que tu n'es pas comme ça » ? Je suis restée un moment immobile, les yeux fixés sur l'endroit où il se tenait quelques instants auparavant, essayant de comprendre ce qui venait de se passer. Curieusement, il n'avait pas du tout l'air de m'en vouloir de l'avoir ainsi agressé. Mais pourquoi m'étais-je à ce point énervée ? Contre un garçon, en plus… Bon, il était temps d'effacer toute cette histoire et de passer à autre chose. De rester concentrée sur l'essentiel.

— Il est parti ? J'espère que tu ne l'as pas de nouveau insulté ?

La voix de Sara m'a tirée de mes pensées. Je ne l'avais même pas vue revenir.

— Absolument pas ! Promis ! Il m'a juste souhaité bonne chance pour mon match et il est parti. C'était… bizarre.

Sara m'a fait un clin d'œil.

— Reconnais quand même qu'il est vraiment mignon.

J'ai grogné une vague réponse.

— Il est tellement mystérieux, a-t-elle continué. Tu sais, je crois vraiment qu'il t'aime bien.

— Arrête, Sara ! Là, c'est toi qui deviens stupide.

Nous avons sortis nos cahiers, mais j'ai eu un peu de mal à faire mes devoirs : je levais régulièrement le nez pour voir s'il était dans les parages. Une fois le travail pour le lendemain fini, j'ai renoncé aux devoirs de la semaine suivante. Ça pouvait bien attendre le week-end ; mon programme n'était pas franchement surchargé.

— Je vais chercher mes affaires dans le casier et me préparer pour le match, ai-je dit à Sara en me levant de ma chaise.

— Je te rejoins dans une minute, a-t-elle répondu, en train de rêvasser, allongée sur le banc.

J'ai pris mes livres et me suis dirigée vers la cafétéria, m'efforçant de regarder droit devant moi pour ne pas chercher Evan.

Impossible.

# 3

# Distraction

— Devine qui vient de me…

Les bras en l'air, j'étais en train d'enfiler mon tee-shirt, lorsque Sara s'est retournée.

— Oh la vache ! s'est-elle exclamée.

Je n'ai pas répondu. L'énorme hématome sur mon épaule droite en disait long.

— C'est moins terrible que ça n'en a l'air, ai-je marmonné sans oser la regarder dans les yeux.

— Moi, je trouve que ça a vraiment une sale tête. Juste parce que tu as oublié de sortir la poubelle… C'est dingue.

Au même moment, un groupe de filles est entré dans le vestiaire en parlant fort. Elles sont passées devant nous.

— Salut, Emma, a dit l'une d'elles en m'apercevant. Il paraît que tu t'es énervée contre la nouvelle star du lycée !

— Il a vraiment dû te chercher, a ajouté une autre fille.

— Je sais pas, ai-je soufflé, écarlate. J'étais pas de bonne humeur, c'est tout.

J'ai pris mes chaussures de sport, mes chaussettes et mes protège-tibias et j'ai filé avant de devoir affronter d'autres commentaires. Arrivée en haut des marches qui menaient au terrain, j'ai mis mon équipement. J'avais besoin d'un peu de calme pour libérer mon esprit après ce qui s'était passé ces deux dernières heures. Les journées au lycée étaient pour moi un espace sécurisé. Normalement, tout y était sous contrôle, réglé comme du papier à musique, personne n'avait d'emprise sur moi. Normalement... Car en seulement quelques minutes, Evan Mathews avait réussi à faire voler en éclats cet environnement protecteur. Mais qu'avait-il donc de si particulier ?

Soudain, j'ai de nouveau entendu sa voix. Pendant une semaine, je ne l'avais même pas remarqué, et maintenant je me cognais dedans à tout instant. Il sortait du vestiaire des garçons en discutant avec un type que je ne connaissais pas. J'ai croisé son regard et il m'a fait un petit signe de la tête. J'aurais mille fois préféré être invisible, comme d'habitude. Heureusement, il s'est dirigé sans détour vers le terrain, un sac noir à la main.

Tandis qu'il courait sur la pelouse, le soleil jouait avec ses boucles dorées et je voyais les muscles de son dos saillir sous son tee-shirt moulant. On aurait dit une pub pour Abercrombie.

— Waouh !

La voix de Sara vibrait. Je ne l'avais même pas entendue arriver ! Je me suis tournée vers elle, les joues rouges, craignant qu'elle n'ait lu dans mes pensées.

— Il est carrément canon, Em ! Il serait temps que tu te réveilles.

Alors que j'allais protester, un bus est apparu sur la route. Par les fenêtres ouvertes, on pouvait entendre les refrains des joueurs :

— Qui est-ce qui va se faire baaaattre ? hurlait une voix hystérique.

— C'est Weslyyyyn ! répondaient des dizaines de voix tout aussi hystériques.

— Même pas en rêve ! s'écria Sara.

J'ai éclaté de rire et nous sommes toutes deux parties vers le terrain.

— J'y crois pas ! a lancé Sara sur le chemin du retour. Stanford ! Em, c'est vraiment dingue !

Je l'écoutais sans parvenir à articuler le moindre mot, mais mon large sourire en disait long. Non seulement nous avions gagné, mais surtout nous avions appris, à la fin du match, que quatre directeurs sportifs d'université étaient venus assister à la rencontre pour repérer des joueuses. Pile le jour où je marquais trois buts sur quatre !

J'étais euphorique.

— J'arrive pas à croire que tu vas partir pour la Californie au printemps ! continuait Sara, tout aussi surexcitée. Tu es obligée de m'emmener, je te préviens !

— Du calme ! Il a juste dit qu'il envisageait d'organiser une rencontre là-bas. Ça dépendra de mon prochain bulletin.

— Ça n'est pas vraiment un problème ! Je ne pense pas que tu auras une seule note en dessous de A de toute ta vie.

J'aurais bien aimé être aussi optimiste mais, dès la seconde où nous sommes arrivées devant chez moi, tout mon enthousiasme est retombé. La victoire, les directeurs de club, Stanford – toutes ces belles images ont été remplacées par une peur sourde. Je passais du rêve au cauchemar.

Au même instant, comme par hasard, Carol est sortie de la maison pour aller chercher le courrier dans la boîte aux lettres. À tous les coups, elle mijotait quelque chose. Mon cœur s'est mis à battre de façon désordonnée dans ma poitrine.

— Bonjour, Sara, a-t-elle dit sans un regard pour moi. Comment vont tes parents ?

Mon amie a eu un grand sourire ; je suis sortie de la voiture.

— Ils vont très bien, merci. Et vous, madame Thomas, comment ça va ?

Carol a poussé un de ces grands soupirs dont elle est la spécialiste. Un soupir de martyre.

— Je survis…

— Tant mieux, a commenté poliment Sara pour éviter de déclencher le discours « pauvre de moi », autre spécialité de ma tante.

— Sara… Je suis désolée de te demander ça à toi, au lieu de passer par tes parents, mais puisque tu es là…, a commencé Carol.

Je me suis raidie.

— En fait, je me demandais si Emily pourrait dormir chez vous demain soir. George et moi avons un dîner et ça serait plus simple si elle pouvait rester avec quelqu'un de responsable. Mais je ne veux surtout pas qu'elle perturbe votre programme…

Elle parlait de moi comme si je n'étais pas là, à deux mètres d'elle.

— Je ne pense pas que ça pose de problème, a répondu Sara. J'avais prévu d'aller à la bibliothèque pour travailler. Je vois ça avec mes parents dès qu'ils rentrent.

— Merci, c'est très gentil à toi. Cela me rendrait un grand service.

— Au revoir, madame Thomas, a dit Sara en mettant le contact.

Carol lui a fait un petit signe de la main et un grand sourire. Dès que la voiture a passé le coin, elle m'a lancé une grimace amère.

— C'est vraiment humiliant de devoir solliciter les gens juste pour que nous puissions passer un peu de temps ensemble, ton oncle et moi. Heureusement que Sara a bon cœur. Je ne comprends pas comment elle peut te supporter.

Elle a tourné les talons et s'est dirigée vers la maison. Ses mots étaient aussi affûtés que des lames de rasoir.

Pendant longtemps, j'avais cru qu'elle disait vrai : si Sara était amie avec moi, c'était uniquement parce qu'elle avait pitié. Il suffisait de nous voir ensemble pour le croire. Sara, belle et brillante, moi, effacée et inintéressante. Mais, au fil des ans, j'ai compris que Sara était la personne en qui je pouvais avoir le plus confiance.

J'ai fait un pas dans la maison, et ma vie quotidienne m'a immédiatement rattrapée : dans l'évier, les vestiges du dîner attendaient mon retour. Je suis allée poser mes sacs dans la chambre avant de revenir à la cuisine pour m'atteler à ma tâche. Faire la vaisselle ne me dérangeait pas plus que ça. En particulier ce soir, où j'étais d'humeur joyeuse.

⁂

Le lendemain matin, je me suis réveillée enthousiaste et optimiste, comme cela ne m'était pas arrivé depuis longtemps. Une fois prête, j'ai emporté un sac de vêtements pour ma nuit chez Sara. Un sourire flottait sur mes lèvres tandis que je descendais l'escalier.

Brutalement, j'ai été stoppée dans mon élan. Tirée par les cheveux. La réalité était sans pitié.

— Ne me fais pas honte, a soufflé la voix dans mon oreille.

J'ai hoché la tête en essayant de rester à bonne distance. Mais sa poigne de fer ne me lâchait pas, rapprochant mon visage du sien. Je sentais son souffle balayer mes joues.

La seconde d'après, elle était partie. Comme si de rien n'était. Depuis la cuisine, elle appelait d'une voix tendre ses enfants, les prévenant que le petit déjeuner était servi.

Lorsque je suis entrée dans la voiture de Sara, mon amie affichait un sourire radieux. Elle m'a embrassée en me serrant dans ses bras.

— J'arrive pas à croire que tu viennes voir le match ce soir.

J'étais encore secouée par la menace de Carol.

— Elle est sûrement en train de nous regarder, Sara. On ferait mieux de filer avant qu'elle ne change d'avis et ne m'enferme dans la cave pour la nuit.

— Elle est capable d'une chose pareille ?

Sara était horrifiée.

— Vas-y, je te dis !

« Oui, elle en est parfaitement capable. » Je l'ai pensé sans pouvoir le dire.

Pendant que Sara conduisait, j'observais l'arrivée de l'automne. Le temps était encore doux en cette journée d'octobre. Les arbres se paraient des couleurs de saison : rouge foncé, doré, orange... L'ensemble était somptueux et formait un tableau digne des impressionnistes. Le spectacle de ces couleurs éclatantes me paraissait particulièrement magnifique. Probablement parce que j'y étais plus attentive que d'habitude. Même la menace de Carol n'avait pas réussi à entamer ma bonne humeur. Depuis notre victoire et les commentaires encourageants du directeur du club de Stanford, j'étais sur un nuage. Tout me semblait beau, plein d'avenir et de promesses. La perspective de ma soirée avec Sara ne faisait qu'augmenter cette allégresse : pour la première fois en trois ans j'allais assister à un vrai match de football américain !

— J'ai décidé de te bichonner avant qu'on sorte ce soir.

Je lui ai adressé un regard méfiant.

— Comment ça ?

— Fais-moi confiance, ça va te plaire.

— OK.

Inutile d'insister, même si l'idée d'être bichonnée par Sara m'inquiétait un peu : nous n'avions sûrement pas la même idée sur le sujet. J'avais une nette préférence pour les soirées plateau-télé tranquilles, que la plupart des adolescents de mon âge détestaient. Ce qui leur paraissait morne et ennuyeux était pour moi le plus grand des luxes.

— Je vais lui proposer de sortir après le match, a-t-elle déclaré tandis que nous traversions le parking.

— Tu vas faire comment ?

— Je pensais qu'on pourrait aller à la fête de Scott Kirkland, et je proposerais à Jason de me retrouver là-bas. Qu'est-ce que tu en dis ?

Une fête ! Je n'étais encore jamais allée à une fête. J'en avais souvent entendu parler, et vu des centaines de photos affichées sur les casiers, mais cela restait un univers dont j'étais exclue. Un monde inaccessible. D'une certaine manière, cela me convenait ainsi. Une vague de panique m'a assaillie à l'idée de me retrouver dans une fête. Franchir le seuil de la porte et sentir tous les regards sur moi me paralysait d'avance.

Sara a guetté ma réaction avec inquiétude. J'ai vu, dans les yeux bleus qui me scrutaient, combien elle avait envie de cette soirée. Après tout, je pouvais faire un effort de conversation et parler de la pluie et du beau temps avec ces élèves dont je partageais les cours depuis quatre ans sans rien savoir d'eux. Cela pourrait même être intéressant !

— Super idée ! ai-je lancé avec un sourire forcé.

— Tu es sûre ? On n'est pas obligées, tu sais. Je peux trouver une autre idée à proposer à Jason.

— Non, non ! Ça me va très bien.

— Génial !

Sara m'a prise dans ses bras avec enthousiasme. Je n'ai pas pu retenir une grimace de douleur lorsqu'elle m'a écrasé l'épaule.

— Oh excuse-moi ! s'est-elle exclamée. Je suis tellement excitée ! Jamais je n'aurais osé lui proposer un truc pareil, sans toi. Et puis, ça nous arrive si rarement d'être ensemble en dehors de l'école. C'est super !

Moi, rien qu'en pensant à cette fête, j'avais l'estomac noué. Mais pour Sara je devais y arriver. Après tout, que pouvait-il bien se passer de si terrible ? Des gens allaient me parler. Cette simple idée m'a fait frémir. Si, ça promettait d'être terrible.

Heureusement, j'avais cours d'arts plastiques : pendant une heure, je penserais à autre chose. Je suis entrée dans l'atelier et j'ai respiré avec plaisir les odeurs de peinture, de colle et de diluant. La pièce, très vaste, était baignée de soleil grâce à d'immenses baies vitrées et les murs étaient couverts d'œuvres d'art colorées. Il régnait une atmosphère chaleureuse et rassurante. Je me sentais toujours bien, ici. J'y oubliais le passé et le futur et vivais le présent comme un temps suspendu, en sécurité.

Mme Mier nous a accueillies chaleureusement, comme toujours, et, après avoir pris chacune notre matériel, nous sommes allées nous asseoir. Gentille, généreuse et attentive aux élèves, Mme Mier était une prof formidable.

Elle nous a dit de poursuivre le travail du cours précédent : reproduire sur toile une image que nous avions choisie dans un magazine et qui exprimait le mouvement. Mis à part quelques chuchotements, les élèves étaient silencieux, concentrés sur leur travail. C'était aussi pour ce silence que j'aimais ce cours. J'avais l'impression de m'y ressourcer.

Mon cœur a fait un léger bond dans ma poitrine quand, parmi les murmures, une voix particulière a résonné. Presque malgré moi, mes yeux se sont dirigés vers sa source. Il était là, à l'entrée de l'atelier, un appareil photo à la main, et parlait avec Mme Mier. Elle feuilletait un book en faisant des commentaires. Lorsqu'il m'a vue, il m'a souri. J'ai aussitôt plongé le nez sur ma toile, paniquée, et me suis remise au travail. En vrai, j'aurais voulu disparaître.

— Tu es vraiment douée.

J'ai relevé la tête : il était à côté de moi. J'ai cru défaillir sur place et il m'a fallu quelques instants pour me remettre à respirer normalement. Qu'est-ce qui m'arrivait ? D'ordinaire si habituée à contrôler mes émotions, je me sentais soudain débordée.

— Au foot, je veux dire. Tu es super bonne. C'était un sacré match, hier !

— Merci. Mais… Tu es dans ce cours ?

Je me suis sentie rougir.

— J'ai demandé à Mme Mier si je pouvais faire partie du cours en travaillant sur des projets photographiques et elle accepté. Donc oui.

— Ah…

Il a esquissé un sourire. Le rouge a envahi mon visage et mon cœur s'est emballé. Je n'étais plus moi-même et cela me perturbait.

À mon grand soulagement, Mme Mier nous a interrompus.

— Tu connais Emma ?

— Nous avons fait connaissance hier, a répondu Evan.

— Tant mieux ! Dans ce cas, Emma, peux-tu montrer à Evan le matériel pour le tirage photo ainsi que la chambre noire ?

Après sa course folle, mon cœur s'est arrêté de battre. Mme Mier avait-elle décidé de me torturer ?

— Bien sûr, ai-je répondu.

Sans un regard pour Evan, je me suis levée et me suis dirigée vers le fond de la salle. Lui tournant le dos, j'ai ouvert les placards.

— Ici on range tous les produits : le papier, le révélateur, le fixateur… Et là, le matériel pour la coupe : cutter, massicot, règles…

Nous avons ensuite traversé l'atelier dans l'autre sens jusqu'à la chambre noire. Je me suis arrêtée à la porte, je lui ai indiqué où était l'interrupteur de la lumière spéciale.

— Est-ce qu'on peut entrer pour que tu me montres comment ça marche ?

Mes jambes sont devenues toutes molles.

— D'accord.

La pièce était petite et carrée. Au milieu se trouvait une grande table sur laquelle étaient disposés l'agrandisseur et trois cuves en plastique pour les produits. Il y avait un évier au fond, des meubles de rangement le long du mur à droite et une corde à linge avec des pinces sur le côté gauche pour faire sécher les tirages.

Même avec la porte entrouverte, la pièce était très sombre. Me retrouver seule avec Evan Mathews dans l'obscurité était la dernière chose dont j'avais besoin.

— Et voilà, ai-je dit bien fort en montrant l'ensemble d'un grand geste de la main.

Evan a ouvert les placards les uns après les autres pour en examiner le contenu.

— Pourquoi tu ne parles avec personne d'autre que Sara ?

Il me tournait le dos, le nez dans un placard.

— Qu'est-ce que tu veux dire ? ai-je riposté, sur la défensive.

— Tu ne parles à personne. Pourquoi ?

Je me suis tue. Quelle réponse pouvais-je donner ?

— Bon. Alors je vais le dire autrement : pourquoi tu ne me parles pas à moi ?

Ses lèvres ont esquissé un sourire et encore une fois j'ai senti le rouge gagner mes joues à la vitesse grand V.

— Parce que je ne suis pas sûre de beaucoup t'apprécier, ai-je répliqué sans même réfléchir.

Il m'a lancé un regard amusé, toujours le même. Non, mais pour qui se prenait-il ? Un demi-tour, et je suis sortie de la pièce.

J'ai eu un mal fou à me concentrer jusqu'à la fin du cours et n'ai pas pu finir mon tableau. Evan était sorti prendre des photos, mais sa présence flottait autour de moi. Jusqu'à aujourd'hui, ce cours était pour moi un lieu préservé où je me sentais à l'abri. Et, en l'espace d'une demi-heure, il avait fait voler en éclats cette forteresse.

Lorsque j'ai retrouvé Sara devant les casiers, elle a immédiatement remarqué mon agitation.

— Ça va ?

— Evan Mathews s'est inscrit à l'atelier d'arts plastiques.

— Et… ?

J'ai hoché la tête, incapable d'expliquer en quoi l'arrivée d'Evan dans le cours d'arts plastiques était un désastre. Dans ma tête, c'était une sacrée pagaille et je ne me sentais pas prête à en parler, même à Sara.

— Je te dirai plus tard, ai-je lancé avant de m'éloigner.

Le système de protection que j'avais mis en place était menacé. Cela me terrifiait. Jusqu'à présent, j'étais parvenue à garder mon sang-froid en toute circonstance et un contrôle total sur mes émotions. Cela me permettait de ne pas être remarquée à l'école : j'étais presque transparente. J'étais si discrète que, malgré mes excellents résultats, mes professeurs m'oubliaient très vite. Les élèves aussi. Quand je suis arrivée, quatre ans plus tôt, quelques élèves de ma classe avaient essayé de me parler ou de m'inviter à des fêtes ; mais ça n'avait pas duré. Ils avaient rapidement renoncé à me faire aligner plus de deux mots.

Seule Sara avait réussi à me faire baisser la garde. Pendant six mois, elle m'a proposé presque chaque semaine de venir chez elle et, un jour, Carol a fini par accepter. Pas pour me faire plaisir, évidemment, mais parce que, ce jour-là, une copine lui avait proposé d'aller faire les magasins et qu'elle n'avait pas envie de m'avoir dans les pattes. L'invitation de Sara tombait à pic. Elle a scellé le début de notre amitié. J'ai commencé à aller chez elle plus souvent, quand cela arrangeait ma tante. Il m'arrivait même d'y dormir, lorsque Carol et George avaient un dîner en ville. Le fait que le père de Sara soit un magistrat réputé avait certes aidé Carol à se montrer accommodante : elle était sensible au statut social des gens.

L'été dernier, j'avais même été autorisée à passer une semaine à la campagne avec Sara et sa famille. Mon oncle et ma tante avaient justement prévu de faire du camping avec les enfants à ce moment-là. Ce qui n'avait pas empêché Carol de me faire payer ces vacances à mon retour. Peu importe, tous les bleus et blessures du monde ne pouvaient rien contre le souvenir de cette semaine merveilleuse. La plus belle de ma vie.

C'est pendant ce séjour que j'avais rencontré Jeff Mercer. Il était maître-nageur sur la plage, devant notre maison. Ses parents possédaient une résidence secondaire tout près de là et il y passait l'été. Avec Sara, nous l'avions tout de suite remarqué et nous avions passé les deux premiers jours à nous extasier. Il nous a invitées à un barbecue sur une plage privée. Lorsqu'il nous a présentées à ses amis, j'ai dit que j'étais une cousine de Sara et que je vivais dans le Minnesota. Nous avions mis au point toute une histoire. Une vie inventée qui me convenait parfaitement. Pas besoin de me rendre invisible, car je n'existais pas…

Ce nouveau moi a laissé Jeff s'approcher. Je parlais et riais, j'étais « normale ». Nous avions beaucoup de points communs : nous écoutions la même musique et jouions tous les deux au football. Vers la fin de la soirée, tous les invités s'étaient rassemblés autour du feu. Jeff est venu s'asseoir à côté de moi. L'air était doux, les étoiles brillaient, on entendait quelques accords de guitare. Il a passé son bras autour de mes épaules et je me suis appuyée contre lui. Je n'avais jamais été aussi proche d'un garçon. Et je me sentais bien.

Tandis que la guitare égrenait ses notes, nous parlions tranquillement. À un moment, il s'est penché vers moi. J'ai retenu mon souffle, paniquée à l'idée qu'il se rende compte que je n'avais encore jamais embrassé personne. Ses lèvres se sont posées sur les miennes avec une infinie douceur.

Les adieux n'ont pas été une partie de plaisir : se dire au revoir, promettre de s'écrire... Mais ça n'a pas non plus été vraiment difficile. Pas pour la vraie Emma Thomas, l'adolescente discrète qui se faufilait comme une ombre dans les couloirs de son lycée de Weslyn, Connecticut. Cette Emma effacée, presque fantomatique, que Jeff ne connaissait pas.

C'est justement ce qui me dérangeait chez Evan Mathews : il avait visiblement décidé de m'extraire de ma cachette et je n'arrivais pas à lui échapper. Ni mes réponses sèches ni mon agressivité ne semblaient le décourager ; je ne parvenais pas plus à ignorer son existence. Tout cela m'énervait. Et plus je m'énervais, plus il paraissait s'amuser.

Avant de rejoindre le cours d'histoire, j'ai fait une pause de quelques minutes pour me préparer mentalement. Evan serait probablement là. Je suis entrée dans la classe, tendue au maximum, et j'ai discrètement lancé un regard circulaire. Pas d'Evan en vue. J'ai senti mon cœur chavirer, le sang pulser dans mes oreilles et mes joues s'enflammer. J'étais déçue.

Pas d'Evan non plus au cours de chimie.

C'est seulement en cours de maths, alors que j'étais la tête dans mon sac en train de chercher mon devoir, que j'ai tout à coup entendu cette voix familière. En un quart de seconde, mon pouls s'est accéléré comme si je venais de courir un cent mètres.

— Salut !

J'ai continué à fouiller dans mon sac sans relever la tête.

— Tu as décidé de ne plus m'adresser la parole du tout ?

Là, je l'ai fusillé du regard.

— Pourquoi est-ce que tu veux à tout prix me parler ? ai-je répliqué sur un ton acerbe.

Il m'a dévisagée une seconde, interloqué. Puis a très vite retrouvé son sourire moqueur.

— Et pourquoi tu me regardes comme ça ? ai-je ajouté.

Avant qu'il n'ait eu le temps de répondre, M. Kessler est entré. J'ai gardé les yeux rivés sur le tableau pendant toute l'heure pour ne pas croiser le regard d'Evan que je sentais posé sur moi.

Lorsque la cloche a retenti, j'ai rangé mes cahiers dans mon sac en vitesse pour foncer en classe de bio. Mais sa voix, dans mon dos, m'a interrompue dans mon élan.

— Parce que je pense que tu es quelqu'un d'intéressant.

Je me suis retournée lentement.

— Mais tu ne me connais même pas !

— Ça n'est pas faute d'essayer…

— Il y a des centaines d'autres personnes avec qui tu peux devenir ami dans ce lycée.

— Sûrement. Mais c'est toi qui m'intéresse.

Je me suis levée et suis sortie de la classe, les jambes tremblantes. Il me prenait toujours de court avec ses remarques et je ne savais jamais quoi répondre. J'ai senti la panique gagner du terrain.

— Je peux t'accompagner au cours de bio ?

— Tu n'es pas *aussi* dans mon cours de bio ?

Là, ça tournait carrément au complot. Et au cauchemar.

— Eh bien si… Tu ne m'as vraiment pas calculé pendant toute cette semaine !

Nous étions en train de traverser le préau et j'avais l'impression que tout le monde nous regardait. Emma Thomas traînant avec un élève – un garçon, en plus –, c'était le scoop de l'année ! Surtout quand le garçon en question était celui qu'elle avait agressé en plein couloir, devant tout le monde, pas plus tard que la veille. De quoi alimenter les potins du lycée.

Une fois arrivés devant la porte de la salle de bio, je me suis tournée d'un coup vers lui.

— J'ai bien compris que tu étais nouveau et que je t'intriguais. Mais je t'assure que je ne suis pas du tout aussi intéressante que tu le crois et que tu n'as pas besoin de me connaître davantage. J'ai de bonnes notes, je suis douée en sport, mais je suis aussi très occupée. J'ai besoin de mon intimité et de mon espace, et je préfère qu'on me laisse tranquille. C'est tout. Il y a des dizaines d'élèves qui meurent d'envie de devenir ton ami. Pas moi. Désolée.

Ouf, c'était dit.

Mais lui, en guise de réponse, il m'a lancé son petit sourire spécial Evan Mathews.

— Et arrête de me regarder comme si j'étais toujours en train de plaisanter. Je suis tout ce qu'il y a de plus sérieux : fiche-moi la paix !

J'ai tourné les talons et suis entrée en classe. Mais, alors que je m'attendais à être soulagée d'avoir enfin pu lui dire ses quatre vérités, je me suis sentie perdue.

À la fin de la journée, j'avais retrouvé le sourire et la bonne humeur. L'idée de passer la soirée avec Sara et de ne pas rentrer à la maison y était pour beaucoup. Mais aussi le fait de ne pas revoir Evan.

J'ai rejoint Sara devant nos casiers.

— J'ai l'impression de ne pas t'avoir vue de la journée ! a-t-elle dit. Comment ça va ? Tu ne m'as toujours pas dit ce que…

— Je te dirai plus tard. Pour l'instant, j'ai surtout envie de m'amuser et de passer une bonne soirée.

— Em, tu ne peux pas me faire ça ! Il paraît qu'Evan t'a accompagnée au cours de bio. Raconte !

J'ai regardé vite fait autour de moi pour m'assurer qu'il n'y avait pas d'oreilles indiscrètes. Inutile d'alimenter davantage les ragots.

— Je crois que tu avais raison… Il m'a dit que j'étais « intéressante » et il veut tout le temps me parler. En plus, on a plein de cours ensemble. Sara, je ne sais pas comment m'en débarrasser… J'ai fini par lui dire qu'il devait me laisser tranquille.

— Mais Em, il s'intéresse à toi ! Qu'est-ce que ça a de si terrible ?

Je l'ai regardée, ahurie. Elle ne voyait pas le problème ?

— Sara, tu sais bien que c'est impossible. Tu es ma seule amie, il y a une bonne raison à cela.

J'ai vu dans son regard qu'elle commençait à comprendre.

— Je ne peux laisser personne m'approcher. Je ne peux pas sortir. Ni au cinéma ni ailleurs. Ce soir, je vais à une fête pour la première et probablement dernière fois. Je ne veux pas commencer à mentir, sinon…

Je n'ai même pas réussi à finir ma phrase. L'idée de ce qui m'attendait si je me faisais prendre m'a fait frissonner. J'aurais préféré ne pas être obligée de me projeter ainsi, mais Sara, manifestement, avait besoin de ces précisions. En une seconde, son expression a changé : elle a vu le monde à travers mes yeux. Et en a été bouleversée. Ma gorge s'est serrée.

— Je suis vraiment désolée, j'aurais dû comprendre plus tôt, a-t-elle murmuré. Je crois que tu as raison et qu'il vaut mieux que tu le gardes à distance.

— Ne t'inquiète pas, ai-je dit avec un sourire. Plus que six cent soixante-douze jours, et n'importe quel type pourra s'intéresser à moi !

Sara a souri à son tour. Un sourire un peu forcé. La pitié que je pouvais lire dans ses yeux me renvoyait à ma vie misérable. C'était douloureux.

Je n'arrivais même plus à me rappeler ma vie d'avant. Ma vie « normale ». Les quelques photos que j'avais de cette époque, bien cachées dans une boîte à chaussures, montraient une enfant radieuse. Le plus souvent, mon père était avec moi. Lorsqu'il est mort, je suis restée seule avec ma mère, qui cherchait désespérément un remplaçant à mon père. Pas vraiment une mère. Pas vraiment capable de s'occuper d'une gamine. J'étais plus un fardeau qu'autre chose. J'ai fait tout ce que j'ai pu pour m'en sortir sans son aide.

Après, quand je suis arrivée chez mon oncle et ma tante, j'ai espéré de tout mon cœur être accueillie comme un véritable membre de leur famille et retrouver cette chaleur humaine qui m'avait tant manqué. Je pensais que mes excellents résultats scolaires m'aideraient à me faire accepter. Mais dès l'instant où j'ai franchi le seuil de cette maison, l'accueil a été glacial. Et, en quatre ans, ça ne s'est jamais arrangé. À partir de cette froide nuit d'hiver, malgré tous mes efforts pour être parfaite, ils m'ont fait payer ma présence chez eux. J'avais beau faire, Carol savait me rappeler en toute occasion que je n'étais qu'un parasite.

# 4

# Changement

Sara est restée silencieuse pendant tout le trajet. Je me doutais que ses pensées me concernaient.

— Il faut trouver une solution, a-t-elle fini par dire.

Pour ma part, je voulais surtout évacuer le sujet et savourer ce moment de liberté.

— Tu ne peux pas continuer à fuir tout le monde jusqu'à ce que tu sois à l'université. Il faut qu'on trouve un moyen pour que les garçons qui en ont envie puissent t'approcher et te parler. Peut-être que si on anticipe les questions et qu'on prépare des réponses, cela te rassurera ?

— Sara, laisse tomber. D'abord, je n'ai pas le droit de sortir. Et de toute façon…

— De toute façon quoi ?

— Franchement, qui s'intéresse à moi ? Qui sont « les garçons qui en ont envie » dont tu parles ?

— Evan, pour commencer. Il te l'a dit lui-même.

— Allez, c'est bon. On parle d'autre chose.

— Au fait, tu savais que Haley Spencer l'a invité à une fête ?

J'ai senti une brûlure dans ma poitrine.

— Comment veux-tu que je le sache ? C'est toujours toi qui m'apprends les potins. Mais elle est en terminale, Haley... Pourquoi elle l'a invité ?

— Figure-toi qu'il y a des filles de terminale qui s'intéressent à lui. De toute façon, il paraît qu'il a refusé. Em, je te dis que c'est toi qu'il veut !

— N'importe quoi ! OK, je l'amuse et il me trouve « intéressante ». Mais il ne m'a pas proposé d'aller au cinéma ou qu'on se voie en dehors du lycée. Il doit me trouver bizarre et ça l'intrigue, c'est tout.

— Bizarre, c'est sûr que tu l'es ! a-t-elle lancé en riant. Avoir dix-huit de moyenne générale, pratiquer trois sports, participer à tous les ateliers et être sollicitée par quatre universités, le tout en cohabitant avec une sadique absolue, il faut être sacrément bizarre pour y arriver !

Avant même que j'aie eu le temps d'ouvrir la bouche, elle a ajouté :

— On s'en fiche, des raisons pour lesquelles il t'apprécie ! Maintenant que tu lui as bien fait comprendre que tu avais besoin qu'on te laisse tranquille, tu pourrais au moins faire un petit effort et lui parler, non ? Soit il a une idée derrière la tête et, dans ce cas, lorsqu'il te proposera de sortir, on aura tout le temps de réfléchir à comment gérer le truc ; soit ça devient un bon copain, et ça serait plutôt une bonne chose. Tu n'as rien à perdre.

Ses arguments étaient convaincants. En plus, je me disais que si je lui parlais, il finirait par lâcher l'affaire quand il se rendrait compte qu'il n'y avait pas grand-chose à tirer de moi. C'était ce qui pouvait arriver de mieux.

— Tu as gagné, je vais lui parler. Mais qu'est-ce que je peux lui dire sur moi sans mentir ?

Je pouvais compter sur Sara pour avoir déjà réfléchi à la question.

— Tu ne racontes pas tout. Tu n'as qu'à lui dire que tu as été adoptée par ton oncle et ta tante après la mort de ton père, quand ta mère est tombée malade. C'est suffisamment précis et ça te permet de dire ce que tu veux à propos de Leyla et Jack. Tu peux aussi lui expliquer qu'avec le boulot et les enfants ils sont hyper occupés et que c'est pour ça qu'ils n'assistent jamais à tes matchs.

Elle s'est tue un instant avant de reprendre :

— Autre chose : il va sûrement te demander pourquoi je suis ta seule amie. Et pourquoi tu ne parles à personne.

— Il me l'a déjà demandé. Je n'ai pas répondu.

— Tu peux lui dire que nous sommes devenues amies tout de suite. Dès que tu as emménagé ici. Ce qui est vrai. Et aussi, que tu es la première de la famille à envisager de faire des études et que tu as une grosse pression parce qu'il faut absolument que tu obtiennes une bourse.

— Ça n'explique pas pourquoi je n'ai pas d'autres amis que toi...

— Tu peux peut-être lui dire que ton oncle et ta tante sont super protecteurs avec toi ? Qu'ils ne savent pas comment faire avec une ado et que, du coup, ils ont tendance à être très stricts. Qu'est-ce que tu en penses ? Et tu lui racontes qu'entre tes nombreuses activités et les horaires imposés, tu n'as pas trop la possibilité de sortir. À mon avis, ça devrait marcher.

Elle s'est interrompue un instant avant de reprendre.

— Après, les choses seront claires et tu pourras parler avec lui de plein de trucs – de musique, de sport, du lycée... Et tu ne seras plus obligée de mentir.

Je n'ai pas pu m'empêcher de rire.

— On dirait que tu prends tout ça très à cœur !

— C'est vrai, a-t-elle répondu d'un air pensif. En fait, ces deux derniers jours, j'ai remarqué dans tes yeux une lueur que je n'avais jamais vue avant. Et même si c'est de la colère ou de la frustration, au moins, ce sont des émotions. D'habitude, tu es tellement verrouillée que j'ai parfois l'impression que tu vas imploser. Je crois qu'Evan a touché quelque chose au plus profond de toi. Même si avec moi tu baisses un peu la garde, tu ne te laisses jamais vraiment aller ; tu n'es jamais en colère, tu caches tes peurs et tu ne me dis pas quand tu es blessée. Pourtant, avec tout ce que Carol te fait subir, c'est évident que tu dois éprouver des tonnes d'émotions et de sentiments violents. Ces deux derniers jours, tu as été en colère, tu as été frustrée et tu t'es sentie humiliée. Si ce type réussit à te faire exprimer tout ça, moi je suis à fond pour que tu parles avec lui. C'est si délirant que ça ?

— Totalement délirant ! ai-je répondu. En même temps…

Nous étions arrivées devant chez Sara. Elle a coupé le moteur et s'est tournée vers moi, attendant la suite.

— Je vois ce que tu veux dire. Mais imagine que je commence à le trouver sympa. Ça serait simplement atroce… Personne ne connaît mon secret, en dehors de toi. Et je ne peux pas prendre le risque d'en parler à quelqu'un d'autre. Pas tant que je vis encore chez eux.

Je me suis tue un moment.

— C'est vraiment compliqué, Sara. Mais je vais essayer de lui parler, promis.

Un large sourire a illuminé son visage.

— Cela dit, je suis sûre qu'il va continuer à m'énerver. Je vais peut-être finir par l'étrangler… Je te préviens, si c'est le cas, ça sera ta faute.

— OK. En attendant, tu me jures de tout me raconter ?

— Évidemment. Il faut bien que tu sois au courant des événements pour m'aider à l'enterrer quand je l'aurai étripé.

Elle a gloussé avant de pousser la porte de chez elle. C'était une immense villa moderne. Contrairement au centre historique de la ville et ses anciennes maisons coloniales ou victoriennes, ce quartier-ci était beaucoup plus récent. Les promoteurs s'étaient emparés des vastes exploitations agricoles pour y construire des ensembles de belles et grandes villas.

Sara était fille unique. J'étais chaque fois éblouie par l'espace qu'elle avait dans la maison – un étage pour elle toute seule. Elle avait une salle de bains qui, avec son double lavabo, sa baignoire jacuzzi et sa douche séparée, était presque deux fois plus grande que ma chambre. À droite du palier, se trouvait la salle de jeux : une gigantesque pièce avec un plafond cathédrale et des murs blancs sur lesquels étaient accrochés différents posters encadrés – des groupes de musique, des animaux, des paysages aux couleurs chatoyantes… Sur le mur de droite était installé un écran plat impressionnant, relié à des consoles de jeux et à un ordinateur. De l'autre côté de la pièce trônait un grand canapé moelleux qui pouvait se transformer en un lit confortable. Dans le coin à gauche, il y avait un espace lecture : des bibliothèques en bois massif dont les rayonnages montaient jusqu'au plafond, avec des échelles intégrées, et, par terre, de larges coussins sur lesquels on se vautrait pour se plonger dans les livres. Et enfin, tout au fond de la pièce, on pouvait se défouler autour de la table de ping-pong ou au baby-foot.

Après être entrée dans la salle de jeux, Sara a ouvert un des panneaux coulissants du placard qui était sous l'écran et a allumé la chaîne. Un appareil ultra moderne et ultra sophistiqué. Elle a branché son iPod et a mis la chanson d'un artiste indépendant que nous aimions toutes les deux. Le long solo de guitare et la voix chaude ont rempli la pièce de leur timbre ouaté.

J'ai suivi Sara dans sa chambre, de l'autre côté du palier.

— Prête à être bichonnée ? a-t-elle demandé en s'affalant sur un des deux lits *king size* recouverts de coussins multicolores.

— Mouais…, ai-je répondu en m'asseyant sur l'autre lit.

La pièce, moins grande que la salle de jeux, était quand même suffisamment spacieuse pour contenir les deux grands lits plus un canapé. Les murs étaient tapissés de photos de ses amis et de sa famille.

— J'ai un pull et un jean qui t'iront parfaitement.

Elle s'est dirigée vers le dressing. Une vraie pièce, à peu près de la taille de ma chambre, dont les murs étaient couverts d'étagères, de tringles et de tiroirs qui accueillaient les vêtements de Sara, soigneusement rangés. Par terre, les chaussures étaient alignées par genres et par couleurs – des tennis, des bottes, des escarpins…

Chaque fois que je venais chez Sara, j'avais l'impression de m'extraire de la réalité et d'arriver dans une sorte de monde merveilleux, une caverne d'Ali Baba où tout était possible.

— Mais tu es beaucoup plus grande que moi ! ai-je protesté. Ça ne va jamais m'aller. De toute façon, j'ai apporté un jean.

Je l'ai brandi devant elle et elle l'a évalué d'un œil critique.

— Ça va, il est correct. Tu peux prendre ta douche ici, je vais aller dans la salle de bains de mes parents.

Elle m'a tendu un top blanc avec un col chemise et un pull léger en cachemire rose pâle au col bateau.

— Les deux ? ai-je demandé.

— Je crois qu'il va faire froid ce soir et si tu mets une veste on ne verra pas le pull. Donc… superposition.

Superposition ? Évidemment. J'ai haussé les sourcils et hoché docilement la tête. Sara adorait tellement l'idée de jouer à la poupée avec moi que mon absence totale de connaissance en matière vestimentaire ne la décourageait pas.

— Tu ne t'intéresses pas aux fringues, au maquillage ni à tous ces trucs, mais je sais que c'est parce que tu ne *peux* pas. Alors pour une fois, s'il te plaît, profites-en et laisse-toi faire. OK ?

Sara savait très bien que j'aimais les beaux vêtements – nous regardions ensemble les magazines de mode à l'heure du déjeuner –, mais je n'avais le droit de m'acheter des vêtements que deux fois par an : à la rentrée et au printemps. Et, bien sûr, il n'était pas question d'aller dans les beaux magasins du centre-ville où s'habillaient toutes les filles de mon lycée. Les vêtements du supermarché étaient largement suffisants pour moi. Après, je me débrouillais pour donner le change en modifiant les combinaisons ou en ajoutant un accessoire – écharpe, ceinture... Histoire de ne pas avoir l'impression de mettre tous les jours la même chose. Du coup, c'est vrai, j'avais décidé que les vêtements ne comptaient pas pour moi.

N'empêche que... Avoir accès à la garde-robe de Sara McKinley pendant toute une soirée était le rêve de toutes les filles du lycée, et je n'allais pas faire la fine bouche. J'ai pris le top et le pull ainsi que mon sac et je me suis dirigée vers la salle de bains.

— Tiens, j'ai un lait hydratant qui sent drôlement bon, a dit Sara en me tendant un élégant flacon rose. Je pensais te l'offrir à Noël mais autant que tu en profites dès maintenant.

— Merci, ai-je dit avant de refermer la porte.

Quel délice de savourer une bonne douche bien chaude sans redouter le moment où l'on cognerait à la porte pour me signaler que mes cinq minutes réglementaires étaient passées ! Pendant que l'eau coulait, j'ai pris le temps de repenser à ces deux derniers jours. Aujourd'hui, tout me semblait différent et j'attendais le match avec impatience, même si la situation risquait de ne pas être des plus confortables. Si je tenais le coup pendant le match, alors je serai capable de supporter la fête. Lorsque j'ai fermé le robinet, j'étais résolue à dépasser ces moments difficiles. Combien de temps tiendraient ces bonnes résolutions – c'était une autre affaire.

Après m'être essuyée avec les serviettes moelleuses, j'ai étalé sur ma peau sèche le lait hydratant au délicieux parfum printanier. Puis je me suis habillée et suis sortie de la salle de bains. Sara était dans la chambre, une serviette enroulée autour de la tête, vêtue d'un cache-cœur bleu pâle en angora. Elle était magnifique, très à l'aise dans ses vêtements qui moulaient son corps gracieux. Pas comme moi : je n'arrêtais pas de tirer sur mon pull rose qui me paraissait bien trop ajusté.

— Em, ça te va super bien ! Tu devrais mettre plus souvent des hauts un peu serrés, plutôt que des trucs trop amples qui cachent tout. Tu as un corps de rêve, quel gâchis.

J'ai haussé les épaules, gênée.

— Prête pour la prochaine étape ? a-t-elle demandé.

La voix de sa mère a retenti dans l'escalier pour prévenir que la pizza était arrivée.

— On va manger et on finira après, a décidé Sara en sortant de sa chambre.

— Il paraît que tu as marqué trois buts, hier ? a dit Anna en remplissant nos verres. Sara m'a aussi raconté pour les recruteurs universitaires. Tu dois être aux anges !

— Oui, ai-je répondu avec un petit sourire.

Je n'étais pas très douée pour la conversation. Surtout avec les adultes. Je ne savais jamais quoi répondre d'intelligent ou qui permette de rebondir. Les seuls adultes auxquels il m'arrivait de parler étaient mes profs, mon entraîneur, mon oncle et ma tante. Avec les profs ou avec mon entraîneur je ne parlais que devoirs et foot, ça n'était pas trop compliqué. George m'adressait rarement la parole et avec Carol, évidemment, il n'y avait pas d'échange, seulement des réprimandes ou des plaintes de sa part. En matière de conversation, je manquais clairement d'entraînement. Anna n'a d'ailleurs pas insisté.

— Bravo, en tout cas ! a-t-elle conclu avant de se tourner vers Sara. Je monte me changer. Ton père et moi sortons dîner avec les Richardson et nous avons aussi proposé aux Mathews de venir. Comme ils viennent d'emménager, cela leur permettra de connaître des gens.

— OK, a lâché Sara en écoutant d'une oreille distraite.

Mon cœur, lui, a fait un bond dans ma poitrine.

— Tes parents vont dîner avec ceux d'Evan ? ai-je dit à Sara, stupéfaite.

Elle a haussé les épaules.

— Mes parents veulent toujours connaître tout le monde. Ils sont une sorte de comité de bienvenue à eux tout seuls. N'oublie pas que mon père est la quintessence du politicien.

Une lueur malicieuse s'est allumée dans son regard.

— Tu veux que je leur demande de te ramener quelques potins croustillants sur la famille Mathews ?

— Arrête tes bêtises, Sara ! Il ne m'intéresse pas. Je veux juste lui parler pour qu'ensuite il me fiche la paix.

— Bien sûr.

J'ai fait mine de ne pas l'entendre et me suis servie une part de pizza.

— C'est quoi la prochaine étape ? ai-je dit pour changer de sujet.

— Est-ce que tu m'autorises à te couper les cheveux ?

La plupart du temps, je les attachais en une simple queue-de-cheval ou une natte. Pas question, évidemment, d'entretenir une coupe toutes les six ou huit semaines. Donc pas le moindre dégradé, ils étaient tous de la même longueur – jusqu'au milieu du dos – et je leur donnais quelques coups de ciseaux deux ou trois fois par an.

— Qu'est-ce que tu comptes leur faire ?

— Rien d'extravagant. Juste les raccourcir un peu.

— Pas de problème, tu fais comme tu le sens.

— Génial ! Tu vas voir, ça va être super ! s'est-elle exclamée en m'entraînant dans l'escalier.

Dans sa chambre, elle a ouvert une trousse de maquillage avec toute la gamme de vernis à ongles et de rouges à lèvres disponibles sur le marché. Elle a pris des pinces à cheveux, un peigne et une paire de ciseaux de coiffeur, m'a fait asseoir sur le tabouret et a étalé une serviette sur mes épaules.

— Personne ne va te reconnaître, ce soir.

Si seulement, ai-je pensé.

Elle s'est mise à couper. Les boucles tombaient sur le parquet et j'ai préféré fermer les yeux pour la laisser travailler en paix. Et pour ne pas paniquer. Sara chantonnait tout en jouant du peigne et du ciseau. Elle a ensuite pris le sèche-cheveux pour me faire un brushing. À croire qu'elle avait fait ça toute sa vie.

— N'ouvre pas encore les yeux.

J'ai senti ses doigts effleurer mes paupières.

— S'il te plaît, n'en fais pas trop. Je ne veux pas avoir l'air ridicule.

— J'en mets à peine, promis.

À présent c'étaient les poils d'un pinceau qui cavalaient sur mes joues et mon front.

— Ça y est, tu peux regarder. Dis-moi ce que tu en penses.

J'ai ouvert lentement les yeux pour mieux apprécier le spectacle. Retenus sur les côtés par deux barrettes, mes cheveux bruns tombaient sur mes épaules en une cascade de boucles soyeuses. Cette coiffure adoucissait nettement les angles de mon visage.

— J'adore ! ai-je lancé avec un sourire.

Heureusement, elle avait eu la main légère sur le maquillage.

— Tiens, a-t-elle dit en me tendant un rouge à lèvres et un mascara. Il vaut mieux que ça soit toi qui les mettes. J'en profite pour aller me préparer, je reviens tout de suite.

Pendant que Sara s'occupait de ses cheveux, je me suis installée sur un des lits avec un magazine et j'ai lu les articles « Comment avoir plus confiance en soi » ou « Perdez rapidement trois kilos ». Elle est sortie de la salle de bains quelques minutes plus tard, ses cheveux blond vénitien gonflés par un léger brushing et ses yeux bleus mis en valeur par un trait d'eye-liner et un rouge à lèvres discret. Elle était sublime. En comparaison, je me sentais moche comme un pou.

— Qu'est-ce qu'il y a ? a demandé Sara, remarquant aussitôt l'ombre qui était passée sur mon visage.

— Tu veux vraiment que je t'accompagne ? Ça ne va pas être cool pour toi de m'avoir tout le temps dans les pattes avec tout le monde qui voudra te parler.

Elle m'a jeté un coussin à la figure.

— Évidemment que je veux que tu viennes ! Tu peux m'expliquer pourquoi ça serait différent de quand on est au lycée ? Si j'ai envie de parler avec des gens, je le ferai. Je ne vois pas où est le problème.

— Tu as raison, excuse-moi. C'est juste que je commence à stresser sérieusement à l'idée de cette fête.

— On va bien s'amuser, je te le garantis ! Tiens, cette écharpe blanche ira parfaitement avec ton pull et elle te tiendra chaud, a-t-elle dit en me tendant une jolie étoffe.

Je l'ai enroulée autour de mon cou et me suis regardée dans le miroir. Sara avait raison, comme toujours : l'écharpe apportait une touche d'élégance évidente.

Une fois dans la voiture, elle a claqué la portière avec entrain.

— C'est parti pour la soirée de l'année !

J'ai souri en essayant de neutraliser l'angoisse qui montait. Pour Sara, je devais y arriver. Être sociable. Bon, peut-être pas sociable, mais, au moins, pas totalement pathétique. Ça, c'était dans mes cordes, non ?

Pas sûr.

# 5

# ACCOMMODATION

Le parking du lycée était plein à craquer et une foule compacte de spectateurs faisaient la queue devant le kiosque à billets. Instantanément, une vague de panique m'a submergée. J'avais beau me répéter que ça n'était qu'un match de foot interlycées, je me sentais comme un torero dans l'arène. L'expérience en moins.

En sortant de la voiture, Sara a interpellé un groupe de filles qui se dirigeaient vers le stade en riant. Elles se sont aussitôt précipitées vers elle pour l'embrasser. Je suivais derrière, mal à l'aise avec mon nouveau look.

— Emma ? s'est exclamée Jill Patterson, stupéfaite.

Toutes les filles se sont aussitôt retournées et je me suis sentie devenir écarlate.

J'ai grimacé un semblant de sourire en faisant un petit salut de la main.

— Waouh, tu es superbe ! s'est écriée une autre fille, aussitôt imitée par les autres.

— Merci, ai-je marmonné.

À cet instant, je ne rêvais que d'une chose : disparaître.

Sara a glissé son bras sous le mien et m'a entraînée vers le kiosque en souriant fièrement. J'ai fermé les yeux et pris une profonde inspiration pour me préparer à affronter cette soirée qui promettait d'être pleine de surprises.

Nous avons croisé beaucoup d'élèves du lycée. Tous me regardaient avec stupéfaction, visiblement sidérés par ma métamorphose. Mais personne n'a vraiment cherché à me parler. Ils ne savaient pas quoi me dire, et moi non plus. Je me suis donc installée dans les gradins et me suis concentrée sur le match. Sara ne quittait pas Jason des yeux, applaudissant chacune de ses actions avec enthousiasme. Elle était régulièrement interrompue par un spectateur qui venait la saluer – élève, parent ou prof. Elle connaissait un nombre impressionnant de gens et avait toujours un mot pertinent et bienveillant pour l'un ou l'autre, avec un sens de l'à-propos et une aisance déconcertants. J'aurais dû prendre des notes.

À la mi-temps, je suis allée chercher un chocolat chaud pendant que Sara faisait un tour avec Jill et Casey. J'étais dans la queue, plongée dans mes pensées, écoutant d'une vague oreille la musique diffusée par les haut-parleurs.

— Beau match, non ?

La voix avait dominé le brouhaha alentour. Me retournant, je me suis trouvée nez à nez avec Evan. Il tenait son appareil photo à la main.

— Oui, plutôt pas mal.

Mon cœur a aussitôt réagi en produisant des bonds désordonnés. Je suis devenue écarlate.

— Tu couvres la rencontre pour le journal ?

À peine ai-je fini ma phrase que je me suis mordu la langue. Question stupide ! Évidemment qu'il était là pour le journal. C'était moi qui lui avais confié le job !

— Ouais ! a-t-il dit en montrant son appareil photo. Mais je croyais que tu n'y assistais jamais…

— Je passe la nuit chez Sara.

L'explication me semblait suffisante. J'espérais, en tout cas, qu'il s'en contenterait. Mais il m'a lancé un regard interrogateur. Aïe… Je devais absolument me rappeler les réponses que Sara avait préparées.

— Je sors très peu, en général. Entre les devoirs et toutes mes activités, je n'ai pas trop le temps. Ce soir, c'est exceptionnel.

— Et vous allez à la fête, après le match ?

— Je pense que oui. Et toi ?

— Oui. J'y vais avec des types de l'équipe.

Je me suis contentée de hocher la tête et de regarder la queue qui avançait. Lui permettre de s'éclipser pour continuer son reportage. Une fois arrivée à la caisse, j'ai commandé mon chocolat, j'ai payé puis j'ai fait demi-tour.

Il était là. Il m'attendait.

— Je vais faire un tour et prendre quelques photos, tu veux venir avec moi ?

Mon cœur a refait des siennes et j'ai senti mes mains devenir moites. Toutes ces perturbations finissaient par m'épuiser. À ce rythme-là, je ne tiendrais pas longtemps.

— D'accord.

C'était sorti tout seul.

Il a souri, et j'ai cru m'évanouir.

— Tu acceptes donc de me parler ? s'est-il enquis tandis que nous marchions vers le stade.

— Juste le temps que tu te rendes compte que je ne suis pas aussi intéressante que tu le crois. Ça ne sera pas long.

Il s'est esclaffé, ce qui m'a totalement déconcertée.

— Désolé de te décevoir, mais je te trouve encore plus intéressante depuis que tu me parles.

Je me suis renfrognée.

— Et n'essaie pas de me semer, surtout quand tu portes un pull de cette couleur !

J'ai baissé les yeux et j'ai dû virer au rouge pivoine. J'avais raison en disant à Sara que le blush était parfaitement inutile dans mon cas.

— Il est à Sara.

— Il est très joli. Et il te va très bien.

Cette conversation n'était pas du tout une bonne idée. J'étais incapable de gérer ce genre de situation et ce genre de remarque. Le chocolat chaud tombait à pic : je me suis empressée d'avaler quelques gorgées histoire de reprendre mes esprits. Pas de chance, il était brûlant. J'ai fait une grimace.

— Trop chaud ?

— Ouh là, oui... Je me suis bien brûlé la langue.

— Si tu veux, j'ai une bouteille d'eau dans mon sac.

— Merci mais ça ira. Je crois que le mal est fait.

Sans même que je m'en rende compte, nous étions arrivés au bas des gradins. L'animation était à son comble avec l'ensemble des lycéens qui encourageaient les joueurs à coups de « Wes-lyn ! Wes-lyn ! ». J'ai balayé les rangées des yeux pour apercevoir Sara. Elle m'a fait un petit signe de la main et m'a montré Evan du menton avec un air incrédule. J'ai haussé les épaules en guise de réponse, puis me suis retournée vers lui.

— Tu as fait des rencontres intéressantes ? ai-je demandé du ton le plus détaché possible.

À coup sûr, s'il cherchait ma compagnie, c'était aussi et surtout parce qu'il ne connaissait personne d'autre.

— Oui, quelques-unes. Faire partie de l'équipe de foot et m'impliquer dans le journal, ça aide, pour rencontrer des gens. Ils sont toujours ravis de pouvoir raconter tout ce qu'ils savent sur les uns et les autres. C'est comme ça que j'ai pu apprendre des choses sur toi. Ce qui a été bien plus difficile que je ne l'aurais imaginé.

Je lui ai lancé un regard interloqué, mais il a enchaîné :

— Donc en vrai tu t'appelles Emily ?

J'ai acquiescé, légèrement tendue.

— Et pourquoi tout le monde t'appelle Emma ?

On ne m'avait pas posé cette question depuis très longtemps. Bizarrement, j'ai répondu plus honnêtement qu'à n'importe qui d'autre.

— C'est comme ça que mon père m'appelait.

Il n'a rien ajouté. Moi non plus.

Tandis que nous marchions le long des gradins, au milieu des cris et des applaudissements, j'ai senti mon pouls s'accélérer et une bouffée d'angoisse m'assaillir. Je devais absolument savoir ce qu'il avait appris sur moi. En même temps, cela me terrifiait. J'ai pris mon courage à deux mains.

— Et qu'est-ce que tu as découvert de passionnant sur moi ?

— Tu veux dire en plus de ta moyenne générale exceptionnelle, de ton implication dans les sports et de tous ces trucs-là ? a-t-il demandé avec un léger sourire.

— Oui. Quoi d'autre ?

J'ai retenu mon souffle. Il ne pouvait pas savoir. Seule Sara connaissait la vérité. Je devenais paranoïaque.

— Eh bien... Visiblement, tous les garçons du lycée ont peur de toi. Aucun n'ose te demander de sortir avec lui. Les filles, elles, pensent que tu es snob et prétentieuse et que c'est pour ça que ta seule amie est la fille la plus populaire du lycée.

Je l'ai écouté, bouche bée.

— Les profs ont presque pitié de toi. Ils trouvent que tu te mets trop de pression pour tout réussir à la perfection et que tu te prives des bons côtés du lycée. Ton entraîneur, lui, dit qu'il a beaucoup de chance de t'avoir et que grâce à toi l'équipe a de bonnes chances de remporter le championnat cette année...

Il s'est interrompu en voyant ma tête horrifiée.

— Ça fait seulement une semaine que tu es là, ai-je murmuré. Ils t'ont vraiment dit tout ça ?

Il a hésité une seconde avant de répondre.

— Tu n'étais pas au courant ?

— Vraiment pas. En fait, je ne fais pas très attention à ce que pensent les autres. Ce qui compte, pour moi, c'est de réussir au lycée.

— Pourquoi ?

C'était LA question à laquelle je ne pouvais pas répondre. Et LA raison pour laquelle je ne voulais pas parler avec lui.

Heureusement, les hurlements des spectateurs m'ont sauvé la mise. Le commentateur a annoncé que Weslyn venait de marquer un essai. J'ai regardé le score : 28 pour Weslyn, 14 pour les autres. Et moins de deux minutes à jouer dans le dernier quart-temps.

— Je dois retrouver Sara, ai-je dit rapidement. On se voit plus tard.

J'ai filé sans même attendre sa réponse. Toutes sortes de pensées se bousculaient dans ma tête. J'avais besoin de calme pour faire un peu d'ordre dans mon esprit et digérer les événements.

J'ai aperçu Sara au bas des marches, de l'autre côté de la barrière qui séparait le terrain des gradins.

— Ah ! te voilà, s'est-elle exclamée. Tu as vu l'essai de Jason dans la dernière minute ?

— Non, je n'étais pas au bon endroit…

Elle m'a entraînée à l'écart de la foule.

— Ce soir, avant de dormir, tu me raconteras toute ta conversation avec Evan ! Je veux que tu me rapportes chaque mot, d'accord ? Tout le monde ne parle que de vous deux et à mon avis la moitié du lycée est déjà convaincue que vous sortez ensemble.

Je l'ai regardée, effarée.

— Je sais, c'est un peu délirant ! Mais on ne t'a jamais vue parler à quelqu'un d'autre qu'à moi. Du coup, la plupart des filles te détestent et la plupart des garçons se demandent ce que tu trouves à Evan. J'avoue, c'est plutôt marrant !

— Hyper drôle.

— Allez, ne t'inquiète pas, ça va passer… À part ça : après le match je vais attendre Jason à la sortie des vestiaires pour lui proposer de venir à la fête. Tu m'accompagnes ?

— Bien sûr ! Mais je ne vais pas rester avec toi devant la porte, j'attendrai un peu plus loin, sur les marches.

— Parfait.

Ses yeux se mirent à briller.

— Je ne peux pas croire que je vais faire une chose pareille !

— Je suis sûre qu'il va accepter.

— J'espère…

Les haut-parleurs ont annoncé la fin du match. Une dernière salve d'applaudissements a retenti pour acclamer les deux équipes. Sur le terrain, les joueurs se sont félicités avec de chaleureuses accolades avant de se diriger vers les vestiaires. Tandis que nous approchions, Sara se montrait de plus en plus tendue. Je ne l'avais jamais vue si nerveuse et inquiète. C'en était presque comique.

— Souhaite-moi bonne chance, a-t-elle soufflé une fois arrivée au bas de l'escalier.

— Je t'attends ici, ne t'en fais pas.

J'ai monté quelques marches pour avoir un bon poste d'observation. Sara s'est mise à faire les cents pas devant la porte. Chaque fois qu'elle me lançait un coup d'œil, je lui envoyais un petit sourire d'encouragement.

Les garçons ont commencé à sortir les uns après les autres. Douchés et changés, leur sac de sport à l'épaule, la plupart d'entre eux ont salué Sara en la voyant. Certains, manifestement, espéraient être celui qu'elle attendait ; ils affichaient un air déçu en constatant que ça n'était pas le cas.

Finalement, j'ai aperçu les boucles blondes de Jason. J'ai retenu ma respiration en entendant Sara lui parler.

— Salut, Jason.

— Salut, Sara, a-t-il répondu, surpris de la voir là.

J'ai tendu l'oreille pour ne pas en perdre une miette. Le silence a duré quelques secondes. Au moment où Jason s'apprêtait à poursuivre son chemin, Sara s'est enfin jetée à l'eau.

— Tu vas à la fête de Scott ?

— Euh… Je ne sais pas. Je n'ai pas pris ma voiture et je pense que Kyle veut rentrer chez lui.

— Je peux t'emmener si tu veux.

J'ai sursauté. Comment ça ? Il n'y avait que deux places dans sa voiture ! Elle m'a lancé un regard désolé.

— Dans ce cas, pourquoi pas. Tu es sûre que ça ne t'embête pas ?

— Sûre. Il faut que tu fêtes ta victoire !

— OK, je dois juste prévenir Kyle. Je reviens dans deux minutes. Ne bouge pas.

Quand la porte du vestiaire s'est refermée sur lui, Sara s'est mise à bondir sur place en me lançant des regards surexcités. J'ai pouffé de rire.

— On dirait que tu vas avoir besoin d'un chauffeur pour aller à la fête, a lancé une voix derrière moi.

Je me suis retournée d'un bond. Evan était là, en haut des marches, et me regardait avec son petit sourire spécial Evan Mathews.

— Désolé, je ne voulais pas te faire peur.

— C'est vraiment ton truc de surgir comme ça ! Je ne t'ai même pas entendu arriver.

Je lui ai lancé un regard furibond. Si mes yeux avaient été des couteaux, il serait mort dans la seconde.

— Alors ? Besoin d'un chauffeur ? J'ai de la place. Sauf si tu préfères faire le voyage sur les genoux de Jason Stark…

— Et en plus tu nous espionnais !

— Si tu veux tout savoir, je m'apprêtais à récupérer mes affaires dans le vestiaire mais j'attendais que les joueurs aient fini de se changer avant d'entrer. Et puis, je me demande qui, de nous deux, était en pleine séance d'espionnage…

— Je faisais du soutien moral.

— Bien sûr !

Il a ri. Son rire était contagieux. J'ai serré les mâchoires pour garder mon air sévère.

— Donc : chauffeur ou pas ?

— D'accord, ai-je lâché du bout des lèvres.

Il m'a fait un grand sourire avant de s'engouffrer dans le vestiaire.

Mais quelle mouche m'avait piquée d'accepter sa proposition ? Surtout maintenant que j'étais au courant de la rumeur. Arriver à la fête avec lui ne ferait qu'alimenter davantage les ragots. Et après ? Qu'est-ce que ça pouvait bien faire ? Au point où j'en étais, qu'ils pensent du bien ou du mal… Sauf que ça ne marchait pas comme ça. Être transparente était une bonne chose. Ne pas être aimée était beaucoup plus dangereux.

J'ai chassé toutes ces pensées de mon esprit avant qu'elles ne me blessent trop profondément. La règle d'or : plus j'étais indifférente au regard des autres, plus j'étais forte.

À cet instant, Sara a surgi devant moi.

— Em, je suis vraiment désolée ! C'est sorti tout seul.

Jason attendait en bas, devant la porte des vestiaires.

— Pas de problème, ne t'en fais pas. Evan m'a proposé de m'emmener.

— Evan, sérieux ?

— Ouais ! Ne t'en fais pas, tout va bien. On se retrouve là-bas ?

— D'ac !

Elle m'a serrée dans ses bras avant de dévaler les marches pour retrouver Jason. Je les ai regardés s'éloigner gaiement.

— Prête ? a demandé Evan.

J'ai sursauté.

— On y va ? a-t-il insisté, en me tendant la main.

J'ai froncé les sourcils et je suis passée devant lui, muette. J'ai ignoré sa main.

Une fois de plus, sans vraiment savoir pourquoi ni comment, je me trouvais en compagnie d'Evan Mathews.

Il s'est arrêté devant une voiture de sport noire, une BMW. La plupart des habitants de Weslyn possédaient de grosses voitures luxueuses qui allaient avec leurs grandes villas chics. Leurs enfants, évidemment, conduisaient aussi des voitures qui reflétaient le standing des parents. J'étais une des rares exceptions : je n'avais pas de voiture. À vrai dire, je n'avais même pas le permis.

Evan m'a ouvert la portière et je me suis installée, surprise par ce geste auquel je n'étais guère habituée. Après avoir fait le tour, il s'est assis à son tour.

— Où allons-nous ? a-t-il demandé en attachant sa ceinture.

— Aucune idée. Tu ne sais pas où c'est ?

— Je te rappelle que ça fait seulement une semaine que j'habite ici... Je pensais que tu connaîtrais l'adresse.

Silence.

Puis Evan a baissé la vitre et a interpellé un garçon qu'il avait reconnu.

— Salut, Dave ! Tu vas chez Scott ?

Le dénommé Dave a répondu quelque chose que je n'ai pas entendu.

— OK, je te suis alors, a lancé Evan avant de démarrer.

Il a attendu que la Land Rover gris métallisé passe devant lui et l'a suivie.

— J'espère que je ne t'ai pas gâché la soirée en te racontant tous ces trucs sur toi.

— Non, c'est bon. Mais maintenant on va éviter le sujet ? Je n'ai pas trop envie de parler de ce que les autres pensent de moi.

— D'accord. Alors, comment sont les fêtes à Weslyn ?

J'ai laissé échapper un petit ricanement.

— Comment sont les fêtes à Weslyn ? Sérieux ?

— Compris. Encore un sujet à éviter. Mais je te rassure, ce soir ça va aussi être une grande première pour moi.

Silence.

— Si tu préfères aller ailleurs, je suis à ta disposition, a-t-il proposé.

J'ai levé les yeux sur lui, tétanisée.

— Non, non, j'ai envie d'aller à cette fête, ai-je menti. En plus, je dois y retrouver Sara.

La Land Rover avait quitté le parking et suivait à présent des rues que je ne connaissais pas. Evan a allumé la radio. Les accords sauvages d'un guitariste déchaîné écrasaient une voix de femme douce et cristalline. Il a éteint aussitôt et le silence nous a enveloppés. Je préférais encore la radio. Remarque, comme ça il comprendrait enfin que je n'ai pas grand-chose à dire…

— Tu habitais où avant de t'installer ici ?

Sa question m'a surprise. Une seconde, j'ai hésité à lui dire la vérité, par peur de ne pas réussir à gérer la suite. D'être obligée de lui donner de plus en plus de détails.

— Près de Boston.

— Donc tu as toujours vécu en Nouvelle-Angleterre ?

— Ouais. Et toi tu viens d'où, en Californie ?

— San Francisco.

— Et tu as habité d'autres villes ?

Il a eu un rire bref.

— Depuis que je suis petit, je crois qu'on a déménagé à peu près chaque année. Mon père est avocat dans un grand groupe financier. Il bouge beaucoup pour son travail. J'ai vécu à New York, dans différents coins de la Californie, à Dallas, à Miami, et dans plusieurs pays d'Europe.

— Ça ne te gêne pas ?

Je me sentais beaucoup plus légère, soudain, à parler de lui plutôt que de moi.

— Avant, non. Quand j'étais petit, j'étais toujours content de découvrir un nouvel endroit. Et ça ne me dérangeait pas de quitter mes copains car j'étais certain que je les reverrais.

Une ombre passa sur son visage.

— Maintenant que je suis au lycée, c'est moins facile. En deux ans à San Francisco, j'avais eu le temps de me faire de super amis et ça a été dur de les quitter. Et puis il y a l'équipe de foot… Chaque fois il faut se battre pour retrouver son poste, c'est dur. Mes parents m'avaient proposé de finir le lycée à San Francisco si je voulais, mais j'ai décidé de tenter ma chance ici. Je verrai mes amis pendant les vacances. Si je ne me plais pas, je repars là-bas.

— Tout seul ? ai-je demandé, stupéfaite.

Il a souri.

— J'ai appris assez tôt à être autonome. Mon père travaille tout le temps et ma mère passe sa vie dans les avions. Elle fait partie de toutes sortes d'associations.

— Weslyn est un trou paumé par rapport à San Francisco. Si j'avais le choix, je n'hésiterais pas une seconde !

— Weslyn est… intéressant, affirma-t-il avec ce petit sourire en coin qui avait le don de me troubler au plus haut point.

Heureusement, il faisait noir dans la voiture et Evan n'a pas pu voir le rouge me monter aux joues. J'ai regardé par la vitre. Impossible de reconnaître l'endroit où nous nous trouvions.

— J'espère que tu te souviendras de la route pour rentrer chez toi, ai-je dit.

— Mais je ne te ramène pas chez Sara, après ?

— On ne sort pas ensemble, que je sache ! ai-je répliqué.

Les mots avaient jailli malgré moi.

— Je sais, a-t-il répondu vivement. Je pensais juste que Sara raccompagnerait Jason chez lui.

Ah oui. Jason. Sara.

Je me suis sentie vraiment stupide.

— Mais je peux proposer à Jason de le ramener, comme ça tu pourras rentrer avec Sara. C'est ce qu'il y a de plus simple.

Nous sommes arrivés dans une rue où étaient déjà stationnées beaucoup de voitures. Sans un mot, Evan s'est garé derrière la Land Rover et a coupé le contact.

— Si cela te dérange vraiment, je peux rentrer en premier pour qu'on ne nous voie pas arriver ensemble.

Manifestement, il avait été blessé par ma réaction un peu brutale.

— Non, c'est bon… Je suis désolée, je n'aurais pas dû te dire ça comme ça. En général, je sais me contrôler, mais j'ignore pourquoi, avec toi j'ai plus de mal.

— J'ai cru remarquer, s'est amusé Evan. Je ne sais jamais très bien comment tu vas réagir. Mais c'est un des trucs que je trouve intéressants chez toi.

Son sourire brillait à la lueur du lampadaire.

— C'est bon, on arrête là, ai-je dit en ouvrant la portière.

— Tu es sûre de vouloir y aller ?

— Oui. Ça va être top.

J'ai affiché un pâle sourire. Pas très convaincant. Mais, cette fois-ci, Evan n'a pas fait de commentaire.

## 6

## UNE AUTRE PLANÈTE

En arrivant devant la villa, nous avons aperçu Sara et Jason assis sur un petit muret de pierres, un gobelet à la main, en grande conversation.

— Emma, super, tu es là !

Pour ne pas l'interrompre dans son tête-à-tête, j'ai aussitôt ajouté :

— On va à l'intérieur, tu me retrouves plus tard ?

— OK.

Le sourire radieux qu'elle m'a décoché en disait long : je ne la verrais pas de sitôt.

La fête battait son plein. La musique hurlait, les gens buvaient, discutaient, dansaient. En voyant la pièce noire de monde, j'ai senti une grande angoisse monter en moi. Sans que je m'en rende compte, Evan m'avait pris la main pour traverser la foule. J'étais tellement paniquée que je ne l'ai même pas retirée. J'ai senti des regards intrigués se poser sur nous. Probablement des gens qui ne nous avaient pas vus au match ou qui n'étaient pas au courant des derniers potins.

La maison de Scott était une de ces immenses villas de Weslyn, avec un salon donnant sur une vaste salle à manger et un bureau spacieux. Une autre pièce se cachait derrière une lourde porte fermée à clé. Nous avons atteint la cuisine, de l'autre côté du salon : sur une table en bois étaient alignées une bonne dizaine de bouteilles – alcool, jus de fruits et sodas. Tout au bout, des piles de gobelets rouges venaient compléter ce tableau coloré.

— Tu veux boire quelque chose ? a hurlé Evan.

Il tenait toujours ma main.

— Un jus de fruits !

Il m'a laissée pour atteindre l'autre bout de la table et en un instant il a disparu, happé par une masse de garçons et de filles.

— J'y crois pas ! Emma Thomas !

J'ai froncé les sourcils. D'autres avaient entendu le cri et s'était retournés pour me dévisager avec curiosité. Peu de gens s'attendaient à me voir ici. Un garçon de ma classe de chimie est venu vers moi en se frayant un chemin à travers les nombreux danseurs.

— Salut, Ryan.

— Toi, ici !

Il s'est penché vers moi et j'ai senti son haleine alcoolisée. Il était saoul. Mon corps s'est instantanément raidi.

— Waouh, c'est trop génial ! a-t-il dit avec un sourire niais. J'ai entendu dire que tu étais au match et j'espérais que tu serais là ce soir ! Tu veux boire un coup ?

— Salut, Ryan.

C'était la voix d'Evan. Juste derrière moi.

Je me suis retournée. Il m'a tendu un gobelet sans me regarder.

— Evan, salut mon pote ! a crié Ryan d'une voix exagérément forte.

Il a passé son bras autour de mes épaules et m'a attirée à lui.

— Tu connais déjà Emma Thomas, non ? C'est la fille la plus cool du monde.

J'ai lancé un regard désespéré à Evan et il a haussé les sourcils. Il comprenait enfin le problème.

— Oui, Ryan, je connais Emma, a-t-il dit en me prenant par la main. On est même venus ensemble, si tu veux savoir.

Ryan m'a relâchée d'un air gêné.

— Oh, mec, je suis vraiment désolé. Je savais pas.

— Pas de problème, a répondu Evan. On sort un peu dans le jardin, à plus tard.

Il a fait demi-tour en direction des baies vitrées coulissantes qui menaient sur la terrasse. L'air était doux, et l'atmosphère bien plus calme et apaisante, loin des basses assourdissantes de la chaîne hi-fi. Nous avons fait quelques pas dans le jardin avant de nous installer sur un des bancs en bois. De là, nous pouvions voir les danseurs en furie dans le salon.

— Je suis désolé, m'a dit Evan. Je n'avais pas compris pourquoi tu me regardais comme ça. Je ne savais pas que Ryan avait un faible pour toi.

— Moi non plus. Merci de m'avoir sortie de là. Je ne suis pas vraiment à l'aise au milieu de tout ce monde.

— Ah bon ? Tu crois vraiment que je n'ai pas vu la tête que tu faisais quand on est entrés dans la maison ?

— En fait, je suis surtout venue pour Sara. Elle attend depuis le début de l'année un moyen de proposer à Jason de sortir avec elle, c'était l'occasion rêvée. Moi, je suis là pour le soutien moral.

— Sara a l'air de se débrouiller très bien toute seule. Je dirais que c'est plutôt toi qui avais besoin d'aide.

— Merci, ça fait toujours plaisir.

— Mathews ! a lancé une voix.

— Salut, Jake !

Les deux garçons se sont serré la main.

— C'est cool de te voir, a lancé Jake avant de se tourner vers moi. J'y crois pas… Emma Thomas ?

J'ai souri gauchement en hochant la tête.

— Attends… Vous êtes venus ensemble ?

— Je l'ai accompagnée, elle avait rendez-vous avec Sara.

— Waouh, Emma Thomas ! C'est dingue de te voir ici !

Jake me dévisageait en secouant la tête.

— Je peux t'apporter quelque chose à boire ?

— Merci, j'ai ce qu'il faut, ai-je répondu en montrant mon gobelet.

— Je te le remplirai quand tu retourneras à l'intérieur, alors, a-t-il proposé avec un large sourire.

Tout était tellement inhabituel pour moi. J'avais l'impression d'être sur une autre planète. Une planète où les gens me remarquaient, me parlaient. Trop. Je n'avais qu'une envie : être loin, très loin de cette maison.

— Vous avez vu le grand brasero, de l'autre côté ? a dit Jake.

— Non, a répondu Evan.

— Il est magnifique, ça vaut le coup d'aller voir. Bon, moi je vais danser. À tout à l'heure.

Il m'a lancé un clin d'œil avant de faire demi-tour. Je l'ai regardé s'éloigner, sidérée.

— J'ai rêvé ou il m'a fait un clin d'œil ?

— Tu n'as pas rêvé, a confirmé Evan dans un éclat de rire.

— Tu trouves ça drôle ? Moi, ça me terrifie.

Dès qu'il a aperçu mon visage bouleversé, son rire s'est figé.

— Désolé, je n'avais pas compris que ça t'avait effrayée à ce point. Tu veux qu'on aille voir le brasero ? Il y a sûrement moins de monde.

— Tu n'es pas obligé de rester avec moi. Pourquoi tu ne vas pas plutôt dans la maison pour faire connaissance avec des gens ? Tu devrais en profiter, j'ai l'impression que presque tout le lycée est là. Ne t'en fais pas pour moi, ça ira.

J'ai tenté un sourire convaincant. Son regard dubitatif m'a fait comprendre que j'avais encore du pain sur la planche.

— Je t'accompagne jusqu'au brasero, je fais un petit tour à l'intérieur, puis je reviens. Ça te va ?

— Ça marche.

J'avais beau être terrifiée à l'idée de me retrouver seule, je ne pouvais quand même pas gâcher la soirée d'Evan en l'obligeant à jouer les baby-sitters. Après tout, j'étais habituée à être transparente et, même sur cette planète étrange, je pouvais me fondre dans l'obscurité.

Il y avait beaucoup plus de monde que dans le jardin. Evan m'a pris la main pour me guider. Décidément, c'était devenu une habitude.

— Evan !

Entre lui et moi, soudain, il y a eu une fille. Plus exactement : face à Evan et me tournant le dos.

— Je te cherchais, annonça-t-elle, surexcitée.

J'ai réussi à me glisser à côté de lui. Juste à temps pour voir Haley Spencer le prendre dans ses bras et l'attirer contre elle. Les deux mains d'Evan étaient monopolisées – l'une tenait son gobelet, l'autre ma main –, l'empêchant de répondre à l'étreinte fougueuse de Haley. J'ai senti dans mon estomac une violente décharge électrique et mon système d'alarme s'est déclenché. J'ai voulu dégager ma main. Mais Evan l'a serrée plus fort et m'a tirée vers lui.

Haley a reculé d'un pas, les mains toujours sur la nuque d'Evan.

— On allait justement chercher un verre à l'intérieur, tu viens ?

Ses yeux ont alors croisé les miens avant de se poser sur mon épaule. J'ai vu son regard suivre le trajet de mon bras, et se crisper en voyant où reposait ma main.

— Oh, a-t-elle dit en le lâchant. Je ne savais pas que tu étais accompagné.

Elle m'a détaillée de haut en bas.

— Désolé, Haley, mais nous allons voir le brasero, a-t-il répondu.

Il a passé son bras autour de mes épaules et m'a attirée à lui. Ma respiration s'est accélérée et mon cœur a fait une embardée.

— On se croisera sûrement tout à l'heure, a-t-elle lâché d'un air pincé.

D'un geste sec de la main, elle a rejeté ses cheveux en arrière avant de tourner les talons et de se diriger vers la maison. Les deux filles qui avaient assisté à la scène à côté d'elle l'ont suivie comme des groupies.

Evan a gardé sa main sur mon épaule pour nous frayer un passage au milieu des gens. La foule plus le contact de sa main, cela faisait beaucoup. J'étais de plus en plus oppressée et mon cœur cognait à tout rompre dans ma poitrine. Je ne sais pas comment j'ai réussi à descendre les quelques marches de pierre. Arrivée en bas, je me suis laissée tomber sur le petit muret.

Evan s'est accroupi devant moi.

— Ça va ?

Les yeux fermés, je me concentrais sur ma respiration pour retrouver un peu la maîtrise de mes émotions. Mes mains tremblaient, j'avais la bouche sèche et mon souffle se frayait difficilement un passage à travers ma gorge nouée. Pourquoi étais-je dans un tel état ? J'ai soulevé les paupières. Evan a pris mes mains dans les siennes et a planté ses yeux dans les miens. Je regardais au loin, à peine consciente de sa présence.

Quelque chose dans cette foule, dans cette odeur d'alcool et de cigarette mêlés, me transportait ailleurs. Vers un lointain souvenir, un lieu que je ne me rappelais pas précisément, mais qui m'était désagréable. Où je n'avais pas envie de retourner. Des corps serrés les uns contre les autres. Pas d'espace pour respirer ou bouger sans se toucher.

Une sensation d'étouffement est montée, a déferlé comme une tempête dont je n'avais pas imaginé la puissance. J'ai frissonné, puis secoué la tête pour chasser cette émotion envahissante. Je n'étais pas prête à affronter ce souvenir obscur.

— Emma, regarde-moi ! Ça va ?

J'ai plongé mes yeux dans son regard bleu et, lentement, je suis revenue à la réalité qui m'entourait. Une forte chaleur a envahi mes joues à l'idée du spectacle que je venais de donner. J'ai voulu me relever mais mes jambes se sont dérobées. Evan m'a rattrapée dans ses bras et j'ai senti son souffle sur mon visage.

— Peut-être que tu ferais mieux de te rasseoir ? a-t-il proposé sans bouger d'un millimètre.

Son corps tout contre le mien, mes mains sur son torse musclé, cela ne risquait pas de faire ralentir mon pouls. J'ai levé la tête, son visage était si près du mien que j'ai paniqué. J'ai reculé d'un pas. Il m'a laissée faire. Nous sommes restés quelques instants debout, l'un en face de l'autre, avant que je ne brise le silence.

— Tout va bien, ai-je lâché dans un souffle.

Mon corps frissonnant disait tout le contraire. Quel spectacle pitoyable ! J'étais mortifiée.

— Pour une première fête, tu es gâtée ! a-t-il dit doucement. Tu aurais peut-être dû faire d'abord un essai en petit comité avant de plonger dans le grand bain.

J'ai esquissé un sourire et haussé les épaules.

— Tu veux partir ? a-t-il demandé.

— Non, non, on reste. Ça va bien mieux. Je vais m'asseoir à côté du feu.

Nous avons longé le mur de la propriété, sous les silhouettes des arbres imposants qui se dessinaient dans la pénombre. À quelques mètres, un grand feu crépitait dans un foyer circulaire en pierre. Une douzaine de fauteuils étaient disposés tout autour, dont quelques-uns seulement étaient occupés. Je me suis assise le plus loin possible du petit groupe qui discutait à voix basse en riant.

— Va rejoindre les autres, maintenant. Je vais attendre Sara. C'est très gentil de t'être occupé de moi, mais maintenant ça va. Promis.

— Je reviens tout de suite. Je vais juste chercher Sara et quelque chose à boire. OK ?

Son ton attentionné n'a fait qu'accroître ma honte et, tandis qu'il se dirigeait vers la maison, j'ai gardé les yeux rivés sur les braises. Comment avais-je pu le laisser me voir aussi vulnérable et incapable de me débrouiller seule ?

J'ai fait un effort pour repousser les sombres pensées et les souvenirs pénibles qui m'assaillaient, pour éloigner les bruits de la fête et apaiser le tremblement qui continuait d'agiter mon corps. Absorbée par la danse multicolore des flammes, j'ai laissé une douce torpeur m'envahir et mon esprit sombrer dans le vide.

— Il pleut, tu sais.

La voix d'Evan m'est parvenue comme dans un halo. J'ai émergé et, lentement, j'ai levé les yeux. Il était là et me regardait. Une pluie fine mais tenace avait chassé les autres, j'étais restée seule devant le feu et je frissonnais sous les gouttes froides.

— Tu ne veux de nouveau plus me parler ?

J'ai pouffé de rire.

— Qu'est-ce que j'ai dit de drôle ?

— J'ai pété les plombs et je me suis ridiculisée, et toi, tu as peur que je ne veuille plus te parler ? Franchement…

— Pourquoi tu dis que tu t'es ridiculisée ?

J'ai haussé les épaules. Je n'avais pas très envie d'évoquer ma vulnérabilité. Mais Evan attendait mon explication.

— J'ai bien vu dans ton regard que je ne savais pas du tout gérer la situation. Je m'en veux vraiment que tu m'aies vue dans un état pareil. Ça n'était pas moi.

Alors qu'il s'apprêtait à répondre, la voix de Sara a retenti depuis la terrasse.

— Emma, tu es folle de rester comme ça sous la pluie ! Viens à l'intérieur.

Je me suis soudain rappelé que je portais son pull en cachemire. D'un bond j'ai rejoint la maison.

— Je suis désolée, Sara. J'avais complètement oublié ton pull…

— Je m'en fiche, de mon pull ! Mais qu'est-ce que vous faisiez sous la pluie ? Vous devez être complètement gelés.

— On prenait un peu l'air, a assuré Evan qui venait juste de nous rejoindre.

Il frottait ses bras nus pour se réchauffer.

— Tu as une très mauvaise influence sur elle, a répliqué Sara d'un air moqueur.

Elle s'est tournée vers moi.

— On y va ?

— Où est Jason ?

— Un de ses copains l'a raccompagné chez lui.

Son petit clin d'œil laissait supposer qu'elle aurait des choses à me raconter dans la voiture.

— Ça t'ennuie si on fait le tour de la maison ? ai-je demandé. Je n'ai pas très envie de traverser le salon.

— Pas de problème.

Nous avons couru jusqu'à sa voiture. Une fois dedans, elle a allumé le contact et mis le chauffage à fond. Dehors, Evan attendait sous la pluie que je baisse ma vitre. Il a glissé sa tête, le visage ruisselant, et m'a regardée intensément. J'ai frissonné. Pas à cause du froid, cette fois.

— Je peux t'appeler demain ? a-t-il demandé.

— Non, pas possible.

Il m'a jeté un coup d'œil étonné.

— C'est compliqué, je n'ai pas vraiment accès au téléphone…

Difficile de faire un tel aveu, mais je ne voulais pas lui donner l'impression de le repousser. Car ça n'était pas le cas.

Mon explication ne l'a probablement pas convaincu, pourtant il a fait un effort pour ne pas le montrer.

— Bon, on se verra lundi alors.

— Oui, à lundi.

Il s'est attardé quelques secondes en laissant flotter son regard sur moi. J'ai pris un air dégagé. Mais, dans ma poitrine, mon cœur battait à tout rompre.

— Allez, salut, ai-je dit. Ne reste pas là sous la pluie.

Il s'est redressé et m'a fait un rapide signe de la main avant de courir jusqu'à la maison. À peine avait-il disparu que Sara s'est tournée vers moi, surexcitée.

— Dingue ! Il était à deux doigts de t'embrasser. Emma, je te jure, si je n'avais pas été avec toi dans la voiture, il t'aurait embrassée.

— N'importe quoi ! ai-je dit en levant les yeux au ciel.

En pensant à son souffle sur mon visage, une vague de chaleur m'a envahie. J'ai aussitôt chassé ce souvenir de mes pensées.

— Tu vas me raconter ce qui s'est passé, a insisté Sara. Je veux tous les détails.

— Toi d'abord.

Elle n'a pas hésité une seconde et m'a fait le récit de sa soirée avec Jason durant tout le trajet.

Lorsque nous sommes arrivées chez elle, la maison était plongée dans le noir.

— Je crois que nous avons battu mes parents. Ils sont déjà rentrés.

— Quelle heure est-il ?

— Vingt-trois heures trente.

Seulement ? Nous n'avions passé qu'une heure à la fête ? J'avais l'impression d'y être restée une éternité. Mais c'est vrai que je n'avais pas même eu le temps d'avoir une vraie conversation avec Evan.

Avant de me coucher, je me suis soigneusement démaquillée. Surtout, ne pas laisser une seule trace visible, sinon je risquais de le payer cher. Une fois, Sara m'avait donné des rouges à lèvres dont elle ne se servait plus. Enfermée dans la salle de bains, chez moi, je les avais essayés devant le miroir, avant de les retirer méticuleusement avec un coton. Le soir-même, lorsque je suis rentrée de l'entraînement, Carol m'a accueillie avec le coton taché de rouge qu'elle avait récupéré dans la poubelle de la salle de bains. Elle m'avait accusée de me maquiller en cachette, m'avait insultée et traitée de tous les noms avant de me frotter le visage avec une éponge abrasive, tellement fort que mes joues avaient saigné.

Cet épisode m'avait appris à être prudente question maquillage.

Tandis que nous étions couchées dans le noir, chacune dans son lit, Sara est revenue à la charge :

— N'oublie pas que tu dois me raconter ce qui s'est passé avec Evan.

J'avais espéré que son histoire lui ferait oublier la mienne. Raté.

J'ai laissé mon regard errer dans la pénombre et mes pensées vagabonder. Par quoi commencer ?

— J'ai un peu parlé avec lui.

— Et ? Je ne vais quand même pas t'arracher chaque mot de la bouche !

J'ai soupiré avant de poursuivre.

— Il m'a dit qu'il venait de San Francisco et que s'il ne se plaisait pas ici, il y retournerait. Pas grand-chose de plus.

— Mais qu'est-ce que tu racontes ? Quand je vous ai vus ensemble, vous aviez l'air hyper proches. Je te jure qu'il a failli t'embrasser !

J'ai senti mes joues s'empourprer au souvenir de son visage si proche du mien.

— Sara, c'est impossible.

J'ai toussé pour m'éclaircir la voix.

— J'ai à peine parlé avec lui. Il a passé presque toute la soirée à me sortir des griffes de types alcoolisés et hystériques. C'était lamentable. Je ne veux pas m'attacher à lui et je ne veux plus me retrouver à deux doigts d'être embrassée par lui. Plus jamais. Je dois garder mes distances.

J'ai soupiré. Heureusement, dans l'obscurité, Sara ne pouvait pas voir les larmes qui perlaient dans mes yeux. J'ai serré les mâchoires, la gorge nouée, et j'ai fermé les paupières quelques instants pour reprendre le contrôle sur mes émotions. Une fois calmée, je me suis tournée vers elle.

— La journée a été longue et demain on doit se lever tôt pour que je rentre vite à la maison. Il faut dormir.

— D'accord, a-t-elle murmuré.

Avec tout ce que j'avais traversé aujourd'hui, j'avais peur de ne pas trouver le sommeil. Mais j'étais épuisée et, à peine avais-je fermé les yeux, que je me suis endormie.

# 7

# Représailles

Lorsque je me suis réveillée le lendemain matin dans le lit *king size*, éblouie par le soleil qui illuminait la chambre, j'étais un peu perdue. Il m'a fallu quelques secondes avant de me souvenir où j'étais. Sara dormait encore, étendue en travers du matelas, les couvertures rejetées à ses pieds. Au moment où le réveil a sonné, elle a poussé un grognement. Nous l'avions réglé tôt, car je ne devais pas traîner : le ménage hebdomadaire de la maison m'attendait. Au moins quatre heures à balayer, aspirer, laver, récurer, épousseter…

Sara a étendu le bras en gémissant pour donner un coup sec sur le bouton du réveil. Puis elle a ouvert ses grands yeux bleus et m'a souri.

— Coucou.

— Je suis désolée de t'obliger à te lever si tôt, ai-je dit.

— Pas de problème, ça ne me dérange pas.

Elle s'est étirée paresseusement avant de se redresser. D'un air songeur, elle a lissé ses cheveux.

— Em, je suis vraiment désolée de t'avoir laissée tomber hier soir…

J'ai haussé les épaules.

— Pas grave, je t'assure. J'ai survécu.

— Et donc, Evan… Je n'ai pas rêvé ?

Elle a pris un oreiller qu'elle a calé derrière son dos.

— Non. Mais bon… Rien de spécial… Je lui ai parlé, c'est tout. Mais je ne sais pas ce qu'il va penser de moi après cette soirée.

— Il va être encore plus attiré, c'est sûr. Ne lâche pas l'affaire. Je continue de penser qu'il te fait du bien. Essaie d'être amie avec lui. Ou, au moins, sers-toi de lui pour évacuer tes émotions. Il a l'air plutôt bon dans le rôle du punching-ball !

Elle m'a dévisagée avec un grand sourire. Je savais qu'il n'y avait ni malice ni mauvaise pensée dans ses paroles : Sara ne voulait que mon bien.

Voyant que je ne répondrais rien, elle a rejeté d'un coup ses couvertures et a sauté sur ses pieds.

— Allez, on se bouge ! Il faut que je te ramène en enfer avant que le diable ne s'aperçoive de ton absence.

Si seulement elle savait à quel point c'était vrai.

Lorsque je suis arrivée chez moi, la maison m'a semblée particulièrement calme. La voiture de George n'était pas là. Il était probablement parti avec les enfants pour le traditionnel café-donuts du samedi matin. Mais *elle* devait être quelque part dans la maison. À cette idée, j'ai eu un nœud dans l'estomac. J'ai vite réfléchi au moyen d'atteindre ma chambre sans la croiser et me suis déplacée le plus silencieusement possible. Au moment où j'arrivais devant ma porte, j'ai senti une violente douleur parcourir mon cuir chevelu. J'ai poussé un léger gémissement. Carol m'a tiré brutalement les cheveux, qu'elle tenait serrés dans sa main, et m'a plaqué le visage contre le mur. Elle s'est approchée et m'a glissé dans le creux de l'oreille, d'une voix sifflante :

— Tu pensais que je ne saurais pas, hein ? Qu'est-ce que tu es allée foutre au match, hier soir ? Te faire sauter par tous les joueurs, c'est ça ?

Avant que je n'aie eu le temps de réagir, elle a frappé ma tête contre le chambranle de la porte. Tout s'est mis à tourner et j'ai vu des dizaines de petits points lumineux danser autour de moi. Alors que j'essayais de retrouver une vision nette de ce qui m'entourait, j'ai senti ma tête partir en arrière et, très vite, heurter à nouveau le mur. Cette fois, en plus des points lumineux et des images qui tournaient dans tous les sens, j'ai senti une douleur fulgurante au coin de l'œil et quelque chose de chaud couler le long de ma joue.

— Je ne supporte plus de te voir dans ma maison. Tu n'es qu'une merde inutile et s'il n'y avait pas eu ton oncle, je t'aurais claqué la porte au nez le jour où ton ivrogne de mère t'a abandonnée. Même elle, elle n'en pouvait plus de toi.

Je me suis laissée glisser à terre, à moitié assommée.

— Lave-toi la figure avant qu'ils ne reviennent et range le linge qui sèche dans la cave. Tu as intérêt à avoir fini le ménage quand je rentrerais du supermarché.

Au même instant, j'ai entendu la voiture rouler dans l'allée, les portières claquer et les voix aiguës des enfants retentir derrière la maison. Je ne voulais surtout pas qu'ils me voient comme ça. J'ai attrapé mon sac, l'ai jeté dans ma chambre par la porte entrouverte et je me suis relevée péniblement. Appuyée contre le mur, j'ai réussi tant bien que mal à marcher jusqu'à la salle de bains. En bas, j'ai entendu la voix joyeuse de Leyla claironner :

— Maman, on a les donuts !

Une fois devant le miroir, j'ai pris ma serviette éponge et l'ai approchée de mon œil. Soudain, la tête m'a tourné. J'ai cru que j'allais m'évanouir. Je me suis tenue au lavabo, les yeux fermés. Il m'a fallu quelques secondes avant de me sentir à peu près solide sur mes jambes. Avec la serviette, j'ai essuyé le sang. Ça coulait beaucoup et je n'arrivais pas à localiser la plaie. J'ai tamponné, puis rincé la serviette à l'eau claire, puis à nouveau essuyé. J'ai fini par repérer une entaille sous le sourcil. Elle n'était pas très profonde, mais le sang coulait abondamment. À force d'appuyer avec la serviette, ça s'est arrêté. J'ai mis un pansement que j'avais dans ma trousse de toilette.

Au milieu du front, j'avais un énorme hématome, tellement douloureux que je pouvais à peine l'effleurer. Je me suis assise par terre. Impossible de retenir les larmes qui coulaient le long de mes joues. Les images de ce qui venait de se passer défilaient dans ma tête comme un kaléidoscope infernal. Mais je ne devais surtout pas craquer. Sinon, je n'arriverais plus à me calmer.

En y repensant, c'était évident : elle m'avait attendue dans le couloir. J'étais certaine qu'elle n'était pas derrière moi dans l'escalier. Et sa fureur n'avait rien à voir avec le foot ou avec le match. C'était uniquement moi. Plus je cherchais à être invisible, plus elle me traquait et me le faisait payer. C'était sans issue. Je ne rêvais que de la détruire. L'anéantir. Ne plus l'avoir dans ma vie. Dans le miroir, j'ai vu la colère briller dans mes yeux.

Un simple coup de fil, une simple visite au bureau de la psychologue du lycée, une seule phrase, et je pouvais mettre fin à tout cela.

Des éclats de rire ont retenti dans la cuisine. Leyla et Jack. Pour eux aussi, ça serait fini. Je ne pouvais pas gâcher ainsi leurs vies. Carol et George les aimaient sincèrement, je n'avais pas le droit de leur enlever leurs parents.

La gorge nouée, j'ai serré les dents pour combattre les idées noires qui m'envahissaient et retrouver la force de me composer un visage normal. Mais les larmes coulaient, intarissables.

J'ai ouvert le placard sous le lavabo et sorti les produits d'entretien. Lentement, d'une main tremblante, réprimant mes sanglots, j'ai commencé à laver la baignoire. Mon front me faisait de plus en plus mal. Tout mon corps n'était que souffrance.

Le temps de finir le lavabo, j'avais réussi à me calmer et à revenir à mon état d'être insensible. C'était la seule manière, pour moi, de ne pas sombrer dans le désespoir. L'esprit vide, j'ai regardé l'eau couler le long des parois en émail. Mes pensées meurtrières avaient déserté.

— Je reviens dans deux heures, environ, a lancé Carol avant de fermer la porte derrière elle.

Les enfants étaient dans le salon et regardaient la télévision. J'ai jeté un coup d'œil dans le miroir et essuyé d'un geste distrait une trace de sang séché sur la paupière avant d'ouvrir la porte. J'ai fait une pause sur le palier, guettant les bruits autour de moi. George est arrivé à ce moment-là. Lorsqu'il m'a vue, il s'est arrêté net et une ombre est passée sur son visage. Mais il s'est aussitôt repris et a retrouvé son expression habituelle.

— Tu t'es cognée ?

— À force de lire en marchant, voilà ce que je récolte, ai-je répondu avec un sourire forcé.

Il préférait ne pas connaître la vérité. Je le savais.

— Tu devrais mettre de la glace dessus.

— Ah oui, c'est vrai, ai-je dit en retournant vers la salle de bains pour finir le ménage.

À la fin de la journée, une fois le nettoyage achevé et après avoir bien vérifié que tout était impeccable, je suis allée dans ma chambre. Sur mon bureau m'attendait un sac de glace. Je l'ai mis sur ma bosse et suis restée debout devant la fenêtre à regarder Jack et Leyla jouer à chat perché avec George dans le jardin. Je n'avais pas droit aux jeux. Le silence et l'isolement dessinaient les portes de mon enfer.

Je me suis réveillée en sursaut à minuit, paniquée. Le souffle court, suffoquant presque, j'ai tenté de percer l'obscurité de la pièce pour savoir où j'étais. Ma chemise de nuit était humide tant j'avais transpiré. Lentement, j'ai repris possession de la réalité qui m'entourait et le cauchemar qui m'avait réveillée s'est éloigné. J'ai dû respirer profondément, remplir longuement mes poumons d'air, pour chasser de mon esprit les images de cette mer déchaînée et des vagues qui m'engloutissaient. J'étais bel et bien vivante, et non en train de me noyer.

Après ça, je me suis tournée et retournée longtemps dans mon lit, cherchant le sommeil. Je me suis endormie au moment où la clarté de l'aube pénétrait dans ma chambre.

J'ai été réveillée par des coups violents à ma porte.

— Tu comptes peut-être dormir toute la journée ? a hurlé Carol.

— Je suis debout, ai-je répondu aussitôt, espérant qu'elle n'entrerait pas.

Le réveil sur ma table de nuit indiquait huit heures trente. Si je ne prenais pas ma douche avant neuf heures, je pouvais faire une croix dessus. Je me suis levée. Avec un mal de tête lancinant, comme si mille aiguilles me transperçaient les yeux. J'ai touché mon front : la bosse était toujours là. Preuve de mon enfer quotidien. Heureusement, la plaie sur la paupière était très fine et la coupe de cheveux de Sara permettait de la cacher derrière la frange.

J'ai pris mes vêtements et je me suis glissée dans la salle de bains sans qu'on me voie. Je me suis lavée à toute allure avant qu'*elle* ne vienne frapper à la porte pour me signaler la fin du temps réglementaire. Le shampooing a été plus compliqué que je ne pensais car mon cuir chevelu était endolori après avoir été brutalisé par Carol. J'avais beau y aller doucement, chaque pression me faisait monter les larmes aux yeux.

Une fois séchée et habillée, j'ai voulu me brosser les cheveux. Impossible. Tant pis, je descendrais les cheveux mouillés. Et je ne me les laverais pas pendant au moins trois jours, quitte à ressembler à un paillasson.

J'étais assise à mon bureau, en train de faire mon devoir de trigonométrie, lorsque j'ai entendu Carol parler à George, en bas dans la cuisine.

— Elle fait quoi cet après-midi ? a-t-elle demandé.

— Elle va à la bibliothèque et sera de retour pour le dîner.

— Et tu la crois, quand elle te dit qu'elle va à la bibliothèque ?

— Pourquoi pas ?

La voix de Leyla parlant à son frère a couvert la réponse de Carol.

— Je reviens vers treize heures, a-t-elle enchaîné.

La porte s'est ouverte puis refermée.

— Vous voulez jouer dehors avec Emma ? a demandé George aux enfants.

— Oui ! Oui !

— Emma, a appelé George à travers ma porte, quelques secondes plus tard. Ça t'ennuie de sortir avec les enfants ?

— J'arrive.

Quand je suis arrivée dans le jardin, les enfants m'ont sauté au cou en m'embrassant gaiement. La matinée s'est écoulée tranquillement, à taper dans le ballon dans le minuscule carré de verdure. La maison de mon oncle et de ma tante, située dans un quartier typique des classes moyennes américaines, était bien plus modeste que celle de Sara.

Lorsque George et Carol sont partis au cinéma avec les enfants, j'ai enfourché ma bicyclette et filé à la bibliothèque. J'ai passé le reste de la journée dans les bouquins pour finir tous mes devoirs. Je gardais la tête baissée, pour éviter tout contact humain. J'avais trop peur des réactions que pourrait susciter mon visage. Une fois mes devoirs terminés, il me restait un peu de temps avant de rentrer à la maison. J'en ai profité pour appeler Sara de la cabine téléphonique.

— Coucou. D'où tu m'appelles ?

— De la cabine de la bibliothèque.

— Ah, j'arrive tout de suite.

— Non, non ! Je pars dans deux minutes. Je voulais juste te prévenir, avant que tu me voies demain matin.

— Quoi ? Qu'est-ce qui s'est passé ?

— Tout va bien, l'ai-je aussitôt rassurée. Simplement, je suis tombée et je me suis cogné la tête, donc j'ai une petite blessure et un pansement. Rien de grave, ne t'inquiète pas.

— Emma... Qu'est-ce qu'elle t'a fait ?

Dans son ton sonnaient autant la colère que l'angoisse.

— Rien, Sara. Je suis tombée.

— Bien sûr, a-t-elle dit calmement. Tu es sûre que ça va ?

— Certaine. Bon, je dois y aller... On se voit demain matin ?

— Oui, a répondu Sara sur un ton contrarié.

J'ai raccroché.

## 8

## La faute à pas de chance

Le lendemain matin, lorsque je me suis réveillée, tout était normal. Jusqu'au moment où je me suis vue dans le miroir. Là, jc mc suis rappelé que non, ma vie n'avait rien de normal.

L'œuf de pigeon avait un peu dégonflé, je devais pouvoir le camoufler derrière la frange. Mon crâne était moins douloureux que la veille et l'épreuve du lavage et du brushing fut moins pénible que je ne m'y attendais. La journée s'annonçait peut-être plus facile que prévu.

En voyant la tête de Sara quand je suis entrée dans sa voiture, j'ai compris que ce n'était pas gagné. Elle a ouvert des yeux grands comme des soucoupes et, sans un mot, m'a tendu une bouteille d'eau et de l'aspirine. Ça risquait d'être une sale journée, finalement.

— Merci, ai-je dit avant d'avaler deux comprimés.

D'un air dégagé, j'ai abaissé le pare-soleil pour vérifier la qualité de mon camouflage dans le miroir. La bosse était à peu près masquée par la frange, on apercevait juste un peu de bleu entre les mèches ; quant au pansement, il était peu visible car j'avais choisi le plus petit. Mais la paupière avait elle aussi viré au bleu-violet de façon assez spectaculaire. Sara avait détourné le regard et ne disait pas un mot.

— Qu'est-ce qu'il y a ? ai-je fini par demander.

— Emma, regarde-toi !

— Eh bien quoi ? Je trouve que je me suis pas mal débrouillée pour cacher les dégâts.

— C'est bien ça le problème.

Sa voix tremblait. Elle avait l'air au bord des larmes.

— Ça n'est pas normal. Si tu ne veux pas me dire ce qui s'est réellement passé, c'est ton droit. Mais je sais très bien que tu n'es pas tombée. Est-ce que tu peux au moins me dire à propos de quoi c'était ?

— Qu'est-ce que ça peut faire ?

Je n'avais pas imaginé qu'elle réagirait aussi violemment et l'idée de la voir pleurer à cause de moi m'était insupportable.

— J'ai besoin de savoir.

Les larmes ont coulé sur ses joues.

— Sara, s'il te plaît, ne pleure pas. Je vais bien, je te jure.

— Comment peux-tu aller bien dans ces conditions ? Le pire, c'est que tu n'es même pas en colère.

— J'ai eu le temps de me calmer… Mais je lutte contre la colère. Ça voudrait dire qu'ils ont un pouvoir sur moi, et c'est justement ce que je ne veux pas. Bien sûr que je ne suis pas d'accord avec ça, ai-je poursuivi en pointant mon index vers mon front. Mais je n'ai pas d'autre choix que de l'accepter. Ne pleure pas, je t'en supplie, c'est encore plus terrible...

— Pardon, a-t-elle murmuré.

Nous étions arrivées au parking du lycée. Après s'être garée, Sara s'est essuyé les yeux avec un mouchoir et a rectifié son maquillage en se regardant dans le rétroviseur.

— C'est bon, a-t-elle dit avec un pâle sourire.

— Et moi, de quoi j'ai l'air ? Sois franche.

— Franchement, tu as fait du bon boulot, ça ne se voit pas trop. C'est parce que je connais la vérité que j'ai réagi comme ça.

En réalité, elle n'en savait pas le quart.

— Si on te pose la question – et je suis certaine qu'on va te la poser – dis que j'ai glissé sur le carrelage humide et que je me suis cognée contre le coin de la table.

Elle m'a lancé un regard stupéfait.

— Tu as une meilleure idée ?

— Non, a-t-elle soupiré. Tu peux garder l'aspirine. Je sais que tu en auras encore besoin.

— Merci. On y va ?

Elle a pris une profonde inspiration et a hoché la tête.

Je ne supportais pas de voir Sara dans cet état. Surtout à cause de moi. Elle si gaie, si généreuse... La sentir ainsi gagnée par la colère et la tristesse me bouleversait.

En dehors de quelques-unes de mes coéquipières de football qui m'ont questionnée à propos de ma blessure, ainsi que deux ou trois filles toujours portées sur les potins, la plupart des gens se sont contentés de me regarder avec un air intrigué. Malgré tout, chaque fois que je croisais quelqu'un, j'avais envie de disparaître sous terre. Ou, au moins, de réussir à ignorer les chuchotements que j'entendais derrière mon dos.

Arrivée en classe d'anglais, je me suis installée à ma place habituelle et j'ai sorti mon devoir.

— Tu as mal ?

Evan. Il était assis à côté de moi. À la place de Brenda Pierce. Qui était d'ailleurs en train de s'approcher, le regard noir. Il lui a fait un sourire poli en haussant les épaules d'un air désolé.

— Je crois que tu viens de te faire une ennemie, ai-je dit.

— Elle s'en remettra. Ta blessure, là, ça te fait mal ?

— J'ai pris deux aspirines ce matin, ça va.

— Tant mieux.

Tout le monde m'avait demandé comment je m'étais blessée, mais personne ne s'était inquiété de savoir comment je me sentais. Sauf Evan.

— Comment s'est passé ton week-end ? a-t-il demandé à voix basse.

— Bien, ai-je répondu sans le regarder dans les yeux.

Après avoir ramassé les dissertations, Mme Abbott nous a décrit le thème de la discussion et distribué le sujet du prochain devoir. Elle nous a aussi donné à chacun la photocopie d'une nouvelle que nous devions commencer à lire tout de suite.

— Tu veux bien me parler, aujourd'hui ? a chuchoté Evan.

— Oui, pourquoi ?

— Je sais jamais, avec toi...

— Je ne suis pas une grande bavarde, ai-je avoué avant de retourner à ma lecture.

— Je sais.

L'aplomb de sa réponse m'a fait relever la tête. Il me regardait en affichant son éternel petit sourire. Je n'étais pas d'humeur. Je me suis replongée dans le texte et ne lui ai plus adressé la parole jusqu'à la fin du cours. Pas question de me laisser absorber par le mystère Evan Mathews aujourd'hui. Je ne souhaitais qu'une chose : atteindre la fin de cette journée le plus discrètement possible. Moins il y aurait d'échanges avec les autres, mieux je me sentirais.

Evan m'a suivie jusqu'à l'atelier d'arts plastiques de Mme Mier. Il n'a pas essayé de me parler, mais, pendant que je longeais les couloirs en regardant droit devant moi, j'avais l'impression qu'il passait chaque centimètre carré de ma peau au scanner de son regard acéré.

— Le prochain projet sur lequel nous allons travailler est un calendrier, a annoncé Mme Mier. Aujourd'hui, vous allez faire le tour du lycée et prendre des photos pour illustrer chacun des mois. Nous les afficherons ensuite dans le hall d'entrée pour que les élèves et les professeurs puissent les regarder. Puis il y aura un vote pour choisir les douze photos qui illustreront le calendrier. Celle qui recueillera le plus de voix sera également sur la couverture. Vous avez des questions ?

Pas de questions. La classe était silencieuse et attentive. Mme Mier a demandé à des élèves de sortir les appareils photo du placard.

— Tu vas proposer quelque chose ? ai-je demandé à Evan.

— Oui, a-t-il répondu, surpris que je lui adresse la parole.

— Vous avez quarante minutes, ensuite vous rapportez les appareils, a annoncé Mme Mier.

Les élèves sont sortis de la salle et se sont dirigés vers l'escalier qui menait à la cour de derrière. J'ai décidé de prendre plutôt l'autre escalier pour explorer les terrains de football et les courts de tennis.

— Je peux venir avec toi ? m'a demandé Evan.

J'ai haussé les épaules. Il m'a suivie sans rien dire.

Une fois dehors, surprise par le vent frais, j'ai frissonné. Après avoir observé les couleurs somptueuses des feuillages, j'ai marché en direction du terrain de football.

— Est-ce que tes parents t'ont dit quelque chose lorsque tu es rentré trempé jusqu'aux os, vendredi soir ?

— Ils n'étaient pas là, a répondu Evan.

— Ça t'ennuie qu'ils ne soient pas là ?

J'avais posé la question sans réfléchir et me suis sentie soudain indiscrète.

— Bah… J'ai appris à me débrouiller. Mais c'était plus facile quand mon frère était encore là. Toi, tu vis avec ton oncle et ta tante, c'est ça ?

— Yep.

Je me suis accroupie pour prendre des photos du terrain à travers le grillage en réglant différentes options pour jouer sur les contrastes et les couleurs. Puis je me suis relevée et me suis dirigée vers les gradins.

— Pas facile ? a-t-il demandé, comme s'il connaissait déjà la réponse.

— Non, pas vraiment.

Pourquoi mentir ? Je n'en éprouvais pas la nécessité. Pas pour l'instant, en tout cas. Le terrain était glissant, mais je maîtrisais la situation.

— Ils sont sévères ?

Là encore, plus un constat qu'une vraie question.

— En quelque sorte, oui.

Tout en parlant, je continuais de prendre des photos du terrain, derrière le grillage. Je variais maintenant la mise au point pour obtenir des effets plus ou moins flous du premier plan et de l'arrière-plan.

— Pas les tiens ? ai-je demandé.

— Non, pas vraiment.

Le vent a soulevé ma frange et j'ai vu Evan froncer les sourcils. J'ai réalisé qu'il n'avait pas encore remarqué mon pansement.

— La faute à pas de chance ? a-t-il interrogé en montrant mon front.

— On peut dire ça comme ça…, ai-je marmonné en rougissant.

J'ai remis mes cheveux en place.

— Tu as combien de frères et sœurs ? ai-je questionné à mon tour.

— Juste un frère, Jared. Il est en première année à Cornell. Et toi ?

— Pas de frères et sœurs, simplement mes deux cousins, plus petits que moi. Ton frère, il te ressemble ?

— Rien à voir. Il est calme, plus porté sur la musique que sur le sport, et il est vraiment cool.

La comparaison m'a fait sourire. À son tour, il m'a souri. Mon cœur a fait un énorme bond dans ma poitrine. Ça faisait longtemps.

— Tu as postulé à quelles universités ?

Il continuait son interrogatoire, inlassablement.

— Quelques-unes en Californie. Et aussi à New York. J'aimerais beaucoup aller à Stanford, si je suis acceptée.

— J'ai entendu dire qu'ils t'avaient remarquée lors du match de jeudi.

J'ai hoché la tête. Mon appareil photo était maintenant braqué sur le sol, où je m'évertuais à saisir quelques assemblages de feuilles mortes de toutes les couleurs.

— Et toi ? Tu as demandé quoi ?

— Cornell, évidemment, comme mon frère. Mais j'ai des copains qui vont dans des universités en Californie, donc je vais peut-être aussi m'inscrire là-bas. J'ai le temps de voir.

Nous avons poursuivi ce jeu dangereux de questions-réponses jusqu'au moment de retourner en classe.

— Tu as un match vendredi soir, c'est ça ? a-t-il dit tandis que nous montions l'escalier.

— Oui.

— Et tu fais quoi entre la fin des cours et le match ?

— Je vais probablement rester au lycée pour faire mes devoirs.

— Tu voudras aller manger quelque chose avec moi ?

Nous étions devant les portes du hall d'entrée. Je me suis arrêtée net. Mon cœur aussi.

— Oui, c'est une demande officielle de rancard, a-t-il précisé avec un petit sourire.

J'ai cru tomber dans les pommes.

— D'accord, ai-je soufflé, pétrifiée.

Sérieux ? Je venais réellement d'accepter un rendez-vous ?

— Super ! s'est-il exclamé avec un large sourire.

Cette fois, je planais totalement. Sans savoir si c'était de peur ou de joie. Tant pis pour l'incertitude, j'avais eu mon lot de questions pour la matinée.

— On se voit en maths, à plus ! a-t-il lancé avant de se diriger vers l'escalier.

Je suis retournée à l'atelier comme un automate, j'ai rangé l'appareil photo dans le placard, puis suis repartie vers mon casier.

— Qu'est-ce qui te fait sourire comme ça ?

La voix de Sara semblait venir de très loin. Je me suis doucement reconnectée à la réalité.

— Je te raconterai après.

— Je déteste quand tu dis ça, a grogné Sara.

J'ai pris mes affaires de chimie et suis partie vers les salles de labo.

Le cours m'a semblé durer une éternité. Je prenais des notes de façon mécanique, sans vraiment réfléchir. Nous nous sommes ensuite mis par groupes de deux pour faire des expériences. Après avoir manipulé des liquides et des éprouvettes, j'ai regardé l'heure : cinq minutes seulement s'étaient écoulées. Interminable !

— J'espère que ça va aller, m'a glissé ma coéquipière lorsque la cloche a enfin sonné. Tu avais l'air ailleurs.

J'ai souri. Ce qui l'a rendue encore plus perplexe.

Lorsque j'ai rejoint mon casier, Evan était devant.

— Je me demandais… Qu'est-ce que tu as le droit de faire ? m'a demandé Evan.

— Pas grand-chose…

— Mais tout ce qui a un rapport avec l'école, tu peux, c'est ça ?

Le jeu des questions qui n'en sont pas avait repris. Avec patience, il assemblait les pièces du puzzle.

— À peu près. À condition que quelqu'un me ramène et que je sois à la maison avant vingt-deux heures.

— Et si tu ne fais pas ce que tu as dit mais que tu rentres à l'heure, comment ils peuvent savoir ?

Mon estomac a fait un looping. Je voyais à peu près où il voulait en venir et cela me terrifiait.

— Je sais pas. Pourquoi ?

J'ai plongé mes yeux dans les siens pour essayer de percer ses pensées.

— Comme ça, a-t-il dit d'un air pensif.

Nous sommes arrivés devant la classe. Nous nous sommes assis. La prof a ramassé les devoirs et je me suis efforcée de me concentrer sur le cours.

Mon répit a été de courte durée. Nous étions à peine de retour dans le couloir, qu'Evan a repris son enquête.

— Ça t'est déjà arrivé de faire quelque chose que tu n'avais pas le droit de faire ?

— Comme quoi, par exemple ?

Je n'aimais pas du tout le terrain dangereux sur lequel nous nous aventurions.

— Comme faire le mur. Ou dire que tu vas à la bibli et aller au cinéma.

Je l'ai regardé, estomaquée.

— Visiblement pas, a-t-il conclu.

J'ai fini par rompre le silence pesant.

— À quoi tu penses ?

— Je réfléchis.

— À quoi ?

— À nous. J'essaie de trouver une solution.

Après avoir balancé sa bombe, il est entré dans la classe d'anatomie et s'est dirigé d'un pas tranquille vers sa place habituelle. Moi, je me suis presque effondrée sur ma chaise, la respiration bloquée. Ce type-là me perturbait au plus haut point.

— Evan, assieds-toi à la table d'Emma, s'il te plaît, ordonna M. Hodges. Son voisin est visiblement absent et je préfère que vous soyez deux par table car nous allons faire une dissection.

Un afflux de sang a envahi mon visage. J'ai baissé les yeux et je me suis mise à regarder obstinément la surface noire et lisse de la table. Evan est venu s'asseoir à côté de moi et m'a lancé un timide « Salut », comme s'il me parlait pour la première fois. J'ai marmonné un truc inaudible.

Pendant que M. Hodges énumérait les os de la main, j'ai griffonné sur un morceau de papier : « Tu considères qu'il y a déjà un *nous* ? »

Il a répondu : « Pas encore. »

Devant mon air perplexe, il a ajouté : « Mais je me prépare pour ce moment-là. »

Une tempête s'est mise à souffler sous mon crâne tandis qu'un long frisson parcourait mon corps. Evan arborait un large sourire mais je ne voyais vraiment pas ce qu'il y avait de drôle. Plutôt que de me faire rire, ses questions et ses remarques m'angoissaient.

J'ai glissé le papier dans mon manuel, ouvert mon cahier et je me suis plongée dans la lecture de mes notes.

— À plus, m'a dit Evan à la fin du cours en quittant la salle.

Je l'ai suivi du regard, déconcertée. Toutes ses questions montraient qu'il avait une idée derrière la tête.

Sara m'attendait, adossée à mon casier. Sans un mot, j'ai ouvert le cadenas et déposé mes livres. Je la sentais bouillir d'impatience.

— Tu vas me faire attendre longtemps, comme ça ?

— Au fait, ton rendez-vous avec Jason s'est bien passé ? ai-je tenté.

— Ah non, cette fois tu ne m'auras pas ! On parlera de moi après. Raconte, maintenant.

J'ai respiré un bon coup pour me donner du courage avant de lancer mon scoop.

— On a rendez-vous vendredi après les cours. On ira manger quelque chose avant le match.

Rien à ajouter. C'était déjà beaucoup.

— Waouh… C'est super, Em ! Je suis vraiment contente. Je le sens bien ce type, je t'assure.

— Si tu le dis.

Elle m'a jeté un regard étonné.

— Moi, je ne le comprends toujours pas, ai-je avoué en soupirant.

Nous avons commencé à descendre l'escalier pour nous rendre à la cafétéria.

— Il me pose des questions bizarres et me fait des remarques cryptées. J'ai beau essayer de décoder, je n'y arrive pas. Et pile au moment où je veux lui demander ce qu'il veut dire, il disparaît.

— Je sais qu'il a récolté pas mal de témoignages pour son enquête et qu'il doit encore faire quelques interviews avant de rendre son papier demain. Il doit m'interviewer juste avant le cours de journalisme. Peut-être que c'est pour ça qu'il a filé si vite.

Sara la gentille, toujours prête à me rassurer.

— Ce qui m'inquiète, ça n'est pas de savoir où il va. C'est plutôt la manière dont il part… Il a la sale habitude de me planter juste après m'avoir posé une question ou fait une remarque que j'aimerais qu'il m'explique. Ça, ça me rend dingue.

Nous avons choisi un coin tranquille de la cafétéria et nous sommes attablées.

— Il te plaît ?

— Je le trouve toujours aussi mystérieux, mais je commence à m'y habituer. Avant, je supportais à peine sa présence, maintenant ça va. Je crois qu'il m'a eue à l'usure.

— Ou peut-être qu'il commence à te plaire ? a insisté Sara, espiègle.

J'allais protester, mais Jason est arrivé à notre table avec son plateau. Toute joyeuse, elle s'est tournée vers lui. J'ai eu soudain l'impression de ne pas être du tout à ma place.

— Je vais chercher à manger, ai-je annoncé.

Après avoir pris mon temps pour choisir, je suis revenue vers la table. De loin, j'ai vu Sara et Jason se sourire d'un air béat. Pourvu que je ne regarde jamais Evan de cette manière. Avec tout le monde autour de moi pour voir mon visage stupide, merci bien. Chez Sara et Jason, en revanche, c'était vraiment adorable.

Plutôt que de retourner m'asseoir avec eux et tenir la chandelle, je suis allée en salle de journalisme pour revoir mon papier. La pièce était vide. Je me suis plongée dans mes devoirs pour ne pas penser à la petite phrase de Sara. Ni à l'intérêt qu'Evan manifestait à mon égard, et qui était de plus en plus évident.

Malgré mes efforts, mes pensées dérivaient constamment dans cette direction. Pourquoi et comment, en l'espace de quelques jours, mon équilibre avait-il ainsi volé en éclats ? La digue de protection que j'avais construite avait explosé d'un coup, emportée par une puissante déferlante. J'avais perdu le contrôle et cela me faisait paniquer. Ce qui m'était facile et naturel auparavant était devenu extrêmement difficile. Par exemple, j'avais un mal fou à me concentrer, et cela me terrifiait.

Être si près du but et risquer ainsi de tout gâcher : hors de question ! Si je voulais entrer à l'université – et si possible en un seul morceau – je devais absolument éviter ces situations qui me déstabilisaient. Comme la soirée, par exemple. Ou tout autre plan qui me détournait de mon but. Dont… le rendez-vous avec Evan. À cette idée, j'ai senti ma gorge se nouer et mon cœur s'agiter. Je devais renoncer à ce rendez-vous. J'avais trop à perdre.

— Ah, te voilà, a dit l'intéressé en entrant dans la pièce. Je me demandais où tu étais passée.

— Salut, ai-je marmonné, sans quitter mon écran des yeux.

— C'est calme, ici. Tout va bien ?

— Je ne peux pas sortir avec toi, ai-je dit précipitamment. Je dois rester focalisée sur mon travail. Éviter les distractions. Désolée.

Après une seconde d'étonnement, il a demandé d'un air songeur :

— Je suis une distraction ?

— Euh… Oui. Rien que le fait de penser à toi, c'est une distraction. Et je ne peux vraiment pas me permettre de perdre du temps avec ce genre d'activités extrascolaires.

Ça m'a semblé soudain assez abrupt comme façon de dire les choses.

— Si je comprends bien, un rendez-vous avec moi, c'est comme une séance à l'atelier d'arts plastiques ?

Impossible de deviner s'il trouvait ça vexant ou amusant.

— Non, ai-je soupiré. Evan, je vais être sincère : je n'ai encore jamais eu un rendez-vous avec un garçon, et je ne me sens pas prête. Voilà, c'est dit. Ça te suffit ?

J'étais devenue écarlate. Il a esquissé son petit sourire spécial Evan Mathews. Agacée, je lui ai lancé une feuille de papier roulée en boule. Il s'est esclaffé.

— OK, pas de rendez-vous. Mais on peut continuer à traîner ensemble, quand même ?

— Si tu me promets de ne pas me proposer un autre rendez-vous et si tu arrêtes de parler de « nous » comme si nous étions un tout.

J'avais bien conscience de demander des choses absurdes, voire ridicules, mais c'étaient les conditions nécessaires pour que mon cœur fougueux et indiscipliné puisse s'accommoder d'une amitié avec Evan Mathews.

— Ça me va. Mais on est bien d'accord : tu continues à me parler, je peux continuer à m'asseoir à côté de toi en cours et, même, on va continuer à marcher ensemble dans les couloirs ?

— Mouais.

— Et on pourra aussi traîner ensemble en dehors de l'école ?

— Comment veux-tu qu'on trouve le temps de faire quoi que ce soit après l'école ?

— Vendredi ? Ça n'est pas un rancard, promis ! Mais tu pourrais, par exemple, rester après les cours et on traînerait un peu avant le match. Ou, si tu préfères, on pourra faire nos devoirs.

Je l'ai dévisagé d'un air méfiant. En gros, le contenu n'avait pas beaucoup changé. C'était juste la forme qui différait. On ne parlait plus de « rancard » officiel. Pouvais-je accepter la proposition ? Au fond de moi, une petite voix me disait que non. Mais je ne l'ai pas écoutée.

— D'accord, ai-je cédé. Mais on est juste amis.

— Pour l'instant.

— Evan !

— Je plaisante ! Je peux être ami avec toi, pas de problème.

La sonnerie a signalé la fin de la journée et, très vite, les couloirs se sont remplis de bruits de voix et de pas de lycéens qui avaient hâte de partir.

— Bonne chance pour ton match aujourd'hui, ai-je dit en ramassant mes livres.

— Merci. On se voit demain au cours d'anglais ?

— Oui.

Il m'a fait un grand sourire et a quitté la classe.

Je suis restée assise sur ma chaise. Ma tentative pour mettre de l'ordre dans ma vie avait lamentablement échoué. Les choses ne s'étaient pas passées comme je l'avais prévu. J'étais censée couper les ponts avec Evan et je n'y étais pas parvenue. C'était extrêmement risqué de laisser quelqu'un prendre autant de place dans ma vie. Peut-être pouvais-je être juste amie avec lui en restant concentrée sur l'école ? J'avais un peu de mal à croire à cette possibilité. Coûte que coûte, je devais tenir encore six cent soixante-sept jours.

# 9

# Pas un rendez-vous

Le vendredi matin, j'ai quitté la maison le cœur joyeux malgré le ciel gris et maussade. La perspective du match, dans la soirée, me mettait d'excellente humeur. Mais avant, je devais passer l'après-midi avec Evan. La seule pensée de me trouver seule avec lui déclenchait des frissons de panique. C'était étrange, ces émotions contradictoires : je me sentais à la fois pleine d'allégresse et pétrifiée.

Au moment de sortir, j'ai vérifié à deux reprises que mon match figurait bien sur mon emploi du temps affiché dans l'entrée. Toutes mes activités extrascolaires devaient être inscrites très à l'avance, sinon je n'avais pas le droit d'y aller. Parfois, je me demandais pourquoi mon oncle et ma tante ne m'avaient pas carrément collé une puce sous la peau pour me suivre à la trace. Trop cher, probablement.

— Coucou ! ai-je lancé gaiement en entrant dans la voiture de Sara.

— Salut !

En entendant mon ton, elle m'a jeté un coup d'œil étonné.

— Tu vois toujours Evan, après l'école ? a dit Sara lorsque nous sommes arrivées sur le parking.

— Normalement, oui.

— Donc je te vois au match, ce soir.

— Mais on se verra d'abord à l'étude, non ?

— Mes parents m'ont signé une autorisation pour que je sorte plus tôt. Je vais passer l'après-midi chez Jill. Toi aussi, tu pourrais sortir plus tôt, si tu veux. On n'est pas obligées d'aller à l'étude, à partir du moment où on travaille sur un papier ou un autre truc du même genre.

J'ai senti mon estomac se contracter. L'idée d'enfreindre le règlement familial en quittant l'école plus tôt sans en avertir Carol était effrayante. Ou peut-être était-ce la perspective de passer une heure de plus avec Evan…

— C'était juste une suggestion, tu n'es pas obligée, a indiqué Sara devant mon regard paniqué.

— Je vais voir.

— OK. Et ce soir, je veux un compte-rendu complet, avec tous les détails.

Nous marchions le long des couloirs en direction de nos salles de classe. J'avais l'impression de trembler de la tête aux pieds et je sentais mon sang battre dans mes oreilles.

Sara s'est tournée vers moi.

— Tu es stressée ?

— À mort.

— Ne t'inquiète pas, ça va bien se passer. Tu as été claire avec lui : vous êtes amis, c'est tout. Mais si tu as vraiment peur d'être en tête à tête, je peux te trouver une excuse.

— En fait, j'ai envie de passer un moment avec lui. C'est juste que je n'ai jamais été dans cette situation et que ça me fait peur. C'est pas comme traîner avec toi.

— Tu n'as qu'à te dire que c'est la même chose, m'a-t-elle encouragée.

J'ai eu une moue sceptique.

— Et n'oublie pas : tous les détails ! a-t-elle lancé avant de monter les marches.

Evan était déjà à sa place lorsque je suis entrée dans la classe de littérature. Je suis allée m'asseoir à côté de lui.

— Salut.

— Salut, ai-je répondu sans le regarder.

— Ça te dit de sécher l'étude et de sortir une heure plus tôt ?

Mille excuses ont aussitôt jailli dans ma tête pour décliner sa proposition. Mon cœur, lui, avait repris son rythme de batteur de hard rock.

— D'accord.

Ma bouche avait décidé d'être indépendante de mon cerveau. À peine ai-je prononcé le mot qu'un vent de panique a soufflé sur moi : je n'avais encore jamais désobéi au règlement.

J'ai sorti mes cahiers et mon devoir de mon sac pour penser à autre chose. Du coin de l'œil, il m'a semblé voir flotter sur les lèvres d'Evan son fameux petit sourire. J'ai fait mine d'être très absorbée par la relecture de mes notes.

— Tu es bien silencieuse, aujourd'hui.

La sonnerie venait de retentir. J'ai rapidement rangé mes livres dans mon cartable.

— C'est à cause des contrôles, tout à l'heure. Je stresse.

Pur mensonge. Il y avait en effet un contrôle en maths et un autre en bio, mais j'avais révisé à fond et je n'étais pas inquiète. Pourquoi ne pouvais-je pas être aussi calme et confiante lorsqu'il s'agissait d'Evan ?

— Je ne pensais pas que ça pouvait te rendre nerveuse.

— Toi, ça ne te stresse pas ?

— Pourquoi ça m'inquiéterait ? J'ai bossé pour le préparer, je ne peux pas faire plus.

Contrairement à moi, il semblait confiant dans tous les domaines.

— À tout à l'heure, on se retrouve pour le contrôle de maths, a-t-il dit.

Les cours d'histoire et de chimie m'ont permis de ne pas être obsédée par ce qui m'attendait l'après-midi. Pendant que le prof nous parlait de la guerre de Sécession ou que je faisais une expérience sur le chlorure de potassium, au moins, je pensais à autre chose.

— Comment ça s'est passé ? m'a demandé Evan en sortant du cours de bio.

— Pas trop mal, je crois. Et toi ?

— C'est passé, a-t-il simplement dit.

Il marchait dans la même direction que moi au lieu de partir à l'opposé, comme il aurait dû le faire.

— Tu vas où ?

— Je t'accompagne à ton casier et ensuite on va à la cafétéria.

— Comment ça ?

— Comme Sara est allée chez Jill, je me suis dit qu'on pourrait déjeuner ensemble.

— À vrai dire, je n'ai pas très faim. Je pensais juste prendre un petit truc à grignoter et aller à l'atelier.

— Tu préfères rester seule ?

— Ça m'est égal, ai-je répondu en haussant les épaules. Tu fais comme tu veux.

— Et si je prends mon déjeuner à côté de toi à l'atelier, tu comptes m'ignorer ?

— Pas forcément.

J'ai rangé mes livres dans mon casier. En voyant Evan y ajouter les siens, je l'ai regardé, sidérée.

— Quoi ? s'est-il défendu. Comme on part ensemble après le cours d'arts plastiques, je les récupérerai à ce moment-là. Promis.

Nous nous sommes dirigés vers la cafétéria sans un mot. Devant la porte, il m'a dit :

— Tu es au courant de la rumeur qui raconte qu'on sort ensemble ?

Je me suis arrêtée net et me suis tournée vers lui en fronçant les sourcils. Son sourire en coin m'a rendue hystérique.

— Tu veux qu'on passe l'après-midi ensemble ou pas ? ai-je dit sèchement.

— Bien sûr !

— Alors évite de me raconter ce genre de trucs. Et mets-toi ça dans le crâne : je ne veux pas savoir ce que les gens pensent de moi.

— Je ne savais pas que notre amitié avait des règles aussi précises, a-t-il répliqué avec une grimace.

— Tu peux être sûr que je te les rappellerai si tu les oublies.

Mon ton se voulait sévère, mais la lueur amusée que j'ai vue dans les yeux d'Evan montrait que j'avais fait chou blanc. Je suis entrée dans la cafétéria d'un pas énervé.

— Tu es comme ça avec tous tes amis ?

— Sara est ma seule autre amie et elle respecte les règles, elle.

Je lui ai lancé un regard noir pour montrer que je ne plaisantais pas. Mais il avait l'air plus réjoui que vexé.

— Tu prends juste une pomme et un yaourt ?

— Je t'ai dit que je n'avais pas faim. Et puis, on va manger dans pas longtemps, non ?

— Oui, mais tu es une sportive, et tu as un match ce soir. Tu as besoin de quelque chose de plus consistant.

Il avait l'air vraiment concerné. J'ai cédé et ajouté une banane.

— Bien mieux, c'est sûr, a-t-il commenté d'un air ironique.

Une fois dans l'atelier, il s'est installé à côté de moi. J'ai étalé la toile sur laquelle je travaillais. Puis j'ai détaché l'image qui était collée au dos – une photo d'un feuillage d'automne avec ses mille et une couleurs – et l'ai posée à côté sur la table.

— J'ai l'impression que ça te coûte d'être amie avec moi.

Pensant à une nouvelle provocation, je me suis tournée vers lui, prête à riposter. Mais son regard semblait sincère.

— Pas du tout, ai-je répliqué. C'est juste que je ne te comprends pas. Tu dis des choses qui soit ne veulent rien dire, soit peuvent sous-entendre autre chose. Et ça me tape sur les nerfs…

Je suis retournée à ma peinture et j'ai commencé à mélanger différentes nuances de vert sur ma palette.

— Donc je t'exaspère ?

— En général, j'arrive à peu près à me contrôler. Sauf quand tu fais vraiment tout pour m'énerver. Comme maintenant.

— Désolé, a-t-il répondu avec un sourire qui disait tout le contraire.

Je n'ai même pas relevé. J'ai tourné le dos et je me suis concentrée sur ma toile. Je peignais de larges taches maladroites et plutôt inesthétiques. Il était assis sur son tabouret derrière moi, silencieux. Le simple fait de sentir sa présence me perturbait et m'empêchait de réfléchir.

— Je vais aller en perm pour faire mes devoirs, a-t-il finalement annoncé. Je te retrouve devant ton casier tout à l'heure ?

— D'accord, ai-je répondu sans lever les yeux.

Dès qu'il a franchi la porte, j'ai posé mon pinceau en poussant un gros soupir. Pas de doute, ce garçon me mettait dans tous mes états et je ne savais pas comment m'en sortir. Mes tentatives pathétiques ne parvenaient qu'à le faire rire et lui donner plus d'ascendant sur moi. J'avais décidé d'être amie avec lui et je pensais sincèrement en être capable, mais j'étais bien obligée de reconnaître mon échec. À force de vouloir à tout prix maintenir une distance, j'en devenais cruelle. Si je continuais dans cette voie, il finirait sûrement par ne plus avoir du tout envie de me voir. Et je ne pourrais pas lui en vouloir.

Comme prévu, après le cours, je l'ai retrouvé devant mon casier.

— Prêt à être encore martyrisé ? ai-je demandé d'une voix mal assurée.

— Aucun problème.

Il m'a regardée droit dans les yeux.

— De toute façon, je commence à m'habituer à tes réactions. Tu peux même être très drôle parfois.

— Je culpabilise à mort à cause de la manière dont je t'ai parlé et toi, tu dis que tu me trouves drôle ? OK, eh bien, disons que tu sais tirer le meilleur de moi, ai-je lâché d'un ton railleur.

Il s'est penché vers moi.

— Je suis là pour ça, a-t-il soufflé à mon oreille.

Je me suis tournée pour ouvrir mon casier, tétanisée. Tandis qu'il passait son bras par-dessus ma tête pour atteindre ses livres, son tee-shirt a effleuré mon dos. Un frisson m'a parcourue. J'ai fermé les yeux et respiré profondément en attendant qu'il recule d'un pas.

— Je dois juste récupérer quelques trucs dans mon casier avant qu'on parte. OK ?

— Pas de problème, ai-je murmuré.

Les couloirs étaient déserts et j'étais contente qu'il n'y ait pas de témoins. Je n'avais pas particulièrement envie d'alimenter les ragots. Au moment de quitter l'école, j'ai eu une montée d'angoisse. À chaque seconde, je m'attendais à ce qu'on nous demande où nous allions. Mais personne ne nous a arrêtés. Nous avons marché en silence jusqu'à sa voiture, sous le ciel couvert de nuages. Comme la dernière fois, j'ai été décontenancée par son geste lorsqu'il m'a ouvert la portière.

— Je crois que vous allez jouer dans la boue, ce soir, a-t-il dit en démarrant la voiture.

— Ça ralentit le jeu, mais j'aime bien les sensations que ça procure.

— Je vois ce que tu veux dire.

Nous avons discuté tout le long du trajet. Lorsque nous sommes arrivés devant chez lui, j'étais apaisée.

Evan vivait dans une des maisons du centre historique. Une longue allée de platanes permettait à cette élégante villa blanche aux volets noirs d'être à l'abri des regards, loin de la route. Devant le bâtiment s'étalait une belle pelouse avec, plantés çà et là, quelques érables au feuillage rougeoyant. Sur la vaste terrasse en bois construite tout autour de la maison étaient disposés des chaises longues colorées ainsi qu'un hamac.

Evan a garé la voiture dans l'ancienne grange reconvertie en garage et nous sommes entrés par la porte de derrière. La maison avait beau être ancienne, la cuisine était grande et aménagée avec des équipements ultramodernes.

— Tu veux boire quelque chose ? Il y a du Coca, des jus de fruits, du thé glacé ou de l'eau, a proposé Evan après avoir posé son sac sur une chaise.

La pièce était aménagée en deux parties – d'un côté l'espace cuisine, de l'autre l'espace repas, où trônait une grande table en bois.

— Un peu de thé glacé, avec plaisir.

Je me suis installée à la table pendant qu'il remplissait deux verres.

— J'aime bien le travail que tu fais avec le journal du lycée, a-t-il dit en me tendant un thé. Dans mon précédent lycée, c'était beaucoup plus rudimentaire. Ça ressemblait plutôt à un dépliant. *Les Nouvelles de Weslyn*, au moins, on dirait un vrai journal.

— Merci. Est-ce que tu as eu des commentaires sur ton papier ?

— Oui, quelques-uns. La plupart me demandent des infos sur mes sources. Ils essaient de reconnaître les élèves à travers les témoignages. J'aurais dû m'en douter.

Après un silence, il a ajouté :

— Finalement je ne t'ai pas interviewée. Je me suis dit qu'il y aurait conflit d'intérêts.

— De toute manière, je n'aurais pas voulu. Mais, par curiosité, qu'est-ce que tu m'aurais demandé si j'avais accepté ?

À peine avais-je fini ma phrase que je l'ai regrettée. Parler à Evan de mes complexes physiques était bien la dernière chose dont j'avais envie. À croire que je cherchais les ennuis.

— Cite-moi une partie de ton corps que tu n'aimes pas et dis-moi comment tu voudrais qu'elle soit.

Je n'ai rien dit.

— Je peux parler en premier, si ça peut t'aider, a-t-il proposé, sur un ton calme et concerné.

— Toi, complexé ?

— Je déteste mes pieds. Je les trouve beaucoup trop grands.

— Tes pieds ? Ils font quelle taille ?

— Quarante-sept. La moyenne est à quarante-trois. Ça n'est pas facile de trouver des chaussures qui me plaisent.

Il paraissait sincèrement gêné.

— Franchement, je n'avais même pas remarqué. Peut-être parce que tu es grand. Ou peut-être parce ce ne sont pas tes pieds qu'on remarque en premier.

J'ai senti mes joues rosir lorsque je me suis rendu compte qu'il pouvait mal interpréter ma phrase.

— Ah oui ? a-t-il répondu avec un sourire en coin qui confirmait ma crainte.

— Tu sais très bien ce que je veux dire.

À présent, c'était mon visage entier qui avait viré au rouge.

— À ton tour, maintenant, m'a-t-il encouragée.

— Mes lèvres. J'ai toujours rêvé d'avoir des lèvres plus fines. Plus tard, j'aimerais bien me faire opérer.

— Tu es sérieuse ? a-t-il réagi immédiatement. J'adore tes lèvres ! Elles sont pulpeuses, des vraies lèvres pour emb…

— Stop, on arrête là ! l'ai-je interrompu, les joues en feu.

— Pourquoi ?

— Tu veux qu'on soit amis ?

— Oui.

— Alors ne dis pas des choses comme ça. C'est exactement la ligne à ne pas franchir. Tu te souviens des règles ? Eh bien, tu ne joues pas le jeu.

J'avais parlé d'un ton ferme, bien décidée à ce qu'il me prenne au sérieux.

— Et si je ne veux pas être ami avec toi ? a-t-il lancé d'un air de défi en plongeant ses yeux dans les miens.

Me prendre au sérieux n'était pas une option pour lui, visiblement. Malgré ma difficulté à respirer, je me suis forcée à soutenir son regard.

— Alors nous ne serons pas amis.

— Et si j'ai envie d'être plus qu'un ami ?

Il avait posé ses coudes sur la table et son visage s'était dangereusement rapproché du mien.

— Alors nous ne serons rien du tout.

C'était maintenant au tour de mon cœur de faire la grève : il s'est carrément arrêté de battre. C'était encore plus difficile de continuer à regarder Evan dans les yeux. D'autant plus qu'il s'était encore rapproché de moi. Mais j'ai tenu bon.

— OK, alors soyons amis, a-t-il déclaré en se redressant. Tu joues au billard ?

Encore sous le choc, je n'ai pas pu répondre pendant quelques secondes. La tête me tournait, j'essayais de remettre mon cœur en route et de calmer le tremblement de mes jambes.

— Je n'ai jamais essayé.

J'ai pris une profonde inspiration pour tenter de m'éclaircir les idées avant de me lever. Evan attendait, il me tenait la porte. Nous sommes entrés dans l'immense grange aux murs blanchis à la chaux qui pouvait aisément abriter deux voitures. De l'autre côté de la pièce, toutes sortes d'outils étaient rangés sur des étagères qui montaient jusqu'au plafond. Mon attention a immédiatement été attirée par le matériel de sport entreposé sous l'escalier. Des chaussures de ski, des skis, des planches de surf, des wakeboards, et autres équipements de sports de glisse. Mais aussi un panier de basket, des raquettes de tennis, des ballons en tous genres – foot, volley, basket… On aurait dit le rayon sport d'un grand magasin.

— Eh bien, tu ne dois pas t'ennuyer ! ai-je lancé tandis que nous montions l'escalier.

En haut des marches, il a ouvert une porte qui donnait sur une salle de jeux comme je n'en avais jamais vu. Dans un angle de la pièce, trônait un magnifique bar en bois surmonté d'un plateau en ardoise, devant lequel étaient disposés des tabourets assortis. Le mur de gauche était occupé par un large téléviseur à écran plat. Un confortable canapé en cuir marron lui faisait face. Quelques jeux vidéo, consoles et manettes traînaient par terre. Je me suis demandé si tous les riches lycéens de Weslyn High avaient des installations aussi sophistiquées que celles de Sara et d'Evan.

Dans la partie droite de la pièce était installée une table de billard, avec suffisamment d'espace autour pour être sûr de ne pas cogner sa queue contre un mur en jouant. Tout au fond, j'ai aperçu un baby-foot et, au mur, deux cibles pour fléchettes.

Avec sa peinture rouge sombre et ses poutres apparentes, la pièce avait beaucoup de caractère. Les nombreuses affiches de groupes rock qui ornaient les murs animaient gaiement l'ensemble.

— C'est comme ça que ma mère essaie de convaincre mon frère de passer plus de temps à la maison, m'a expliqué Evan en traversant la pièce en direction du bar. Ici, c'est plus son domaine que le mien. Mes trucs à moi sont dans l'autre pièce.

Alors qu'il montrait une porte fermée avec son menton tout en s'affairant derrière le bar, la musique a soudain envahi la pièce, diffusée par des enceintes invisibles. Il a aussitôt baissé le volume.

— Jamais entendu, ai-je remarqué en écoutant le rock aux accents reggae. J'aime beaucoup.

— Je les ai vus en concert à San Francisco et j'ai tout de suite flashé. Si tu me passes ton iPod, je peux te les copier si tu veux.

— Avec plaisir.

— On fait une partie de fléchettes ?

— Je crois que je n'y ai joué qu'une fois dans ma vie, et je me suis fait écraser ! l'ai-je averti.

Il m'a tendu trois fléchettes rouges et a gardé les noires. Puis il s'est placé derrière la ligne tracée sur le parquet et les a lancées avec une facilité écœurante. Je me doutais que ça n'était pas aussi simple que ça en avait l'air.

— On s'échauffe un peu, d'abord, puis après on reculera.

Je me suis approchée de la ligne et il m'a montré comment tenir la fléchette pour bien la contrôler. Je me suis appliquée pour suivre au mieux ses conseils.

— Le plus difficile, c'est de bien sentir le poids. C'est ce qui va te permettre d'ajuster l'angle et la vitesse de tir. Ensuite, tu vises. Puis tu lances, avec un mouvement rapide de la main.

Joignant le geste à la parole, il a lancé sa fléchette d'un geste précis et elle s'est plantée directement à l'endroit qu'il visait.

— Je crois que ça serait plus prudent que tu t'éloignes pendant que j'essaie.

Il a souri et s'est assis sur un tabouret à l'autre bout du bar pour me laisser la place. Mon premier essai a été désastreux : j'ai carrément raté la cible et la fléchette s'est fichée en dessous, dans un panneau noir qui couvrait le mur.

— Oups, désolée !

Si je n'étais même pas capable de viser la cible, la partie s'annonçait mal.

— C'est à ça que sert le panneau noir, t'en fais pas ! m'a rassurée Evan. On ne va pas commencer la partie tant que tu ne te sens pas à l'aise. Essaie encore.

Au troisième essai, j'ai lancé ma fléchette avec un peu plus de force et elle s'est plantée en plein dans le chiffre vingt.

— Au moins j'ai eu la cible…

Il m'a fallu neuf tirs supplémentaires avant de parvenir à atteindre chaque fois la cible. Pas exactement les zones que je visais, mais je m'en approchais. Grâce aux conseils patients d'Evan, je m'améliorais. Et je commençais à apprécier le jeu.

Après cet entraînement, nous sommes sortis faire une partie de cricket. Tout en jouant, nous avons parlé des différents sports que nous pratiquions l'un et l'autre et de nos niveaux dans ces disciplines. Il m'a raconté ses compétitions de surf et de kitesurf aux quatre coins du monde.

— Si je comprends bien, tu es bon dans toutes les disciplines !

— Non, c'est juste que j'aime tout essayer. Mais je ne suis vraiment bon que dans quelques-unes. Mon frère est meilleur que moi au billard et aux fléchettes. Je joue pas mal au foot mais rien non plus d'extraordinaire.

Pareil en basket. Là où je suis au top, je crois, c'est au baseball. J'ai une frappe profonde et je suis rapide sur arrêt-court. Mais je parie que si tu avais eu autant d'opportunités que moi, tu me battrais dans la plupart des sports. Tu es clairement meilleure que moi au foot, par exemple. Je ne t'ai pas vue jouer au basket mais j'ai entendu dire que tu avais des sacrés tirs.

En entendant ces compliments, j'ai senti la chaleur familière chatouiller mes joues.

— J'adore le foot, c'est sûr. J'aime bien le baseball aussi mais je n'y ai pas joué depuis une éternité. Je ne sais pas du tout ce que je donnerais sur le terrain.

— Tu as envie de savoir ?

— C'est-à-dire ? ai-je demandé prudemment.

— On n'a qu'à se retrouver à la bibliothèque demain et aller s'entraîner ensemble.

J'ai blêmi à l'idée du mensonge que j'allais devoir inventer pour pouvoir faire ça.

— C'était juste une proposition.

— Demain je ne peux pas…

Sans même réfléchir, j'ai ajouté :

— Mais dimanche, oui.

Les yeux d'Evan ont brillé comme des étoiles.

— Sérieux ? a-t-il interrogé, n'osant y croire.

— Yep ! On fera quoi ?

— Des lancers ?

— Ça me va.

— À midi ?

— OK.

— Super !

Son sourire m'a éblouie et j'ai tourné la tête pour qu'il ne voie pas mon visage rougissant.

— On va manger ? a-t-il suggéré. J'imagine que tu dois être affamée après ton super déjeuner…

— Pas plus que ça, ai-je répondu en prenant un air détaché.

Perchée sur un tabouret, je regardais Evan couper le céleri, les champignons, l'ananas et le poulet qu'il avait pris dans le frigidaire.

— Qu'est-ce que tu fais de bon ?

Pas une seconde je n'avais imaginé qu'il préparerait un vrai plat. J'avais plutôt pensé qu'il se contenterait d'enfourner une pizza surgelée.

— Du poulet sauté à l'ananas. C'est vrai, je ne t'ai même pas demandé si ça te convenait ! Désolé. Tu aimes ça ?

— Oui, pas de problème. Tu cuisines ?

Décidément, Evan Mathews ne cesserait jamais de me surprendre. Je l'observais avec étonnement peser, émincer et couper les ingrédients comme s'il avait fait ça toute sa vie.

— Je dois souvent me débrouiller seul alors, oui, forcément, j'ai appris. Et toi ?

— La dernière fois que j'ai touché une casserole, c'était en primaire.

— Non ? C'est dingue !

Je n'ai rien ajouté. Impossible de lui expliquer les règles de Carol et George concernant la cuisine de la maison.

— Je peux te poser une question ? ai-je dit sans réfléchir.

Parler d'abord, réfléchir après : c'était devenu une habitude. Lorsque j'étais avec Evan, je me surprenais à dire des choses, poser des questions et accepter des propositions de manière totalement inédite.

Il a levé la tête et a interrompu son geste, le couteau en l'air.

— Vas-y.

— Est-ce que tu finis toujours par avoir ce que tu veux ?

Devant son regard interrogateur, j'ai dû préciser ma question.

— Est-ce que tu es aussi... direct avec tout le monde ?

Il s'est esclaffé. Je ne m'attendais pas à cette réaction. Puis il a eu l'air songeur et s'est tu un moment. J'ai profondément regretté d'avoir posé ma question.

— Non. Normalement, les filles sont plus à l'aise si on les drague de façon détournée, avec subtilité. Elles préfèrent ça à la franchise. Je sais que tout ce que je vais dire à une fille va immédiatement faire le tour de ses copines. Et même, de toute l'école. Donc j'évite d'être trop direct, d'habitude. Mais là, ça n'est pas une situation habituelle. Et tu n'es pas comme les autres.

Il a recommencé à couper son poulet, comme si de rien n'était. Je n'étais pas certaine d'avoir compris sa réponse, mais je ne tenais pas particulièrement à essayer d'en saisir le sens. Quelque chose me disait que cela ne ferait que me perturber davantage.

— À mon tour, maintenant, a-t-il dit en versant les morceaux de poulet dans le wok.

Je l'avais bien cherché... J'ai frémi en attendant la suite.

— Comment ça se fait que tu n'aies jamais eu de rancard ?

— Et pourquoi j'aurais dû ?

Il a éclaté de rire.

— Je ne m'attendais pas à cette réponse, a-t-il reconnu.

J'ai haussé les épaules tout en tripotant nerveusement le cordon de mon sweat-shirt. La tournure que prenait la conversation ne me plaisait pas du tout. Je devais changer de sujet mais mon cerveau semblait ne plus vouloir répondre.

— Tu as déjà embrassé un garçon ?

La vague de chaleur désormais familière a envahi tout mon corps et je suis devenue cramoisie.

— Ça, c'est carrément direct. Joker.

— Ça veut dire oui, a-t-il conclu avec un petit sourire. C'est bon à savoir.

— OK, on change de sujet maintenant. Dis-moi plutôt dans quelle ville tu as préféré vivre.

Pas de réponse.

— Evan ?

— Quoi ? Désolé, je n'ai pas entendu ta question.

L'air absent, il tournait la spatule dans le wok.

— Je me demandais si je connaissais le type. Mais si c'était un gars du lycée, je suis sûr que je l'aurais déjà su.

Il s'est adossé au mur, scrutant mon visage pour y trouver une réponse.

— Tu es en train de franchir la ligne, Evan, lui ai-je rappelé en me renfrognant.

— Mais on n'est pas en train de parler de toi et moi. Quand on est amis, on se raconte ce genre de trucs, non ? Je veux bien te dire qui est la première fille que j'ai embrassée, si ça peut te mettre à l'aise.

— Non, merci, pas vraiment. Ça ne m'intéresse pas de savoir. Et je ne veux pas non plus te faire des confidences sur ma vie privée. On n'est pas assez proches pour ça.

— Mais tu as déjà embrassé, je ne me suis pas trompé ?

— Et alors ? Qu'est-ce que ça change si c'est le cas ?

En guise de réponse, il m'a dévisagée d'un air perplexe. On aurait dit qu'il cherchait la solution d'une énigme. Puis, en silence, il a rempli deux assiettes et les a posées sur la table.

— C'est super bon ! ai-je lancé après avoir goûté, trop heureuse de changer de sujet.

J'étais sincère. Une fois de plus, Evan m'avait impressionnée. Cela devenait dangereux.

— Merci, a-t-il lâché mécaniquement.

Visiblement, il était encore bloqué sur ma réponse.

— Est-ce qu'on peut passer à autre chose, s'il te plaît ? ai-je demandé.

— Bon, mais tu me diras, un jour ?

— Mais pourquoi tu veux absolument savoir ?

Une fois de plus j'avais parlé trop vite. Et j'avais relancé ce satané sujet que je voulais pourtant éviter comme la peste.

— Pour mieux te comprendre.

— Mais il n'y a rien à comprendre, je te le répète. Je ne suis pas aussi intéressante que tu crois.

Sans un mot, Evan a planté sa fourchette dans un morceau de poulet. Son petit sourire agaçant avait retrouvé sa place habituelle.

Pendant le repas, j'ai réussi à le faire parler des lieux où il avait vécu. Avec beaucoup de détails, il m'a décrit chaque pays, chaque ville, en m'expliquant ce qu'il avait aimé ou pas. J'étais soulagée d'avoir enfin pu quitter le terrain glissant des révélations intimes. Mon visage avait retrouvé une couleur humaine, je respirais normalement, et mon cœur s'était calmé. Nous avons continué notre discussion en débarrassant la table et en faisant la vaisselle ; il m'a raconté ses vacances de ski en Suisse avec son frère, quelques années plus tôt. À seulement dix-sept ans, il avait déjà parcouru un nombre impressionnant de pays et vécu de sacrées expériences ! J'étais bluffée. Surtout en regard de ma petite existence insignifiante. Moi qui n'avais jamais connu autre chose que la Nouvelle-Angleterre !

— Tu as ton permis ? m'a demandé Evan.

— Non, pas encore.

— Tu as quel âge ?

— Seize ans.

— Seulement seize ans ? s'est-il étonné.

— Ah, enfin quelque chose de ma vie que tu ne sais pas ! J'ai sauté une classe en primaire. Je suis du mois de juin, mais entre les cours et mes différentes activités je n'ai pas du tout eu le temps de m'occuper de l'auto-école.

Mensonge total, évidemment. En vérité, j'imaginais mal Carol et George se dévouer pour mes heures de conduite accompagnée. En plus, à quoi pourrait me servir le permis : jamais je n'aurais l'autorisation de leur emprunter leur voiture.

— Mais tu sais conduire ?

— Sara m'a un peu appris, sur des parkings. Maintenant, elle voudrait m'emmener sur la route, mais s'il arrive quelque chose à sa voiture je serais super mal. Et si on se fait prendre, elle risque la suspension de permis.

— Elle a une voiture automatique ou à vitesses ?

— Automatique.

— Tu veux que je te montre comment ça marche avec des vitesses ?

— Pas aujourd'hui, merci.

— La prochaine fois que tu viens ici, alors ?

— Peut-être…

S'il y avait une prochaine fois. J'avais accepté d'aller jouer au baseball dimanche, c'était déjà très risqué. L'idée de me faire pincer m'a fait froid dans le dos.

— Tu veux me laisser ton iPod pour que je te mette le morceau de tout à l'heure et d'autres chansons ?

— Ça va être dur de m'en passer pendant le week-end. Et même pour le match ce soir, ai-je dit en fouillant dans mon sac.

— Je peux te prêter le mien, a-t-il proposé aussitôt.

Un échange ? Déjà ? Peut-être que je prêtais trop d'attention à ce geste, mais il me semblait signifier bien plus qu'un simple échange d'iPod.

Respirer profondément.

Ce n'était que de la musique. Rien d'autre.

— OK.

Je lui ai tendu mon iPod vert et ai pris le sien, qui était noir. Ce n'était peut-être que de la musique, mais mon cœur s'était emballé et battait à présent au rythme de Deep Purple.

— Il faut que je me prépare pour le match. Tu peux me montrer où est la salle de bains pour que je puisse me changer ?

— Bien sûr.

Nous avons traversé une pièce vaste et lumineuse, jaune pâle et élégamment meublée d'un canapé et de fauteuils en velours gris clair. En arrivant dans l'entrée, j'ai vu, posée sur une petite table à côté d'un grand bouquet de fleurs, une photo dans un cadre d'argent. Quatre personnes souriantes. Probablement la famille Mathews.

— L'interrupteur est sur la droite quand tu entres, m'a expliqué Evan en s'arrêtant devant une porte au milieu d'un long couloir. Je t'attends dans la cuisine.

— OK, merci.

J'ai tourné le verrou et me suis adossée contre la porte. Devant moi, le miroir me renvoyait l'image d'une jeune fille avec un grand sourire et des joues rouges. Une jeune fille qui avait l'air… heureuse.

# 10

# Jeu nocturne

Lorsque nous sommes arrivés sur le parking du lycée, il était clair, pour moi, qu'Evan ne faisait que me déposer, et reviendrait après, pour le match de l'équipe 1. Le match de l'équipe 2 n'attirait généralement pas beaucoup de spectateurs, en dehors des parents des joueuses. J'ai donc été surprise lorsqu'il a coupé le moteur et est sorti de la voiture.

— Tu restes ?

— Si ça te va.

— Bien sûr. Il n'y a pas beaucoup de monde, mais c'est comme tu veux.

— Je peux m'asseoir avec toi et Sara ?

— D'habitude, on reste avec l'équipe, mais tu peux venir avec nous. Je te préviens, je mets mon casque et j'écoute de la musique pour me concentrer. Je ne parle pas.

— Pas de problème. Je vais te trouver quelque chose de sympa à écouter.

Il m'a pris l'iPod des mains et a commencé à faire défiler les morceaux dans le menu.

— Sara ! ai-je crié en l'apercevant dans les gradins.

Elle suivait le match tout en discutant avec une fille et ne m'avait pas vue arriver.

— Coucou, m'a-t-elle répondu, tout excitée. Comment ça s'est…

Elle s'est interrompue en voyant Evan et s'est empressée de lui faire un grand sourire. Finalement, j'étais assez contente qu'il soit là, cela me permettait d'éviter la tonne de questions que Sara avait l'intention de me poser.

Il s'est assis à côté d'elle pour qu'ils discutent tranquillement. J'ai allumé mon iPod – enfin, celui d'Evan – et me suis laissé porter par la musique. Ma méthode habituelle de concentration. Il avait choisi un groupe que je connaissais bien et je suivais le match au son du rythme hyper énergique.

À la mi-temps, les joueuses sont venues dans les gradins. Elles m'ont fait un petit salut de la main. J'ai répondu par un hochement de tête. Elles savaient que j'avais besoin de ce temps de concentration et le respectaient.

Evan tirait régulièrement son iPod de la poche de mon blouson pour programmer d'autres chansons. La première fois, lorsque j'ai senti sa main tout contre moi, mon cœur a fait un tel bond dans ma poitrine que j'ai cru qu'il allait s'en rendre compte. J'ai fait semblant de ne pas y prêter attention, les yeux rivés sur le terrain.

L'herbe saturée d'eau et les nombreuses mottes de terre rendaient la surface difficilement praticable. Les joueuses de l'équipe 2 avaient du mal à se déplacer. Elles glissaient et tombaient en permanence. Dans les dernières minutes de jeu, alors que Weslyn était mené deux à zéro, l'équipe 1 a commencé son échauffement. Pendant que nous courions sur la piste, les spectateurs ont petit à petit rempli les gradins.

Au moment où le coup de sifflet a retenti, j'étais à bloc. Mes pensées étaient concentrées sur une chose : le ballon. Savoir où il était, qui l'avait, où il allait et qui serait là pour le recevoir. Mais, en réalité, le ballon progressait lentement sur le terrain. Beaucoup de tirs manqués, de passes ratées, d'interceptions avortées. À la fin de la première mi-temps, personne n'avait marqué de but, mais tout le monde était couvert de boue.

La seconde mi-temps s'est déroulée dans les mêmes conditions. Les joueuses se rentraient sans cesse dedans pour récupérer la balle et ça ressemblait davantage à un pugilat qu'à un match de football américain.

À cinq minutes du coup de sifflet final, le score était toujours de zéro à zéro. Nous avions le ballon et essayions désespérément d'avancer vers la ligne adverse. Karen a réussi à passer une joueuse et à lancer le ballon à Sara sur l'aile gauche. À son tour, Sara est parvenue à progresser de quelques mètres en faisant une super feinte à la défenseuse du camp adverse. Voyant que j'étais démarquée en milieu de terrain, elle m'a fait une passe longue que j'ai pu contrôler. Aussitôt, trois joueuses ont foncé sur moi. Usant de mes dernières forces, j'ai su déjouer leur attaque et amener le ballon près de la ligne. Dans un dernier élan, j'ai plongé. Mon pied a glissé au moment de la détente et j'ai atterri lourdement dans la boue. J'ai relevé la tête, un peu étourdie. J'avais passé la ligne et planté le ballon dans le but !

Sara s'est précipitée vers moi dans une explosion de joie et m'a aidée à me relever. Elle m'a serrée dans ses bras en bondissant, totalement surexcitée. D'autres filles sont venues m'entourer. Les bras levés en signe de victoire, j'ai couru vers le rond central pour la remise en jeu. Les dernières minutes ont filé à toute allure, sans nouveau but. Lorsque le coup de sifflet a retenti, nous avons couru vers le milieu du terrain pour fêter la victoire dans les cris, les chants et les embrassades. De nombreux spectateurs nous avaient rejointes sur la pelouse pour nous féliciter. Toutes sortes de gens venaient me serrer la main avec enthousiasme ou me donner une tape sur l'épaule. C'était un véritable festival de visages souriants, d'accolades enjouées et de poignées de main chaleureuses.

Au bout d'un moment, je suis redescendue sur terre et me suis décidée à m'extraire de ce joyeux chaos. J'ai prévenu Sara que je l'attendrais dans les vestiaires et je me suis dirigée à petites foulées vers le bâtiment. En arrivant à l'escalier, j'ai aperçu dans l'ombre une longue silhouette appuyée contre un mur.

— Bravo ! a dit la voix dans l'obscurité.

— Merci.

Evan était là, les mains dans les poches.

— C'était un sacré but !

J'ai souri. J'étais émue.

— Tu veux que je t'attende ici pendant que tu te changes ?

J'ai été surprise par sa question.

— Tu n'es pas obligé.

— Je pensais que je pouvais te raccompagner chez toi…

Un long frisson a parcouru mon échine. Je me doutais que ce n'était pas dans les intentions de Carol et George de m'attendre pour m'accueillir avec des bravos, mais je savais que ma tante ne dormirait pas avant que je sois enfermée à l'intérieur de la maison. Et je n'avais pas du tout envie qu'elle me voie sortir de la voiture d'Evan. Rien que d'y penser, j'en tremblais.

— Merci, mais je n'ai pas vu Sara de la journée et je lui ai promis qu'on rentrerait ensemble.

— Je comprends.

Il semblait déçu. Un peu gênée, j'ai ajouté :

— J'ai passé une bonne journée. Merci pour le dîner.

— Moi aussi. On se voit dimanche, alors ?

— Ouais !

Il m'a lancé un petit sourire avant de rejoindre quelques joueurs de l'équipe masculine sur le terrain.

Sara est arrivée à ce moment-là, un large sourire éclairant son visage couvert de boue. Elle m'a prise dans ses bras en me serrant fort contre elle.

— C'était un super match ! On a déchiré !

— Carrément ! On va se changer ? Je suis morte.

Malgré mes efforts, je n'arrivais plus à manifester autant d'énergie qu'elle.

— Je te préviens, tu ne sortiras pas de la voiture sans m'avoir tout raconté dans les moindres détails !

— Mmmmh…

— Vous aviez l'air super à l'aise ce soir, assis l'un à côté de l'autre. Tu es sûre que vous êtes juste amis ?

— Sara ! Je ne lui ai pas adressé un mot quand il était à côté de moi.

Elle a pouffé de rire et j'ai compris qu'elle se moquait de moi. J'ai souri.

— Tu es vraiment insupportable.

Une fois que nous nous étions douchées et changées, Sara m'a raccompagnée chez moi. Je lui ai raconté en détail mon après-midi avec Evan. Elle a bien ri quand je lui ai parlé de ses remarques troublantes. Ensuite, elle m'a fait une mise à jour de la situation avec Jason. Elle était toujours aussi accro, ce qui était une bonne chose, mais paraissait crispée par le fait qu'il ne l'avait même pas embrassée. Sur la question de « faire connaissance » avec les garçons, Sara n'était pas vraiment timide. Tandis que je pensais qu'elle avait peut-être enfin trouvé un garçon qui la respectait, elle semblait plutôt se demander ce qu'elle avait fait de travers.

Nous nous sommes arrêtées devant chez moi. À travers la vitre de la voiture, j'ai scruté les fenêtres de la maison. Tout était noir, rien ne semblait bouger à l'intérieur. J'ai dit au revoir à Sara et respiré profondément avant de sortir de la voiture.

À pas lents, je me suis dirigée vers l'arrière de la maison. Lorsque j'ai poussé la porte, j'ai senti une résistance. Impossible de l'ouvrir. Elle était fermée à clé. J'ai senti un grand vide en moi. Pas question de toquer : ils savaient très bien ce qu'ils faisaient en fermant la porte alors que je n'étais pas rentrée. Toutes sortes de pensées ont commencé à tourbillonner dans mon esprit. Qu'avais-je encore fait de mal pour être ainsi punie ?

Le cœur battant, j'ai approché mon visage de la fenêtre pour apercevoir l'intérieur de la cuisine. Mais, à cause de l'obscurité, je ne voyais que le reflet de mes propres yeux dans la vitre. Soudain, les yeux se sont mis à bouger. J'ai fait un bond en arrière. C'était ses yeux à elle. Un frisson glacial m'a parcouru le dos et je suis restée pétrifiée, le regard rivé sur la fenêtre. Qu'allait-elle faire ?

Quelques secondes plus tard, la lumière a jailli dans la cuisine. Je me suis mise à trembler. Mais, au lieu de Carol, c'est George qui est apparu. J'ai écarquillé les yeux. Avais-je rêvé ? Non. C'était bel et bien George qui était là, et non Carol.

Il a ouvert la porte, la bouche crispée.

— Tu es censée rentrer avant vingt-deux heures, a-t-il rappelé sèchement.

— J'avais un match, ce soir, ai-je murmuré.

— Ça n'est pas une raison. Vingt-deux heures, c'est vingt-deux heures. Si tu ne peux pas rentrer à l'heure, alors tu ne participeras plus aux matchs le soir.

Sa voix était dure et son regard tranchant comme une lame de rasoir. Pas question de discuter.

— Compris, ai-je chuchoté.

Je suis passée devant lui et me suis dirigée vers ma chambre.

— Je t'aurais laissée dans le froid, moi, a sifflé une voix dans l'obscurité pendant que je traversais le salon.

J'ai sursauté et, sans un mot, j'ai hâté le pas. À peine entrée dans ma chambre, je me suis dépêchée de refermer la porte derrière moi. Si je m'étais attardée ne serait-ce qu'une seconde, que me serait-il encore arrivé ?

# 11

## LA BIBLIOTHÈQUE

La tête dans le frigidaire, j'étais en train de nettoyer la paroi du fond lorsque, soudain, j'ai ressenti une violente douleur dans le dos. Je me suis effondrée par terre avec un cri. Recroquevillée sur le carrelage, les yeux pleins de larmes, j'ai essayé désespérément de reprendre ma respiration. En attendant le coup suivant.

Carol se tenait au-dessus de moi, la batte de base-ball de Jack à la main. Elle m'a jeté un regard méprisant. Je me suis repliée contre le frigidaire.

— Tu n'es qu'une merde. Tout ce que tu fais, c'est de la merde. Tu ne vaux rien de plus et tu ne vaudras jamais rien de plus.

Elle a tourné le dos et est partie.

Petit à petit, j'ai réussi à retrouver une respiration normale. Je me suis redressée, encore tremblante, et j'ai essuyé mes larmes. Lorsque je me suis relevée, je n'ai pu retenir une grimace de douleur. J'ai rangé les boîtes dans le frigidaire avec des gestes mécaniques avant de me diriger vers la salle de bains.

Dans le miroir, j'ai vu mes yeux rougis et mon visage pâle. Je me suis forcée à respirer profondément pendant une minute, en faisant le vide dans mon esprit, pour chasser mon tremblement. Puis je me suis aspergée d'eau froide pour neutraliser la colère que je sentais monter en moi. J'ai fermé les yeux et je me suis concentrée sur une pensée simple : je ne resterai pas dans cette maison toute ma vie. Une fois calmée, je suis retournée dans la cuisine pour finir le ménage.

Le lendemain matin, lorsque je me suis assise dans mon lit, une vive douleur dans le dos m'a rappelé les événements de la veille. Mais il était hors de question que je passe la journée dans cet endroit : douleur ou pas, j'irais à la bibliothèque.

George et Carol n'ont pas hésité une seconde à me laisser partir. Cela les arrangeait de ne pas m'avoir à la maison. J'ai promis d'être de retour à dix-huit heures et filé sans demander mon reste. Lorsque j'ai enfourché mon vélo, chaque mouvement me mettait au supplice. Mais je me suis concentrée pour ne pas me laisser envahir par la souffrance. Au fil des ans, j'avais appris non seulement à masquer la douleur mais aussi à la dompter.

En approchant de la bibliothèque, j'ai senti le rythme de mon cœur accélérer furieusement. À la pensée de voir Evan, un sourire s'est mis à flotter sur mon visage. Tant pis pour les risques que je prenais, cela valait le coup. De toute manière, la scène de la veille m'avait montré une fois de plus que les coups pouvaient tomber sans raison. Alors, quitte à souffrir, autant que cela soit pour la bonne cause.

J'ai attaché mon vélo à la grille devant le bâtiment et grimpé les marches. Au moment d'entrer dans la salle, je l'ai vu à côté de la porte, adossé au mur.

— Salut, a-t-il lancé avec un petit sourire.

— Salut.

Mon cœur a passé la vitesse supérieure. Evan en train de m'attendre : c'était ça, le vrai risque.

— Prête à taper la balle ?

— Prête à tout ! ai-je déclaré en dévalant l'escalier derrière lui.

— À tout, vraiment ?

J'ai hésité une seconde et l'ai regardé droit dans les yeux.

— Oui, tout, ai-je répondu avec un large sourire.

Son visage s'est illuminé et il m'a souri à son tour. Il était pourtant à mille lieux d'imaginer ce que signifiait ma réponse…

Après m'avoir ouvert la portière de sa voiture, il a fait le tour et s'est installé au volant.

— Comment s'est passé ton samedi ?

— Normal. Et toi ?

— Je suis allé à New York pour un des dîners de bienfaisance dont ma mère s'occupe. Donc rien de spécial non plus.

— La routine, c'est ça ? ai-je lâché sur un ton ironique.

Quelques minutes plus tard, nous étions sur le terrain. On entendait le bruit caractéristique des battes en aluminium frappant la balle.

— Tu as froid ? m'a demandé Evan. Tu trembles.

— Non, tout va bien.

Instinctivement, mon corps avait réagi au son des battes de baseball.

— Tu t'es déjà servie d'une batte ?

— En primaire, je crois…, ai-je avoué.

— Alors je vais d'abord te montrer le mouvement. Ensuite, tu pourras essayer.

Il s'est dirigé vers le milieu du terrain.

— On va commencer ici et puis on avancera.

— OK.

— Est-ce que tu peux me tenir ça, s'il te plaît ? a-t-il dit en me tendant la veste qu'il venait d'enlever.

En la pliant, je n'ai pas pu m'empêcher d'en respirer l'odeur. La réaction de mon cœur a été immédiate : grands bonds désordonnés dans la poitrine.

Evan a commencé par m'expliquer comment positionner mes mains et il me montrait le geste. J'avais beau essayer d'écouter, mes pensées avaient décidé de vagabonder le long de son tee-shirt, qui soulignait les muscles de son torse et de son dos. J'ai cligné rapidement des yeux pour reprendre mes esprits et me suis concentrée sur ce qu'il disait. Il a mis une pièce dans la machine, qui lui a lancé des balles à intervalles réguliers. Il les renvoyait avec une facilité impressionnante. Tout en frappant, il m'expliquait chaque étape de son geste.

Lorsque ça a été mon tour, je l'ai imité au mieux. Il est venu se placer derrière moi et a appuyé sur mes hanches pour rectifier ma posture. Puis il a posé ses mains sur les miennes qui tenaient la batte. Je sentais son souffle sur ma nuque. M'accompagnant lentement dans le mouvement, il m'a conseillé de garder le coude bien haut. Je sentais contre mon dos la chaleur de sa poitrine tandis que son odeur douce et fruitée chatouillait mes narines.

— Prête ? a-t-il demandé en reculant d'un pas.

— Ouais ! ai-je répondu, un peu hébétée.

Je ne m'étais pas rendu compte que la démonstration était terminée.

— Je vais me mettre dans l'angle du terrain comme ça je verrai bien ton geste.

— Ça n'est pas un peu dangereux ? Je n'ai pas envie de t'assommer…

Il a éclaté de rire et m'a rassurée avant d'appuyer sur le bouton de la machine. Les premières balles sont passées à côté de moi sans que j'aie le temps de réagir.

— Tu m'as dit que tu mettrais le mode « lent » ! ai-je protesté.

— Concentre-toi bien sur la balle.

Je me suis préparée et n'ai pas quitté des yeux la machine. Au moment où elle a lancé la suivante, j'ai déclenché mon geste. J'ai enfin senti la batte frapper la balle. Mais, au même instant, la torsion de mon corps a réveillé la blessure et une décharge douloureuse m'a parcouru le dos. Je n'ai pas bronché. Pas question de me laisser dominer par la souffrance.

— C'est ça ! m'a encouragée Evan.

Après quelques lancers de balles supplémentaires, il m'a donné d'autres conseils. Puis il a remis des pièces dans la machine et s'est assis sur le banc. À chaque balle, je me concentrais davantage, rectifiant ma position et mon geste pour les améliorer. Au bout d'un moment, je parvenais à renvoyer régulièrement la balle. Même si elle n'allait pas aussi loin que ce qu'Evan avait suggéré, au moins, j'arrivais à la frapper.

— Bravo, c'est de mieux en mieux ! s'est-il exclamé. Tu apprends vite. Je m'en doutais.

Je n'ai rien répondu.

Après avoir rendu nos équipements à l'accueil, nous sommes retournés à la voiture.

— Qu'est-ce que tu veux essayer le week-end prochain ? le golf ?

— Le golf, ça ne m'attire pas du tout, ai-je avoué. Et je ne suis pas sûre que ça soit une bonne idée de faire des plans pour le week-end prochain.

— Mais si on peut se voir, qu'est-ce que tu aimerais faire ? insista-t-il.

Soudain, son regard s'est illuminé et il a ajouté avec un large sourire :

— J'ai une idée ! J'ai trouvé l'activité parfaite.

— C'est quoi ? ai-je demandé, un peu inquiète.

— Je ne te dis pas, mais tu vas adorer.

J'ai froncé les sourcils. Qu'est-ce qu'il mijotait encore ?

— Ah, j'ai ton iPod dans la voiture, a-t-il enchaîné. Tu as de la super musique. Enfin, à part quelques morceaux…

— Ce sont les morceaux que j'écoute quand je n'arrive pas à m'endormir, ai-je dit un peu gênée.

— C'est très…

— Apaisant.

— On peut dire ça comme ça, a-t-il conclu en riant.

Confortablement installés dans la voiture, nous roulions vers la bibliothèque, lorsque Evan m'a posé LA question à laquelle je m'étais préparée depuis longtemps.

— Pourquoi est-ce que tu vis chez ton oncle et ta tante ?

Malgré tout, mon cœur a eu un raté. Mais je mc suis vite ressaisie. Si je ne répondais pas, cela ne ferait que renforcer sa curiosité.

— George est le frère de mon père. Mon père est mort dans un accident de voiture quand j'avais sept ans. George et Carol, sa femme, m'ont alors accueillie chez eux.

— Et ta mère ?

Après cette échappée sur le terrain de baseball, ses questions me ramenaient brutalement à la réalité.

J'ai respiré profondément avant de répondre d'une voix égale à chacune de ses questions. Comme si je récitais une leçon apprise par cœur. Pas d'affect, pas d'émotions, juste la vérité.

— Elle est tombée malade après la mort de mon père et n'était plus capable de s'occuper de moi.

— Je suis désolé, a murmuré Evan.

J'ai souri machinalement, sans apprécier son empathie. Elle ne me semblait pas justifiée et me mettait mal à l'aise. Depuis longtemps, j'avais accepté la mort de mon père et l'absence de ma mère. Cela faisait partie de ma vie. Je ne voulais ni m'apitoyer sur moi ni que les autres s'apitoient sur mon sort. Le présent nécessitait toute mon attention pour survivre à la violence de Carol, et je ne pouvais pas me permettre de penser au passé. Tout ce qui comptait, désormais, c'était le futur.

— Donc tu as un match demain ? ai-je lancé, l'air détaché, pour changer de sujet.

Durant le trajet, nous avons parlé de la fin de la saison de foot, des différents matchs à venir et des clubs.

— Alors à demain, ai-je lâché d'un ton léger lorsque la voiture s'est arrêtée sur le parking.

— À demain, a-t-il répondu avant que je ne claque la portière.

Je devinais son regard posé sur moi pendant que je marchais vers mon vélo. Mais je ne me suis pas retournée. J'ai pédalé jusqu'à la maison et suis arrivée bien avant le dîner. J'ai profité de ce moment de calme pour savourer les souvenirs de cette journée et, lorsque je me suis assise à table, les images défilaient dans ma tête. Elles formaient un bouclier qui me protégeait de l'extérieur. À tel point que j'ai à peine remarqué les regards furibonds de Carol quand je me suis resservie de la soupe. Je crois même que je souriais.

## 12

## MAUVAISE INFLUENCE

Les deux semaines suivantes se sont écoulées dans une sorte d'insouciance. Evan faisait désormais partie de mon quotidien. Un soir, alors que nous venions de terminer la mise en page du journal, il nous a convaincues, Sara et moi, de passer chez lui les quelques heures qui nous restaient avant mon couvre-feu. Il avait bien mémorisé le règlement de mes sorties : seules les activités extrascolaires étaient autorisées, retour à vingt-deux heures au plus tard. Jason nous a retrouvés là-bas et, tous les quatre, nous avons fait une partie de billard. Plus exactement : Jason et Evan ont fait une partie de billard, Sara et moi avons essayé de jouer au billard ! À force de tirer à côté des boules ou de les faire sauter hors de la table, nous étions hilares et totalement déconcentrées. Je suis rentrée chez moi avant vingt-deux heures, le sourire aux lèvres, l'esprit encore enchanté par cette soirée.

J'avais pratiquement oublié l'existence de Carol et George. Le plaisir d'échapper à mon existence solitaire était addictif, et j'acceptais d'autant plus facilement les propositions d'Evan que nulles punition ou représailles n'étaient encore venues ternir ces bons moments. J'aurais pourtant dû garder en tête que je n'étais pas la personne la plus chanceuse au monde.

Une autre fois, Evan avait décidé de me faire conduire sa voiture sur le parking du lycée. Il était tard, la nuit était presque tombée, personne ne pouvait nous voir de la route principale. Pendant une heure, devant une Sara morte de rire, j'ai calé, fait faire des bonds à la voiture, recalé, fait brouter le moteur. À côté de moi, Evan, avec une patience infinie, m'expliquait et m'encourageait. Quand, finalement, j'ai su à peu près démarrer en première puis passer la seconde sans caler, il m'a incitée à aller sur la route pour m'entraîner à changer les vitesses. Mais j'ai refusé.

Le dimanche d'après, nous avions de nouveau rendez-vous à la bibliothèque. Pour le retrouver plus tôt et passer plus de temps avec lui, j'ai dit à mon oncle et ma tante que j'avais un important devoir à préparer en histoire. En quittant l'école le vendredi, il m'avait prévenue de m'habiller chaudement et j'étais bien contente de l'avoir écouté lorsque nous nous sommes garés dans le parc national situé à l'ouest de Weslyn.

Il m'a emmenée vers un chemin de terre qui s'enfonçait dans les bois et nous avons commencé une randonnée. Autour de nous les feuilles bruissaient, les oiseaux chantaient et un léger vent frais nous mordait les joues. Le chemin est devenu plus pentu et j'ai enlevé mon pull. Nous ne parlions pas beaucoup mais le silence était doux. Je me sentais tellement bien, loin de Weslyn, en pleine nature, entourée d'arbres et d'animaux et évoluant dans un air pur.

Au bout d'un moment, Evan s'est arrêté au pied d'un énorme massif rocheux qui devait mesurer au moins trente mètres de haut. Sa façade était lisse avec seulement quelques anfractuosités çà et là.

— Prête ? m'a-t-il interrogée en regardant le sommet du rocher.

J'ai suivi son regard.

— Prête à quoi ?

— On va descendre en rappel le long de la paroi. Ça n'est pas si haut, ne t'inquiète pas.

— On va quoi ? !

— Je te jure que tu vas adorer. Je suis venu hier en reconnaissance.

Voyant que je ne réagissais même pas, il a ajouté :

— Tu me fais confiance, non ?

Je l'ai dévisagé en secouant la tête.

— Plus maintenant.

Il a éclaté de rire.

— Allez, on y va !

Il s'est dirigé vers la gauche de cette immense chose. À mon grand étonnement, mes jambes ont suivi le mouvement.

Vue d'en haut, la distance jusqu'au sol semblait carrément deux fois plus importante que vue d'en bas. Une légère inquiétude m'a étreint le cœur mais, au lieu de céder à la panique, j'ai senti une forte montée d'adrénaline.

« Le saut de la mort », me suis-je dit.

J'ai rejoint Evan au milieu de la partie plate du rocher. Il était en train de déballer l'équipement.

— Alors, tu es prête ? m'a-t-il demandé avec son petit sourire.

J'ai respiré profondément par le nez et laissé lentement l'air sortir de mes poumons à travers mes lèvres entrouvertes. Une fois, deux fois, trois fois.

— Prête !

Avant que je n'aie le temps de changer d'avis, il a fait glisser mes jambes dans le harnais et l'a réglé à ma taille. Il m'a expliqué comment tenir la corde et comment la lâcher pour me laisser descendre. J'ai écouté attentivement. Je savais qu'il en allait de ma sécurité, et, même si Evan m'avait dit que je n'avais rien à craindre, je mesurais le risque que je prenais.

Il a solidement accroché la corde à un arbre et l'a glissée dans mon harnais. Le premier pas a été le plus dur : j'avais l'impression de défier toutes les lois de la gravité. Evan m'a guidée avec précision et j'ai progressé par petits sauts jusqu'au pied du rocher. Cela avait été moins terrible que je ne le craignais, mais j'étais quand même contente de retrouver la terre ferme.

— Alors ? Ça t'a plu ? a questionné Evan.

— Oui, c'était cool finalement.

— J'en étais sûr !

Evan a touché le sol à son tour puis nous avons recommencé plusieurs fois. À chaque nouvelle descente je me sentais plus à l'aise. La dernière, Evan a décidé de l'effectuer la tête en bas. J'en avais le vertige rien que de le regarder.

— Frimeur, ai-je marmonné lorsqu'il s'est redressé.

— T'inquiète pas, toi aussi tu feras bientôt pareil.

— Aucune envie, merci.

Tandis que nous marchions le long du chemin de retour, Evan s'est tourné vers moi :

— Je crois que j'ai trouvé l'endroit idéal pour que tu conduises ma voiturc. C'cst unc routc où il n'y a quasiment jamais personne. On pourrait y aller jeudi, après ton boulot pour le journal.

— Tu crois que c'est raisonnable que je fasse ma première conduite sur route en pleine nuit ?

— Non, c'est vrai… Alors allons-y quand il fait encore jour, tout de suite après l'entraînement de foot. Ensuite on reviendra au lycée pour que tu puisses travailler sur le journal.

— On verra, ai-je répondu pour ne pas m'engager.

— Et tu penses que tu pourras aller voir le match, vendredi soir ?

— Non.

— Et pas non plus de danse samedi soir, c'est ça ?

J'ai éclaté de rire.

— Tu vas à la soirée des anciens élèves ? ai-je demandé.

— Je ne pense pas.

— Pourquoi ? Tu ne trouves personne pour t'accompagner ? me suis-je moqué.

Bizarrement, je me sentais plutôt soulagée.

— Je te rappelle qu'on est plus ou moins ensemble, m'a-t-il taquinée.

— J'espère au moins que tu dis bien aux autres que c'est faux !

Il s'est contenté de hausser les épaules avant de déclarer :

— En fait, je n'ai pas très envie d'aller à cette fête. Pas suffisamment, en tout cas, pour y inviter quelqu'un d'autre.

Mon cœur a suspendu ses battements une fraction de seconde, mais, heureusement, mon cerveau a éliminé ces dernières mots avant que je ne puisse trop y réfléchir.

— Tu crois que tu pourrais rester chez Sara après ton match, samedi ? Comme ça on pourrait traîner ensemble, regarder un film, ou faire autre chose.

— C'est peu probable. Ma tante saura forcément que c'est la soirée des anciens élèves et elle aura du mal à croire que Sara renonce à y aller juste pour rester avec moi.

— Pourquoi elle ne t'aime pas ?

Un spasme a traversé ma poitrine et je me suis rendu compte que j'en avais trop dit. Devant mon silence, Evan a ajouté :

— Désolé. Tu n'es pas obligée de m'en parler.

Nous avons parcouru le reste du trajet sans un mot. Que pouvais-je dire ? « En vérité, Evan, c'est pas qu'elle “ne m'aime pas”, c'est qu'elle me hait. Elle me le répète à longueur de journée. J'ai débarqué un jour dans sa vie et elle rêve que j'en sorte. Comme elle s'est mariée avec le frère de mon père, ma présence lui est imposée dans sa maison. Elle a donc décidé de rendre ma vie infernale, un calvaire de chaque instant. »

Je savais que je n'avouerais jamais tout cela. Pendant qu'il rangeait les sacs à dos dans le coffre de la voiture, je me suis adossée à un arbre, et j'ai lancé, du ton le plus neutre possible :

— Ça n'a pas dû être facile pour elle de devenir du jour au lendemain la mère d'une fille de douze ans. Je crois qu'en fait elle me surprotège car elle a trop peur qu'il m'arrive quelque chose.

Evan s'est tu un moment avant de lancer :

— Tu es sûre qu'elle te connaît bien ? Tu n'es pas tout à fait le genre de fille à avoir de mauvaises fréquentations. Tu es une élève brillante et studieuse, une sportive douée, et la personne la plus raisonnable que je connaisse.

Dans son ton perçait la colère. Je me suis tournée vers lui, surprise par sa réaction. Il a enchaîné :

— Je ne comprends pas… S'ils te connaissaient vraiment, ils te laisseraient vivre un peu – aller à des matchs, à des fêtes, à des rendez-vous avec des garçons.

Sa voix était montée d'un cran et je le sentais révolté.

— Non, tu ne comprends pas, ai-je répondu avec calme mais fermeté.

Sa réaction me mettait mal à l'aise. Il n'avait pas à se préoccuper de savoir si Carol et George me connaissaient. Tout ce que je voulais, c'est qu'il accepte mes réponses. Rien de plus.

— Il faut que je retourne à la bibliothèque, ai-je ajouté en montant dans la voiture.

Il s'est assis à son tour et a introduit la clé dans le contact. Il a marqué une pause avant de démarrer.

— Désolé, Emma.

Incapable d'affronter son regard, j'ai tourné la tête pour regarder par la fenêtre.

— Tu as raison, je ne sais pas de quoi je parle. Si tu me dis que ça ne me regarde pas, je te promets de ne plus aborder le sujet. Je ne voulais pas dépasser les limites.

Il avait l'air sincèrement ennuyé.

— Ça ne te regarde pas, en effet, ai-je confirmé sans le regarder.

Il a tourné la clé de contact et nous avons roulé en silence.

— Je ne t'en veux pas, ai-je lâché au bout d'un moment en me tournant vers lui, radoucie.

Son sourire a enflammé mes joues dans la seconde.

— Tu crois que Sara et toi pourriez sortir, mercredi soir ? On pourrait s'acheter une pizza et regarder ensemble le match des juniors.

Décidément, il ne perdait pas le nord !

— Je pense que oui.

Après cet épisode, nous avons repris nos conversations comme si notre échange un peu tendu n'avait jamais eu lieu. Il n'a plus évoqué mon manque de liberté. Le mardi, il m'a donné ma leçon de conduite et le mercredi nous avons mangé une pizza avec Sara et Jason. Même si je devais régulièrement lutter contre Evan et ses propositions tentatrices, mon existence s'était désormais transformée en une succession d'événements doux et agréables. Un bonheur ne venant jamais seul, je parvenais la plupart du temps à éviter Carol. Un miracle. Chaque jour, je découvrais un peu plus combien il était facile de sourire à la vie.

Pour couronner le tout, notre équipe de foot était à deux doigts de se qualifier pour le championnat de l'État. Il ne nous restait plus qu'un match à gagner. Notre entraîneur, M. Pena, a fait circuler mon nom chez les directeurs sportifs, et d'autres universités ont manifesté leur intérêt à mon égard. La perspective qu'un jour je puisse quitter Weslyn devenait de plus en plus tangible.

Pour la première fois, ma vie était supportable.

# 13

# Remplacée

— Tu as changé, a remarqué Sara tandis qu'elle me ramenait chez moi, le vendredi.

— Comment ça ?

— Pas en mal, m'a-t-elle aussitôt rassurée. Je crois que c'est Evan. Il te rend… heureuse. Ça fait plaisir de te voir comme ça.

J'ai accueilli ses mots avec un froncement de sourcils. Sara a poursuivi, comme si de rien n'était :

— Pourquoi tu ne sors pas avec lui, maintenant ?

— Ça va pas, non ?

— Pourquoi ?

— Sara, je ne peux sortir avec personne ! Ni lui, ni un autre. Impossible. En plus, contrairement à ce que tu crois, il n'en a pas du tout envie.

— Em, tu es vraiment aveugle, c'est grave ! Il passe le plus de temps possible avec toi.

— On est amis.

— D'accord, si tu veux à tout prix croire ça, a soupiré Sara. Tu es au courant qu'il y a plusieurs filles qui lui ont demandé de sortir avec elles ? Non seulement il a refusé, mais il n'a même pas accepté de prendre ne serait-ce qu'un café ! Avec aucune d'entre elles.

J'ai haussé les épaules. Sara a hoché la tête en levant les yeux au ciel.

Nous étions arrivées devant chez moi.

⁂

Le lendemain matin, tout en faisant le ménage, je fredonnais. J'attendais avec impatience le moment de partir pour le dernier match avant le championnat. Ensuite, il y aurait la glace que nous dégusterions avec Sara et Evan avant de rentrer à la maison…

Une fois la cuisine récurée, je suis sortie de la pièce pour aller dans ma chambre. Je suis tombée nez à nez avec Carol qui me bloquait le passage.

— Qu'est-ce que tu fabriques ? a-t-elle demandé.

— Comment ça ?

La lueur qui brillait dans ses yeux ne me disait rien de bon. Mon corps s'est tendu et, d'un rapide coup d'œil, j'ai évalué sa position et regardé si elle tenait un instrument quelconque dans les mains. Elles étaient vides.

— Avec qui tu couches ? a-t-elle lancé d'un air mauvais.

J'ai écarquillé les yeux.

— Je ne sais pas ce que tu mijotes mais tu n'as pas l'air très attentive à autre chose qu'à toi-même en ce moment. Quand j'aurai découvert pourquoi, je te jure que tu le regretteras amèrement.

Dans ma tête, c'était le chaos. L'inquiétude le disputait à la stupeur, pendant que mon corps se raidissait chaque seconde davantage. Impossible de trouver les mots pour répondre à ses accusations délirantes.

— Peut-être que tu devrais passer plus de temps à la maison, comme ça je pourrais mieux te surveiller et comprendre ce que tu manigances.

— Je suis désolée…, ai-je bredouillé.

L'idée de devoir rester encore plus souvent enfermée entre ces murs m'a paniquée. Je ne savais pas quoi dire ni comment réagir.

Son poing est venu frapper ma mâchoire, rejetant violemment ma tête sur le côté. J'ai aussitôt porté ma main à ma joue, les yeux remplis de larmes.

J'ai entendu un gémissement. J'ai tourné la tête et aperçu Jack et Leyla. Tétanisés. Leyla pleurait. Les mains sur la bouche, elle tentait d'étouffer ses sanglots. De grosses larmes roulaient sur ses joues rebondies. Jack ne disait rien. Mais l'effroi que je lisais dans ses yeux était plus violent encore que les pleurs de Leyla. J'ai fait un pas vers eux. Carol m'a attrapé le bras pour m'arrêter.

— Regarde ce que tu as fait, a-t-elle dit en me jetant un regard haineux. Va dans ta chambre !

Avant de quitter la pièce, j'ai lancé un dernier coup d'œil vers les enfants, immobiles et déchirés.

Je me suis jetée sur mon lit et j'ai pleuré longtemps, la tête dans l'oreiller. L'image de Jack et Leyla tournait en boucle dans mon esprit. Leur souffrance me brûlait le cœur. Ils n'auraient jamais dû être témoins de ce qu'ils avaient vu. Pas eux. Je m'étais toujours promis de les protéger. De leur épargner ce genre de scène. Je sanglotais en revoyant l'effroi sur leurs visages, rongée par la culpabilité. J'ai pleuré jusqu'à n'en plus pouvoir. Jusqu'au moment où j'ai plongé dans un lourd sommeil.

Une violente douleur au mollet m'a fait sursauter. L'esprit encore embrumé, je ne savais pas si j'avais rêvé ou pas, lorsqu'un nouveau coup m'a confirmé que j'étais bel et bien éveillée. Et que ça n'était pas un rêve, mais un cauchemar. Carol.

— Sale petite garce, a-t-elle sifflé entre ses dents serrées.

Je me suis recroquevillée sous les draps, protégeant mon visage avec mes bras, pendant que les coups pleuvaient sur mon dos. J'ai serré les mâchoires pour ne pas hurler.

— Tu te rends compte de ce que tu leur as fait ? a-t-elle hurlé. Je savais que je n'aurais jamais dû te laisser entrer dans cette maison. Tu ne cherches qu'à nous détruire.

La haine vibrait dans sa bouche. Et aussi dans ses coups. Elle frappait mon dos avec une telle violence que j'avais du mal à respirer. Les yeux remplis de larmes, je crispais davantage les mâchoires à chaque coup qui tombait. La rage autant que la souffrance irriguaient chaque parcelle de mon corps.

— Tu n'es qu'une merde. Tu n'aurais jamais dû voir le jour.

Elle continuait à me lancer des insultes. Je restais là, roulée en boule, à recevoir les coups. Mon dos me brûlait, comme tout mon corps. Petit à petit, enfin, j'ai réussi m'échapper. À faire abstraction de la réalité. Plus de coups. Plus de douleur. Plus de colère ni de larmes.

— Je ne veux plus te voir de la journée, a-t-elle lâché en sortant de la pièce.

Je suis restée dans la même position pendant quelques minutes. Mes oreilles bourdonnaient, j'entendais mon pouls battre de façon chaotique et ma respiration était saccadée. Puis, lentement, j'ai repoussé le drap. Mon dos n'était que souffrance. Un enfer. Je me suis relevée et suis restée un moment assise au bord du lit. Mes mains tremblaient. Je me suis forcée à respirer profondément, avec lenteur. Je sentais l'air emplir mes poumons et détendre mon corps. Au même moment, j'ai aperçu sur le sol une fine ceinture de cuir. La colère m'a instantanément envahie. J'ai continué à respirer, les mâchoires contractées, pendant que le venin de la fureur gagnait mon cœur. Je n'avais pas le courage de lutter. Je l'ai laissé s'insinuer dans mes veines, se diffuser dans mes muscles. Me redonner de l'énergie. Puis je me suis levée pour me préparer pour le match.

Je me suis glissée avec précaution dans la voiture de Sara et suis restée bien droite pour éviter que mon dos ne touche le siège.

— Coucou, a-t-elle lancé d'une voix joyeuse.

Quand elle s'est tournée vers moi, son sourire a aussitôt disparu. Je n'étais pas belle à voir, je le savais. Et je percevais, dans ses yeux horrifiés, la même image que celle que m'avait renvoyée le miroir de la salle de bains. Sur mon visage livide, les cernes noirs soulignaient mes yeux dévastés. J'étais incapable de regarder Sara en face. Mais j'étais tout aussi incapable de masquer la réalité. J'avais mal, oui.

Elle a démarré sans un mot et nous avons roulé en silence pendant un moment.

— Je veux que tu me dises ce qui s'est passé, a-t-elle finalement dit.

J'ai regardé par la fenêtre, les yeux dans le vague. Le paysage a défilé sans accrocher mon attention.

— Emma, s'il te plaît.

— C'est rien, Sara, ai-je répondu sans me tourner.

Nous n'avons pas prononcé d'autres paroles jusqu'au lycée. Comme un automate, je me suis dirigée vers les bâtiments. Sans prêter attention à la présence de Sara à côté de moi. Lorsque nous sommes arrivées aux abords du stade, j'ai relevé la capuche de mon sweat-shirt, le regard rivé sur le terrain, ignorant tout le brouhaha autour de moi. Notre match était le seul de la soirée. En attendant l'équipe adverse, nous avons commencé notre échauffement.

La première partie a été une véritable torture. J'étais incapable de me concentrer et mes jambes me supportaient difficilement lorsque je devais courir pour attraper une passe et, le plus souvent, je ratais le ballon. À la mi-temps, l'entraîneur m'a prise à part.

— Tu vas bien ? m'a-t-il demandé, préoccupé. Tu as l'air toute raide. Tu es blessée ?

— Je pense que j'ai dû faire un faux mouvement et me froisser un muscle dans le dos, ai-je menti en regardant mes pieds.

— Tu veux que l'infirmier jette un coup d'œil ?

— Non, ai-je répondu, paniquée.

Ma réponse avait fusé et j'ai vu passer une lueur de surprise dans son regard.

— Ça va aller. Vraiment.

— OK.

Il s'est tu un instant avant d'ajouter :

— Je te laisserai sur le banc pour la deuxième mi-temps. Il ne faut pas forcer. Je ne peux pas prendre le risque que tu sois blessée pour les quarts de finale.

J'ai hoché la tête.

Nous sommes retournés près du banc, où étaient assises les joueuses. M. Pena a annoncé à Katie Brennan qu'elle me remplacerait pour l'autre mi-temps. Tout le monde m'a regardée avec étonnement. Je me suis assise, les mains enfoncées dans les poches, la tête baissée sous ma capuche pour ne pas croiser les regards interrogateurs.

Au coup de sifflet final, j'ai filé dans les vestiaires. Je savais que j'y serai seule. Les autres joueuses se changeaient généralement chez elles. J'ai pris une douche rapide. L'eau chaude brûlait atrocement ma peau massacrée. J'avais du mal à respirer.

Tournant le dos à la porte, j'allais mettre ma robe, lorsque j'ai entendu quelqu'un arriver. Avec précautions, je me suis habillée, cachant vite les marques sur mon corps. Puis j'ai fait demi-tour. Sara se tenait devant moi. Les larmes coulaient sur ses joues.

— Je ne peux pas..., a-t-elle commencé.

Incapable de poursuivre, elle a fermé les yeux et a pris une profonde inspiration.

— Je ne peux plus faire ça.

Sans un mot, je la regardais sangloter.

— Je ne peux plus faire semblant de ne pas voir ce qu'elle te fait subir.

Du revers de la main, elle a essuyé ses larmes et m'a regardée droit dans les yeux.

— Emma, tu dois en parler à quelqu'un.

Son ton était à la fois désespéré et pressant.

— Si tu ne le fais pas, moi je le ferai.

— Non, tu ne le feras pas, ai-je rétorqué d'une voix glaciale qui l'a fait tressaillir.

— Comment ça ? a-t-elle demandé. Tu as vu ton dos ? Le sang suintait à travers ton tee-shirt pendant le match. Emma, je suis terrifiée à l'idée qu'un matin, quand je viendrai te chercher, tu ne pourras même pas sortir. Je m'inquiète pour toi. Et je ne peux pas supporter de voir ce qu'elle te fait.

— Alors laisse tomber, ai-je conclu froidement.

Je parlais en pilote automatique, sans réfléchir, lâchant mes mots comme des couperets. Je n'avais pas anticipé cette discussion, mais un seul motif guidait mes réponses : il était hors de question de laisser Sara mettre en péril Jack et Leyla. J'avais tout enduré pour les protéger et je ne voulais à aucun prix courir de risque.

— Tu ne raconteras rien. Et de mon côté, je ne parlerai pas de ta manie de coucher avec tous les mecs qui passent.

Son visage s'est décomposé. Je venais de porter le coup fatal.

— Tu n'es pas la seule à cacher des choses. J'en sais aussi beaucoup sur toi. Donc, un conseil : arrête de décréter ce qui est bon pour moi.

— Tu es injuste, a murmuré Sara.

Elle a caché son visage dans ses mains. Ses épaules étaient secouées par les sanglots.

— Sors de ma vie, ai-je répliqué sèchement. Et ferme-la.

Après ce dernier assaut, j'ai tourné les talons et l'ai plantée là. Mon sac jeté sur l'épaule, je suis sortie, sans un regard. Et sans vraiment comprendre ce que je venais de faire. À cet instant, je m'en fichais.

Jason et Evan attendaient dehors.

— Désolé que vous ayez perdu le match, a dit Evan.

Puis il m'a dévisagée. Comme s'il me voyait pour la première fois.

— Tu peux me ramener chez moi ? ai-je demandé.

— Bien sûr, a-t-il répondu, sans oser me poser la question que je voyais briller dans ses yeux.

Jason est resté pour attendre Sara et nous a regardés partir en silence.

Au moment de quitter le parking, Evan a fini par demander :

— Qu'est-ce qui s'est passé avec Sara ?

J'ai laissé mon regard vagabonder sur le paysage, attendant que la question s'évanouisse dans le silence. Je ne voulais pas penser à ce que je venais de faire. Il a attendu un moment avant d'ajouter doucement :

— Tu veux en parler ?

J'ai senti son regard posé sur moi. Je me suis contentée de secouer la tête, les yeux toujours perdus au loin. Nous avons continué à rouler dans un silence lourd, désagréable. Dès que nous sommes arrivés devant chez moi, je suis sortie de la voiture et j'ai claqué la portière pour ne pas être à nouveau questionnée. Pour ne pas être mise face à ma trahison.

L'esprit confus, je me suis dirigée vers la porte arrière de la maison. Elle était fermée à clé. J'ai regardé autour de moi, étonnée, et me suis rendu compte que la voiture n'était pas là. J'étais bloquée à l'extérieur de la maison. Dans ma tête, il y avait un tel feu d'artifice d'émotions que j'ai à peine réagi. Je me suis assise sur les marches et j'ai fermé mon blouson pour me protéger de cette froide soirée d'octobre. Je me suis recroquevillée, le front sur les genoux, et, enfin, je me suis laissée aller à ma tristesse. J'ai pleuré jusqu'à ce que ma poitrine ne soit plus qu'une immense brûlure. Jusqu'à épuiser mes larmes.

Quand enfin ma colère et mon désespoir se sont apaisés, j'ai relevé la tête. J'étais dans l'obscurité la plus totale, seule, frigorifiée, attendant que quelqu'un rentre à la maison. J'avais beau lutter, le vent me transperçait et je tremblais comme une feuille. Combien de temps s'était écoulé ? Quelle heure était-il ? Aucune idée.

La lumière des phares de la voiture a soudain éclairé l'allée. Une vague de panique m'a aussitôt envahie à l'idée de la confrontation avec Carol. Ce qui s'était passé avec Sara m'avait rendue plus fragile que jamais.

George est apparu. Seul. J'ai poussé un soupir de soulagement. Tout mon corps s'est détendu.

— Carol et les enfants sont restés chez sa mère pour la nuit, a dit George en ouvrant la porte.

Je l'ai suivi, sans un mot. Je m'apprêtais à rejoindre ma chambre, mais il m'a arrêtée :

— Je ne sais pas ce qui s'est passé entre vous aujourd'hui, mais je veux vraiment que tu fasses un effort pour être gentille avec elle.

Il a vu mon expression se figer.

— Elle traverse une période très stressante au travail et elle doit absolument pouvoir se reposer à la maison, a-t-il expliqué. Tu dois lui simplifier les choses.

Je lui ai lancé un regard rapide avant de murmurer :

— D'accord.

J'ai marché jusqu'à ma chambre, au bord de la nausée. Comme il n'était jamais le témoin direct de ce qui se passait entre elle et moi, il refusait de voir la vérité.

Je suis entrée dans la pièce plongée dans le noir, j'ai refermé la porte derrière moi sans allumer. J'ai laissé tomber mon manteau par terre et je me suis effondrée sur mon lit. La minute d'après, j'avais sombré dans un profond sommeil.

Impossible de respirer. Je tentais de desserrer la corde autour de ma gorge. On me tirait par les pieds hors du lit. Il faisait noir comme dans un four, je ne voyais rien. Mais je sentais mon corps lutter, et la corde tirer de plus en plus fort. Ma main libre battait l'air, cherchant désespérément une prise sur le matelas. Le fin cordon s'incrustait dans mon cou, écrasait ma trachée. La pression dans mon crâne augmentait, la tête me tournait. J'ai essayé de crier. Mais il n'y avait plus d'air dans mes poumons.

# 14

# VIDE

Je me suis redressée dans mon lit en nage, le souffle court. Désorientée. Je respirais avec difficulté. Mon tee-shirt collait aux blessures à vif de mon dos. La peau me brûlait.

Le son de la télévision résonnait dans la cuisine. George devait être en train de boire son café et de lire les journaux. Sans un bruit, je me suis faufilée dans la salle de bains. Avec beaucoup de précautions, j'ai enlevé mon tee-shirt. Dans le miroir, je pouvais voir les nombreuses marques rouges qui zébraient mon dos. Elles avaient beau être superficielles, elles étaient boursouflées et n'étaient pas belles à voir.

Serrant les dents pour supporter la douleur, je me suis glissée sous la douche. J'aurais aimé pouvoir faire partir ma souffrance avec l'eau que je voyais s'écouler sous mes pieds. Évacuer les cauchemars, la douleur, la réalité.

J'ai passé le reste de la journée dans ma chambre à finir mes devoirs. Mais j'avais beaucoup de mal à me concentrer et chaque exercice m'a pris presque deux fois plus de temps que d'habitude.

En fin d'après-midi, j'ai entendu Carol et les enfants rentrer. Je n'ai pas bougé de ma chambre. Lorsque la porte s'est ouverte, j'ai sursauté. Elle se tenait devant moi.

— À table, a-t-elle dit froidement. Les enfants ont besoin de savoir que tu vas bien, tu as intérêt à les rassurer.

Son ton, sa présence à l'entrée de ma chambre, me glaçaient. Comme un automate, je l'ai suivie dans la salle à manger.

— Emma ! s'est exclamée Leyla en me sautant au cou.

Je me suis penchée pour l'embrasser, malgré la tenace douleur dans mon dos.

— Tu t'es bien amusée chez Nanna ? ai-je demandé.

Leyla m'a aussitôt raconté en détail tout ce qu'elle avait fait chez sa grand-mère. Pendant qu'elle me parlait, j'ai croisé le regard de Jack et je lui ai lancé un sourire rassurant. Je l'ai vu hésiter un instant, comme s'il cherchait d'abord à évaluer ma sincérité. Puis son visage s'est illuminé et ses yeux ont retrouvé cette lueur de joie qui comptait tant pour moi.

— On est allés à l'aquarium aujourd'hui, a-t-il annoncé.

Complètement excités, Leyla et lui se sont alors lancés dans la description de tous les poissons, requins, tortues et autres cachalots qu'ils avaient vus. Nous nous sommes mis à table et, en mangeant le repas qu'avait préparé George, j'ai écouté leurs histoires avec attention. Pendant ce temps, j'avais au creux de l'estomac un sentiment de vide. Un pincement désagréable que je ne parvenais pas à oublier. Les pensées tournaient dans ma tête. La perspective du lendemain, surtout. J'ai essayé de me rappeler où était l'arrêt du bus. Pour le cas où Sara ne viendrait pas me chercher.

C'est la voiture d'Evan qui m'attendait devant la maison. J'ai alors compris que j'avais blessé Sara au-delà ce que j'avais imaginé. Et cette idée m'était insupportable.

J'ai ouvert la portière et Evan m'a accueillie avec un sourire chaleureux.

— Coucou !

— Coucou, ai-je répondu. Merci d'être passé me prendre, c'est vraiment sympa.

Je pouvais sentir l'odeur de son parfum dans toute la voiture. Ce qui était plutôt agréable pour démarrer la journée.

— Pas de problème.

Au bout d'un moment, il a fini par dire :

— J'espérais te voir à la bibliothèque, hier. J'avais un super programme pour te remonter le moral !

Je me suis mordu la lèvre.

— Désolée, j'ai complètement oublié. J'ai eu un sale week-end…

— Pas de souci. Tu as l'air plutôt mieux ce matin.

— Ça va.

En fait, non, ça n'allait pas du tout. Sara n'était pas là, assise à côté de moi et je lui avais fait du mal. Peut-être qu'elle ne me le pardonnerait jamais. Cette pensée m'a déchiré le cœur.

— Au fait, comment s'est passé le match, vendredi ? ai-je demandé, pour faire un effort de conversation.

— On a perdu, mais c'était serré.

— Et tu es allé danser après ?

— Non, j'ai retrouvé mon frère et des copains à lui à New York. On est allés dans un bar pour écouter un groupe.

Il m'a raconté sa soirée dans le bar et m'a parlé du groupe. J'essayais de soutenir mon attention, mais plus on approchait de l'école, plus j'avais de mal à écouter ce qu'il me disait. Au milieu de son récit, je l'ai soudain entendu dire :

— Il faut absolument que je t'emmène un jour à New York.

D'un coup, ça m'a réveillée.

— Quoi ? Mais il n'est pas du tout question que j'aille à New York !

Je me suis tournée vers lui. Il affichait son petit sourire moqueur.

— Super ! ai-je lâchée, énervée. C'est exactement le genre de blague dont j'avais besoin ce matin.

— C'était juste pour voir si tu m'écoutais.

Après un court silence, il a repris son ton doux et attentif, cherchant des mots apaisants :

— Ça va s'arranger, je te promets.

Il n'avait aucune idée de ma situation, je le savais. Mais sa promesse m'a réchauffé le cœur. Je lui ai répondu par un sourire.

Les couloirs du lycée pour arriver jusqu'à mon casier m'ont semblé interminables. Mon cœur battait plus vite à mesure que j'avançais. Mais le pire, ça a été quand j'ai vu qu'il n'y avait personne devant le casier à côté du mien. J'ai attrapé mes livres et filé dans la classe, où je me suis assise à la première place libre. J'ai attendu le début du cours les yeux baissés, incapable de vérifier si Sara était là.

Un peu plus tard dans la journée, je l'ai aperçue dans le hall d'entrée, en train de parler avec Jason et Jill. Difficile de ne pas la remarquer, sa magnifique chevelure auburn étincelait. Elle était donc bel et bien présente, mais avait visiblement décidé de m'éviter. Je l'ai observée de loin, espérant accrocher son regard. À défaut de pouvoir le lui dire directement, j'aurais aimé qu'elle voie à quel point j'étais désolée.

Evan m'a accompagnée à tous mes cours. En temps normal, sa présence permanente à mes côtés m'aurait probablement fait défaillir. Mais là, mon cœur avait déjà sombré. Il a essayé de me distraire en me parlant de choses et d'autres, mais quand il s'est rendu compte que je me contentais de hocher poliment la tête sans l'écouter le moins du monde, il s'est tu.

J'étais absorbée par mes sombres pensées et par mes remords. Lentement mais sûrement, la culpabilité me rongeait de l'intérieur. La torture suprême a été le cours de journalisme : j'ai passé toute l'heure assise à côté de Sara. Sans un mot. Sans un regard. Je suis sortie de la salle dans un état second.

— Viens, on s'en va.

J'ai levé les yeux. Evan me dévisageait d'un air décidé.

— Hein ? ai-je murmuré.

— On s'en va, a-t-il répété.

La fin de la journée, déjà ?

— Tu ne peux pas rester ici plus longtemps. On récupère nos affaires et on va chez moi traîner un peu.

Je n'avais pas la force de réfléchir à une raison pour refuser sa proposition. Je ne me souviens même plus du trajet en voiture jusqu'à chez lui. C'est seulement en arrivant devant sa maison que j'ai repris mes esprits. J'ai regardé autour de moi, étonnée, sans me souvenir dans quelles directions avaient vagabondé mes pensées pendant ce temps. Evan m'avait-il parlé ? Lui avais-je répondu ?

— On est arrivés, a-t-il annoncé.

À la manière dont sa voix a déchiré le silence, j'ai compris que nous n'avions pas échangé un mot. Peut-être m'étais-je endormie…

J'ai pris une profonde inspiration et je suis sortie de la voiture. Puis je me suis tournée vers lui :

— Evan, je ne suis pas certaine que tu aies vraiment envie de traîner avec moi aujourd'hui.

— Bien sûr que si ! Allez, viens.

Il a ouvert la porte et est entré dans la maison. Je lui ai emboîté le pas, décidée à faire un effort pour ne pas m'effondrer et pour rendre ma présence à peu près supportable.

Il a sorti deux bouteilles du frigidaire puis nous sommes allés dans une vaste pièce où se trouvaient un piano et une immense bibliothèque. Nous sommes montés dans la mezzanine et Evan a ouvert une porte qui donnait dans sa chambre. Même si elle était plus petite que celle de Sara, elle faisait facilement le double de la mienne. Des posters de sportifs et de musiciens étaient affichés au-dessus de son lit *king size*. De l'autre côté de la pièce, un bureau noir ainsi qu'un panneau de liège sur lequel étaient épinglés des photos et des billets de concerts.

Evan a laissé tomber son sac à dos au pied de son bureau et a pianoté sur le clavier de son ordinateur. Une musique douce et rythmée a envahi la pièce.

— Désolé, mais il n'y a pas d'autre endroit que le lit pour s'asseoir, m'a-t-il dit en me tendant une des bouteilles.

J'étais restée sur le seuil de la porte, mon cœur réagissant brutalement à ma présence dans cette chambre. S'asseoir sur le lit, vraiment ? Je me suis avancée lentement et me suis posée au bord du matelas. Evan s'est installé derrière moi, adossé au mur, contre les oreillers. Je ne pouvais pas rester ainsi, à lui tourner le dos. J'ai retiré mes chaussures et me suis assise en tailleur, face à lui. Le plus près possible du bord et le plus loin possible de lui.

— Je n'aime pas te voir dans cet état, a-t-il déclaré.

— Désolée.

— J'aimerais bien t'aider… Tu peux me dire ce qui s'est passé ?

J'ai secoué la tête. Pendant quelques minutes, on n'a plus entendu que la musique dans la pièce.

— Ne t'en fais pas pour Sara. Elle te parlera de nouveau, j'en suis sûr.

— Je ne sais pas, ai-je soupiré.

Une douleur m'a saisi la poitrine à l'idée que, peut-être, elle ne m'adresserait plus jamais la parole.

— J'ai dit des choses vraiment horribles…

Ma gorge s'est serrée et ma vue s'est troublée. Evan s'est assis à côté de moi et, tout doucement, a essuyé la larme qui coulait le long de ma joue.

— Elle te pardonnera.

Il a passé son bras autour de mes épaules et m'a attirée contre lui. J'ai posé ma tête sur sa poitrine et laissé couler mes larmes sans retenue. Au bout d'un moment, je me suis redressée.

— Tu me vois toujours de manière si positive…, ai-je murmuré.

— Et alors ? Ça n'est pas plus mal.

Je n'étais pas certaine de vouloir vraiment comprendre ce qu'il entendait par là.

— Est-ce que je peux utiliser ta salle de bains ?

— Bien sûr.

Une fois dans la pièce, j'ai fermé la porte derrière moi et, les deux mains posées sur le lavabo, j'ai respiré profondément, les yeux fermés, pendant une minute. Puis je me suis aspergé le visage avec de l'eau fraîche, dans l'espoir de me débarrasser des émotions de la journée. En découvrant dans le miroir mon visage pâle et mes yeux sombres, j'ai compris qu'il était temps que je me ressaisisse. Après m'être séchée avec la serviette, j'ai respiré à fond une dernière fois et ouvert la porte d'un geste résolu.

La télécommande à la main, Evan regardait la télé, passant d'une chaîne à l'autre.

— Tu n'as pas encore déballé tes affaires ? ai-je demandé en montrant les cartons entassés sous la bibliothèque, encore fermés par du scotch.

On pouvait lire, inscrit au marqueur noir : « Chambre Evan ».

— Je le fais petit à petit.

— Comment ça se fait ? Dans le reste de la maison, on a l'impression que vous vivez là depuis toujours, et toi tu n'arrives pas à vider trois malheureux cartons ?

Il a ri.

— Ma mère est devenue une pro du déménagement. Tout est super organisé. Elle prévoit à l'avance la place de chaque objet et utilise chaque fois la même société de déménageurs. Ils emballent et déballent tout selon ses indications. Quand on arrive, c'est déjà rangé. Les seules affaires auxquelles ils ne touchent pas, ce sont les miennes.

— Et pourquoi… ?

— Eh bien… Je n'ai pas encore décidé si je restais ou pas.

J'ai senti une déflagration en moi. Comme un petit séisme. Quelque chose qui annonçait la panique.

— Ah…, ai-je murmuré.

— Tu veux voir un film ? a-t-il enchaîné.

— OK.

J'ai pris un gros coussin et je me suis installée à ses côtés. Parmi les nombreux films qu'il avait sur son disque dur, nous avons choisi un thriller. Mais je n'ai pas tenu longtemps : très vite, j'ai senti mes yeux se fermer. Je n'ai pas résisté et je me suis endormie.

— Emma… Emma…

Au bout de quelques secondes, j'ai reconnu la voix d'Evan.

— Em, le film est fini.

Sa voix était proche, vraiment très proche. J'ai ouvert les yeux et me suis rendu compte que ma tête avait glissé sur son épaule. Je me suis aussitôt redressée.

— Désolée, je ne pensais pas que je sombrerais comme ça, ai-je dit en m'étirant.

— Pas de problème. Tu as tellement bien dormi que tu as ronflé.

— C'est pas vrai ?

Il est parti d'un grand rire.

— Imbécile ! me suis-je exclamée en lui jetant un coussin à la tête.

Il l'a attrapé au vol et me l'a aussitôt renvoyé. J'ai sauté sur mes pieds pour avoir une meilleure position d'attaque mais il a crocheté ma jambe et m'a fait tomber sur le dos. Puis il m'a plaqué le coussin sur le visage.

— C'est de la triche ! ai-je crié d'une voix étouffée. On n'a pas le droit de plaquer.

— Si, si, on a tout à fait le droit.

— Très bien.

D'un geste rapide, je me suis relevée et l'ai poussé de toutes mes forces pour le faire basculer sur le dos. Je me suis ensuite assise sur sa poitrine, bloquant ses bras avec mes genoux, et j'ai brandi l'oreiller au-dessus de son visage.

— Ah, tu veux jouer à ça, a-t-il menacé.

Sans la moindre difficulté, il s'est dégagé et a renversé la situation. Assis sur mon ventre, il me maintenait les mains au-dessus de la tête et me dévisageait avec son petit sourire narquois. Je sentais son souffle chaud sur mon visage.

Soudain, nous avons pris conscience de la proximité de nos corps. De leur extrême proximité. Et de l'absence de coussin entre nous. J'ai retenu ma respiration et j'ai lentement levé les yeux vers son visage. Son sourire avait disparu.

— Une partie de billard, ça te dit ? ai-je soufflé en roulant sur le côté pendant qu'il se laissait tomber sur le matelas.

Je me suis levée en vitesse et j'ai remis mes chaussures avant de quitter la pièce. Je sentais son regard me suivre pendant que je descendais l'escalier. Il m'a rejointe dans la cuisine, les joues rouges.

— Tu veux un peu d'eau ? m'a-t-il demandé en ouvrant le frigidaire.

— Oui !

Mon dos n'avait pas vraiment apprécié la bataille de coussins et la douleur s'était réveillée avec force.

— Ça t'ennuie si on joue plutôt aux fléchettes, finalement ? ai-je lancé.

Profitant qu'il ait le dos tourné, j'ai avalé un comprimé d'ibuprofène que j'avais dans la poche.

— Ça marche, a-t-il accepté en scrutant mon visage.

J'ai souri pour ne pas éveiller ses soupçons. Nous sommes allés dans le garage.

Après quelques tirs, mes pensées sont revenues aux cartons non défaits de sa chambre.

— Je pensais que tu étais content, ici.

Je l'ai vu hésiter avant de lancer sa fléchette.

— De quoi tu parles ?

— Tu as dit que tu ne savais pas si tu resterais et que c'était pour ça que tu n'avais pas vidé tes cartons.

Il a interrompu son geste et s'est tourné vers moi.

— Ça t'embêterait si je partais ?

En guise de réponse, j'ai levé les yeux au ciel.

— C'est vrai, je me sens bien, ici, a-t-il poursuivi après avoir lancé sa fléchette. Pour être sincère, je n'ai jamais déballé mes affaires dans aucune maison. Au bout de deux ans à San Francisco, j'avais encore des cartons non ouverts.

— Pourquoi ?

— Je ne sais pas. Peut-être que je n'étais pas vraiment convaincu qu'on allait rester. Remarque, j'avais raison… Mais tu n'as pas répondu à ma question : ça t'ennuierait si je partais ?

— Je m'en remettrais, ai-je souri d'un air ironique.

— Au moins je suis fixé, a-t-il dit avec une moue boudeuse.

Nous avons passé le reste de l'après-midi à jouer aux fléchettes et au foot. Evan avait beau gagner tout le temps, il était impressionné par mes scores. Grâce à lui, je me sentais plus légère, l'esprit moins encombré par mes histoires. J'étais bien contente d'avoir pu échapper à l'école ; c'était trop dur d'être là-bas, à proximité de Sara, et de la savoir fâchée contre moi.

Mais rentrer chez moi a été encore plus dur.

Quand je suis montée dans la voiture d'Evan, mon visage s'est rembruni. Je devais me préparer à la tension qui m'attendait forcément chez moi. Il a sans doute remarqué mon air préoccupé, mais il est resté silencieux.

— On se voit demain, m'a-t-il glissé lorsque j'ai ouvert la portière.

J'ai hoché la tête et lui ai adressé un sourire furtif.

— Merci pour cette journée.

— C'est la voiture de qui ? m'a lancé Carol dès que j'ai franchi le seuil de la porte.

— La voiture de Sara est au garage pour un contrôle, ai-je menti.

À peine ai-je dit ces mots que j'ai senti l'angoisse monter. Et si elle s'apercevait de mon mensonge ? J'ai tourné les talons et je me suis dirigée vers ma chambre avant de savoir ce qu'il en était.

Le lendemain matin, quand j'ai vu la voiture d'Evan devant la maison, j'étais partagé entre la joie et la déception. La possibilité que Sara me pardonne s'éloignait chaque jour un peu plus. Mais comment lui en vouloir ? J'avais été si cruelle. Et puis, de toute façon, pourquoi continuer à me fréquenter, moi et ma vie de folle ?

Jamais je ne pourrais me confier à Evan comme je l'avais fait avec Sara. C'était déjà difficile de le laisser prendre autant de place dans mon existence. Probablement par vanité, j'avais imaginé qu'elle serait toujours là, à côté de moi. Mais nous venions de deux mondes qui n'avaient rien à voir. Deux réalités complètement différentes. Et, forcément, ces différences devaient un jour ou l'autre nous séparer.

Evan m'a laissée ruminer mes pensées sans chercher à s'en mêler. Il m'a escortée à travers tout le lycée. La journée est passée ainsi tant bien que mal. J'écoutais les paroles des profs d'une oreille distraite et, tandis que les minutes s'égrenaient, un sentiment de vide me gagnait. J'étais ailleurs. Complètement ailleurs.

Un temps, Evan a disparu. Je ne m'en suis rendu compte qu'au moment où je l'ai aperçu devant mon casier. Il parlait avec quelqu'un. D'où je me trouvais, je ne pouvais pas voir qui c'était. Evan avait l'air très énervé. L'autre personne a secoué la tête et j'ai vu des cheveux auburn s'agiter. Sans réfléchir, je me suis avancée. Je ne comprenais pas leurs paroles, mais je distinguais son visage, à elle. Elle avait l'air si triste… Evan semblait la supplier.

Puis, j'ai entendu :

— Sara, je t'en supplie, dis-moi ce qui s'est passé. Elle est complètement démolie et j'ai besoin de savoir.

— Si elle ne t'a rien dit, alors je ne peux rien dire non plus.

À cet instant, j'ai croisé ses yeux. J'ai sursauté. Trop tard. Sara a fermé son casier et déguerpi. Evan s'est retourné, lentement. Je l'ai dévisagé, les sourcils froncés, sidérée. Je ne comprenais pas…

— Pourquoi tu as fait ça ? lui ai-je lancé d'un ton accusateur.

— Tu as vu dans quel état tu es ? Tu aurais fait la même chose.

Cette fois, il était allé trop loin. Il s'était mêlé de mes affaires. Je devais prendre de la distance, m'éloigner de lui.

J'ai fait demi-tour et, d'un pas rapide, j'ai tracé ma route au milieu de la cohue.

— Emma, attends ! a-t-il crié.

Mais il ne m'a pas suivie.

Je me suis précipitée dans les toilettes où je me suis enfermée. Adossée au mur, j'ai laissé les larmes couler. Le souvenir du visage de Sara, de sa tristesse infinie, passait en boucle dans ma tête. J'étais à peine soulagée de savoir qu'elle n'avait parlé à personne de ma situation. Peut-être parce que j'avais toujours été convaincue qu'elle ne le ferait pas.

Quant à Evan, même s'il avait blessé Sara, je n'arrivais pas à lui en vouloir. Il n'avait pas la moindre idée de l'histoire dans laquelle il avait mis les pieds. La question qui se posait, à présent, était : pouvais-je continuer à le laisser être témoin de mes souffrances sans lui donner d'explications ?

Jamais je ne pourrais lui raconter ce qui s'était passé entre Sara et moi. Jamais, non plus, je ne pourrais me confier à lui s'il m'arrivait quelque chose – ce qui, évidemment, se produirait. Une seule solution, donc : me détacher de lui. Le faire sortir de mon existence.

La décision était douloureuse. Mais je savais depuis le début qu'un jour je devrais le faire.

# 15

# IMPLACABLE

— Ça fait plaisir de te voir utiliser des couleurs aussi gaies, a dit Mme Mier en examinant ma toile. Tu te sers plutôt de couleurs sombres, d'habitude. Et même si ce que tu fais est toujours très réussi, là, c'est vraiment lumineux. Je ne sais pas pourquoi tu as changé, mais j'aime ça.

Elle s'est ensuite dirigée vers la toile d'un autre élève. J'ai reculé de quelques pas et observé mon tableau – le feuillage coloré d'un paysage d'automne. Avant que Mme Mier ne me fasse part de ses appréciations, je me disais qu'il était trop chatoyant et pas assez réaliste. Ses couleurs vives brûlaient mes pauvres yeux.

Quand Mme Mier a demandé de ranger le matériel, j'étais encore plantée devant mon chevalet, l'esprit ailleurs. Alors que tout le monde s'activait autour de moi, j'ai commencé, lentement, à rassembler mes pinceaux. Au même instant, j'ai aperçu Evan qui me fixait d'un air préoccupé. J'ai baissé la tête et continué à nettoyer mes pinceaux.

— Ça te dit qu'on révise ensemble le contrôle d'anatomie ? m'a-t-il demandé lorsque je suis sortie de la salle.

— Euh… Non, je ne peux pas. Je dois travailler sur le journal.

— Je peux venir avec toi ?

— Non, c'est bon, ai-je répondu très vite. Je préfère être seule.

— OK, a-t-il lâché, étonné.

Je me suis arrêtée à mon casier et il a continué son chemin. Je n'ai pas pu m'empêcher de le suivre des yeux, tout en me répétant que prendre de la distance était la meilleure décision. La meilleure ? La plus terrible, surtout. Tandis que sa silhouette s'éloignait, mon cœur a fait un bond dans ma poitrine et, un court instant, j'ai failli changer d'avis. Puis la raison a repris le dessus et je me suis ressaisie. J'ai tourné la clé de mon cadenas et ouvert la porte.

Ce soir-là, l'entraînement a été éprouvant. Physiquement, mais surtout émotionnellement. Jouer avec Sara, être sa coéquipière, et ne pas échanger un mot – c'était une véritable torture. Dans les vestiaires, elle m'a évitée le plus possible. Et sur le terrain, elle me passait le ballon uniquement lorsqu'elle n'avait pas d'autre choix.

— Lauren, tu crois que tu pourrais me raccompagner chez moi, ce soir ? ai-je demandé à la pause.

— Bien sûr, a-t-elle répondu sans hésitation.

Après les derniers exercices, je l'ai suivie jusqu'à sa voiture. Sans même un regard pour Evan, qui m'attendait dans la sienne. J'ai senti ses yeux posés sur moi. Et je me suis répété, pour la millième fois, que c'était la bonne décision. Mais cela ne m'a pas aidée.

— Merci, ai-je soufflé à Lauren en entrant dans son impressionnant 4 × 4.

— Pas de problème.

Pendant tout le trajet, elle n'a fait que parler. Elle a commencé par me raconter en détail la fête des anciens élèves, où Sara et Jason avaient été élus roi et reine mais n'étaient jamais venus. J'ai essayé de cacher mon trouble en entendant son récit. Elle était persuadée que je connaissais la raison de leur absence et cherchait visiblement à me faire cracher le morceau. Elle n'avait même pas remarqué que Sara et moi ne nous parlions plus… J'ai botté en touche en disant que je n'en avais pas la moindre idée.

Après elle a parlé du foot, des matchs à venir, et à quel point elle était excitée à l'idée d'être capitaine de l'équipe si on jouait en championnat. J'ai ensuite eu droit à la liste complète des universités qu'elle avait demandées et su combien elle avait du mal à en choisir une.

Les sujets ont défilé les uns après les autres et son débit était tel que je me demandais comment elle arrivait à reprendre sa respiration. Moi-même, à force de l'écouter, j'ai eu la tête qui tournait. Au point que j'étais presque soulagée d'être arrivée à la maison.

— Merci encore, Lauren, ai-je dit en ouvrant la portière.

— Tu me diras si tu veux que je te ramène demain aussi. C'était sympa de parler avec toi. C'est la première fois qu'on parle vraiment, toutes les deux.

— OK, je te dirai, merci pour la proposition, ai-je répondu poliment.

Mais je savais pertinemment que je préférerais mille fois marcher plutôt que de subir à nouveau ce tourbillon de paroles.

En entrant dans la cuisine, je n'ai pas allumé la lumière dans l'espoir de me faufiler discrètement jusqu'à ma chambre. Mais une violente douleur au bras droit m'a stoppée net. Carol se tenait dans l'ombre, une grande écumoire en métal à la main.

— C'était qui ça, hein ?

J'ai jeté un rapide coup d'œil alentour. George n'était pas là. Et, à voir la manière dont elle tenait le manche de l'écumoire, ça s'annonçait mal.

— Lauren. Elle fait partie de l'équipe de foot, ai-je expliqué.

J'ai lâché le minimum. J'étais tellement tendue que si je commençais à raconter un mensonge à propos de Sara, elle l'aurait tout de suite vu.

— Sara a enfin compris qui tu étais vraiment, hein ? Tu fais pitié. Je te préviens, si tu te mets à supplier les gens pour qu'ils te ramènent, ça va devenir gênant pour moi. Et je serai obligée de te punir plus sévèrement.

La simple évocation du nom de Sara m'a fait plus mal que le coup sur mon bras. Je n'ai pas bronché, guettant la première opportunité pour m'échapper dans ma chambre avant que cette discussion ne tourne mal. Au même instant, l'écumoire a frappé violemment un coin de ma tête. J'ai laissé échapper un gémissement et je me suis appuyée contre le mur.

— Sale traînée, a-t-elle rugi.

Dans ses yeux, je voyais monter la colère comme un ouragan qui s'approche. Jusqu'où irait-elle ?

— Comment oses-tu entrer dans ma maison dans un tel état de saleté.

Avec un soupir, j'ai baissé les yeux sur mes vêtements. Pour ne pas faire attendre Lauren, je n'avais pas pris de douche après l'entraînement. Mauvaise idée.

— Maman ! a soudain crié Jack, à l'étage. Est-ce que papa est arrivé avec la pizza ?

Le visage de Carol s'est instantanément métamorphosé.

— Pas encore, mon cœur, mais il ne devrait pas tarder, a-t-elle répondu d'une voix tendre et douce. Prenez votre bain en attendant.

Puis, me regardant de nouveau, les yeux pleins de haine :

— Va dans ta chambre avant que je ne décide de te faire dormir dehors..., a-t-elle menacé.

Elle n'a pas eu besoin de le dire deux fois, j'ai filé dans mon refuge sans demander mon reste. Une fois à l'abri, j'ai tâté la bosse que l'écumoire avait laissée sur ma tête. C'était douloureux, mais je m'en étais tirée à bon compte.

Je me suis assise à mon bureau et j'ai essayé de me concentrer sur mon travail. Difficile. Mes pensées vagabondaient en tous sens et je lisais les pages les unes à la suite des autres sans savoir de quoi il retournait. Finalement, au prix de gros efforts, j'ai réussi à me plonger dans les leçons que je devais réviser pour le lendemain. À vingt-deux heures, un coup sec à ma porte m'a fait sursauter. Le signal de l'extinction des feux. J'ai aussitôt fermé mon manuel de trigonométrie et éteint la lumière avant de me glisser dans mon lit. Dans le noir, j'ai attendu que s'éloigne le bruit des pas dans l'escalier pour me relever, reprendre mon livre de trigonométrie et me glisser dans le placard. Il était assez grand et plutôt vide, étant donné le peu de vêtements que je possédais. Je pouvais donc m'y installer assez confortablement.

Dans un coin, tout en bas, il y avait un renfoncement où je cachais les quelques objets qui comptaient pour moi. Une photo de mes parents, la seule que j'avais d'eux – souvenir d'un temps dont je doutais parfois qu'il ait vraiment existé. Quelques-unes des peintures que j'avais faites à l'atelier. Des médailles gagnées en athlétisme. Une petite boîte à chaussures avec les lettres que ma mère m'avait envoyées après mon arrivée chez George et Carol.

Au début, elle m'écrivait souvent, pour me parler de choses et d'autres. Puis de moins en moins. Puis plus du tout. Cela faisait environ un an et demi que je n'avais plus de nouvelles. Elle avait sûrement trop à faire avec sa propre existence pour se préoccuper de la mienne. Elle avait toujours eu du mal avec sa vie. Avec la vie en général. C'était exactement pour cette raison que je vivais dans cette maison et non avec elle.

Sous la lumière blafarde de la minuscule ampoule qui éclairait le placard, j'ai ouvert mon cahier pour finir de réviser mes leçons. Il était une heure passée quand je suis ressortie. Je me suis écroulée sur mon lit sans même me changer et j'ai sombré dans un profond sommeil. Sans rêves.

⁂

Le lendemain matin, même si je n'attendais pas grand-chose de cette nouvelle journée, je me suis dépêchée de prendre ma douche pendant mon temps réglementaire. Cinq minutes, pas une de plus.

En sortant de la maison, alors que je m'apprêtais à aller à l'arrêt de bus, j'ai aperçu Evan qui m'attendait dans sa voiture. Inébranlable. Au moment où je suis passée devant lui, décidée à l'ignorer, il est sorti du véhicule.

— Emma, s'il te plaît, ne fais pas ça…

J'ai jeté un coup d'œil paniqué vers les fenêtres de la maison. Il a suivi mon regard.

— Monte, c'est mieux, a-t-il insisté.

Avec un soupir exaspéré, j'ai ouvert la portière et je me suis engouffrée dans la voiture. Il s'est rassis et a démarré aussitôt. Les lèvres pincées, j'avais le regard rivé sur la route devant moi.

— Tu fais la tête ?

Je me suis tournée vers lui, maussade.

— Ah oui, tu fais la tête.

— Stop !

J'essayais de garder mon sérieux. Mais rien à faire. Je n'ai pas pu m'empêcher de sourire.

— Je ne fais pas la tête.

Là, il a carrément éclaté de rire.

— Ça suffit ! ai-je lancé, d'un ton que je voulais menaçant.

Mais mon sourire exprimait tout le contraire.

— Qu'est-ce qui se passe ? a-t-il demandé en retrouvant son sérieux. Pourquoi tu m'évites ?

Je n'ai rien dit. Les pensées tourbillonnaient sous mon crâne. Je cherchais une explication rationnelle. Une raison imparable qui l'obligerait à respecter ma décision de ne plus le voir. Mais aucun motif valable ne me venait à l'esprit. Aucun, en tout cas, qui me permettrait de ne pas trop en dire sur ma vie.

Il attendait ma réponse.

— Tu n'es pas Sara, ai-je finalement glissé.

— Je n'ai aucune envie d'être Sara, a-t-il dit, surpris.

— Je ne sais pas comment te faire entrer dans ma vie sans que tu en souffres.

C'était la première fois que je lui parlais de façon aussi sincère. Et que je lui en disais autant.

— Ne t'inquiète pas pour moi. J'aime faire partie de ta vie et je me doute que c'est plus compliqué que ce que tu as bien voulu me dire. Je respecte ça. Pour l'instant.

Nous étions arrivés en ville. Il s'est garé devant un magasin et s'est tourné vers moi, tendu. Il a pris une profonde inspiration. J'ai senti mon cœur se serrer dans ma poitrine. Qu'allait-il m'annoncer ?

— Je ne fais pas ça…, a-t-il commencé.

J'ai froncé les sourcils. Il a soupiré et son regard s'est perdu au loin.

— Je suis habitué à déménager tout le temps et suis toujours dans l'attente du départ…

Il s'est à nouveau interrompu, laissant sa phrase en suspens. Je me suis figée, comprenant que je devais à tout prix l'empêcher de continuer. Mais j'en étais incapable.

— Pour une fois, j'ai envie de rester, a-t-il enfin lâché. De déballer mes cartons.

Alors qu'il finissait sa phrase, il a plongé ses yeux dans les miens. Une ébauche de sourire flottait sur ses lèvres tandis qu'il guettait ma réaction. Nous sommes restés ainsi une longue minute. J'ai fini par détourner le regard, sans rien dire. Je cherchais les mots justes.

Son visage s'est fermé. Il a démarré, manifestement déçu, et n'a plus ouvert la bouche jusqu'au lycée.

La tension était insoutenable. J'essayais de trouver une phrase pour l'éloigner de moi définitivement, mais les mots ne parvenaient pas à franchir mes lèvres. C'est seulement en sortant de la voiture que j'ai réussi à affronter son regard et à lui confier la seule chose que mon cœur m'autorisait à dire :

— Tu devrais rester.

Puis, avec un immense sourire, j'ai ajouté :

— Mais je suis sûre que tu le regretteras quand tu comprendras que je ne suis pas du tout intéressante.

Ses yeux ont brillé et son visage s'est illuminé.

J'étais soulagée : c'était la meilleure solution. Je prenais un grand risque en le faisant ainsi entrer dans ma vie – d'autant plus que je ne pourrais jamais lui raconter la vérité –, mais je ne pouvais pas continuer à le repousser. Et l'idée de renoncer à lui était trop difficile.

— Tu vas vraiment vider tes cartons ?

— C'est déjà fait. L'autre soir, après t'avoir raccompagnée chez toi. Tu m'avais trop culpabilisé.

J'ai éclaté de rire.

— Ah, j'ai donc trouvé ton point faible ! La culpabilité…

— J'en ai d'autres…, a-t-il riposté avec son petit sourire.

Au moment où j'ai ouvert la bouche pour lui répondre, je me suis soudain rendu compte que nous étions dans le hall d'entrée. J'ai aussitôt visé les casiers. Sara n'y était pas. La déception m'a envahie.

— Comment m'y prendre pour qu'elle accepte de m'écouter ? ai-je murmuré, le regard rivé sur les casiers.

— Peut-être qu'il faut que tu la forces, a répondu Evan avant de s'éloigner.

La perspective d'une nouvelle journée où Sara m'éviterait ostensiblement me désespérait d'avance. Le sentiment de vide de ces derniers jours était déjà à l'œuvre. Désormais, ce vide faisait partie de moi.

Il fallait que je la chasse de mes pensées, que je puisse me convaincre une bonne fois pour toutes de renoncer à elle. Et accepter que, maintenant, j'étais seule à affronter la vérité. La vérité…

À la fin du cours, je me suis précipitée vers les casiers, plantant là Evan et ses éventuelles questions. Pourvu que j'arrive à temps ! Le soulagement m'a saisie en l'apercevant en train de ranger ses livres. Je me suis dépêchée pour l'intercepter avant qu'elle ne puisse partir. Dès qu'elle m'a vue, elle a tourné le dos pour s'éloigner. Heureusement, elle était seule. Je lui ai couru après et, juste avant qu'elle ne pousse les portes qui menaient à l'escalier, j'ai crié :

— Ça n'était pas moi !

En entendant ma voix, elle s'est immobilisée. Sans se retourner. Je me suis approchée d'elle.

— Je sais que je t'ai dit des choses horribles, Sara. Et je m'en voudrai toute ma vie.

J'ai parlé à toute allure car j'avais peur qu'elle ne continue son chemin.

— Mais tu sais que ça n'était pas moi. Toi, tu le sais.

Sans un mot, elle s'est tournée vers moi.

— S'il te plaît, est-ce qu'on peut parler ? l'ai-je suppliée.

Elle a haussé les épaules, a semblé hésiter un instant, puis a poussé la porte. Je l'ai suivie dehors. Nous nous sommes assises dans l'herbe. Elle regardait droit devant elle. J'ai laissé les mots venir, ces mots que je tournais dans ma tête depuis des jours. Avec l'espoir qu'elle les entende.

— Je suis vraiment désolée pour tout ce que je t'ai dit. Mais je n'étais pas moi-même. J'étais blessée et en colère, et c'est tombé sur toi. Ça n'était pas juste. Mais tu sais que cette personne n'était pas moi.

Elle a tourné la tête et m'a dévisagée. Peut-être commençait-elle à comprendre ?

— Je ne suis pas quelqu'un qui se laisse aller à la colère, et je dois absolument y résister. Sinon, ça veut dire qu'elle gagne. Elle essaie de me détruire en s'attaquant à tous ceux qui comptent pour moi. Ce jour-là, elle m'a eue : j'étais paniquée. Je n'aurais jamais dû te dire tout ça, mais j'avais trop peur que tu racontes tout à quelqu'un. Je sais bien que ça semble facile d'arrêter cet engrenage infernal. Mais en réalité c'est impossible… Il n'y a pas que moi, dans cette histoire. Si on enlève leurs parents à Jack et Leyla, les enfants seront détruits à vie. Et je ne veux pas être responsable de ça. Je suis assez forte pour endurer ce que j'endure. Eux, ce sont des enfants. Je dois tenir encore un moment. Tu comprends ?

Des larmes brillaient dans ses yeux. Elle les a essuyées d'un geste rapide.

— Je n'ai pas le droit de te demander d'être là pour moi. Personne n'a envie de se compliquer la vie avec une amitié comme celle-là. Mais je sais que si tu es à mes côtés, je peux y arriver. Tu es la seule qui me connaisse vraiment, et j'ai confiance en toi. Je ne te demanderai jamais de mentir pour moi et je ne t'obligerai jamais à t'impliquer dans quelque chose que tu ne souhaites pas. Mais l'idée que tu ne veuilles plus me parler est plus douloureuse que tous les coups de Carol. Je ne veux pas te perdre.

En prononçant ces derniers mots, j'ai senti les larmes monter. Jamais je ne m'étais livrée à ce point et avec autant de sincérité. Jamais je ne m'étais aussi clairement dévoilée. Même avec Sara. Impossible de faire marche arrière, désormais. Toutes ces révélations venaient du plus profond de mon cœur et j'espérais que Sara comprendrait que la vérité était celle-là. Et non celle des atrocités que je lui avais dites l'autre jour.

Un long silence. J'ai senti chaque muscle de mon corps se tendre comme un arc.

— Tu ne m'as pas perdue, Em, a-t-elle finalement murmuré. C'est vrai que tu n'es pas comme ça. Triste et renfermée, ça oui, mais violente, vraiment pas. Et pourtant, tu aurais toutes les raisons du monde de l'être.

Elle s'est tue une seconde avant de poursuivre.

— Je sais que tu ne pensais pas ce que tu disais. Si je t'ai évitée depuis, c'est parce que j'étais en colère chaque fois que je te voyais. Mais pas contre toi.

Je l'ai regardée, étonnée. Que voulait-elle dire ?

— Je déteste cette femme et ce qu'elle te fait subir. Ça me rend tellement dingue que j'ai du mal à garder mon calme. Et moi non plus, je n'aime pas être en colère… Tu as raison, c'est exactement son but : faire le vide autour de toi, t'isoler et éloigner tous ceux qui pourraient te faire du bien. On ne peut pas la laisser gagner. Je sais que tu es assez forte et courageuse pour affronter ça seule, mais tu ne te débarrasseras pas de moi aussi facilement ! Je ne suis pas près de renoncer à être ton amie.

Un éclair de malice a illuminé ses yeux et elle a affiché un large sourire. Les larmes ont perlé sur mes paupières. Sara m'a ouvert grand ses bras et je me suis abandonnée au plaisir de ce moment précieux. Lorsque je me suis relevée, nous avions toutes deux les joues mouillées. Et un sourire radieux !

Puis elle m'a regardée droit dans les yeux.

— Je suis désolée de t'avoir menacée de tout dire. Je comprends pourquoi tu ne veux pas que les gens le sachent et je suis à tes côtés, quoi qu'il advienne.

À mon tour, je l'ai serrée fort dans mes bras.

— Merci.

# 16

# Le plan

Ensemble, nous nous sommes dirigées vers la cafétéria. Au moment d'entrer, Sara a dit :

— On doit réfléchir à un plan.

— Quel genre de plan ?

— Tu es beaucoup plus détendue depuis que tu traînes avec Evan. Il faut absolument qu'on trouve un moyen pour que, même en vivant chez ton oncle et ta tante, tu puisses t'amuser.

— Impossible.

— Chut…

Une fois installées à table, nos assiettes devant nous, Sara m'a expliqué son idée. Il était clair qu'elle avait déjà pas mal réfléchi au sujet.

— Grâce à Evan, tu as déjà préparé le terrain, en restant plus souvent à l'école et en allant à la bibliothèque. Tu passes maintenant plus de temps hors de la maison. Je pense qu'on peut réussir à inventer encore autre chose pour que tu puisses rester chez moi le vendredi soir ou le samedi soir. Les jours où tu as entraînement de basket, ça peut tout à fait marcher. Sauf qu'il ne nous restera pas beaucoup de temps, après l'entraînement, pour faire un truc sympa. Il faut que je trouve d'autres raisons plausibles pour te faire sortir de là le plus souvent possible.

Bien vu. C'est vrai que l'espace de liberté supplémentaire me faisait un bien fou. Alors une nuit de plus hors de la maison… Je n'osais même pas imaginer le bonheur !

Le souvenir cuisant de l'interrogatoire de Carol a aussitôt refroidi mon enthousiasme. Comment déjouer sa méfiance ?

— Emma…, a ajouté Sara en prenant un air vraiment sérieux. Même si tu te fais pincer, je ne la laisserai pas te faire du mal. Je préfère en parler à mes parents ou prévenir la police plutôt que de te faire courir ce risque. OK ?

Son regard déterminé montrait à quel point elle pensait ce qu'elle disait.

— OK. À la condition suivante : tu dois me faire confiance, ai-je ajouté.

Elle a froncé les sourcils.

— Je sais ce que je peux endurer. Même si c'est injuste, c'est comme ça que ça se passe, et ça sera le cas jusqu'au jour où je pourrai enfin quitter cette maison. Et tu dois me faire confiance, même si, parfois, je ne te raconte pas tout. OK ?

Elle est restée silencieuse un moment.

— Emma, il faut que tu sois toujours honnête avec moi, a-t-elle affirmé d'un air grave.

J'ai hoché la tête. Je n'avais pas d'autre choix que de lui mentir.

Lorsque nous sommes arrivées devant nos casiers, elle s'est tournée vers moi et m'a demandé, les yeux brillants :

— Tu sors officiellement avec Evan, maintenant ?

— Absolument pas ! ai-je riposté en devenant écarlate. Et ça n'arrivera jamais !

— On verra…

En apercevant Evan qui m'attendait devant mon casier, elle a eu un immense sourire. Et j'ai vu le visage d'Evan s'illuminer lorsqu'il a découvert Sara à mes côtés.

— Prêtes pour le cours de journalisme ? a-t-il demandé. Au fait, Em, tu penses que tu arriveras à boucler ton article pendant la séance ? Comme ça, on pourrait faire un truc après l'entraînement.

— Super idée ! a aussitôt réagi Sara. On peut passer prendre des pizzas et traîner chez moi !

Ravie d'avoir un complice pour son opération « Il faut sauver le soldat Em », elle ne tenait pas en place. Evan l'a regardée, un peu étonné par sa réaction.

— Sara a imaginé un plan pour m'introduire dans le vaste monde et tu viens juste de lui donner une excellente occasion, ai-je expliqué.

— Ça tombe bien, c'est aussi mon plan, a-t-il commenté en souriant.

Sara lui a fait un clin d'œil complice.

— Pff ! Je ne sais pas dans quel piège je suis tombée.

— Celui de pouvoir enfin profiter un peu de la vie ! a déclaré Sara, débordante d'enthousiasme.

— C'est toi qui le dis, ai-je marmonné.

Son éclat de rire a rempli mon cœur de joie. C'était tellement bon de partager de nouveau ces instants avec elle.

Après l'entraînement, Jason et Evan nous ont suivies en voiture jusque chez Sara.

— Comment ça s'est passé quand Lauren t'a raccompagnée, hier ? m'a demandé Sara.

— C'était épuisant ! Je ne pensais pas que quelqu'un pouvait parler autant...

Elle a pouffé de rire.

— Elle est très sympa mais c'est vrai qu'elle est hyper bavarde !

Nous nous sommes arrêtées devant le garage. La grande maison était plongée dans l'obscurité.

— Mes parents sont encore sortis dîner, a-t-elle constaté, légèrement déçue.

Nous avons passé les heures suivantes à écouter de la musique, regarder des vidéos, manger les pizzas... Et rire. Grâce à cela, le vide intérieur que je ressentais ces derniers jours s'est volatilisé. Chaque sensation, chaque émotion, a repris sa place normale dans mon cœur. Un sentiment de paix avait remplacé la tristesse.

Pour ne pas courir le risque de dépasser le couvre-feu, j'ai préféré partir vers vingt et une heures. Evan a proposé de me raccompagner et Sara m'a serrée fort dans ses bras pour me dire au revoir.

— À demain matin, comme d'habitude !

Une fois dehors, Evan m'a dévisagée quelques secondes.

— C'est cool que Sara et toi, vous soyez réconciliées. Qu'est-ce qui s'est passé ?

— Je l'ai forcée à m'écouter...

Il n'a rien dit. Mais j'ai vu son sourire.

La semaine s'est écoulée tranquillement. Sara et moi étions de nouveau inséparables et Evan passait généralement la matinée avec moi. Après les cours, nous traînions tous les trois ensemble. Parfois, Jason se joignait à nous. Le passe-temps préféré de Sara était de chercher une excuse valable pour que je passe aussi la nuit du samedi chez elle, et la journée du dimanche. Tout le week-end ensemble ! Quand elle a évoqué le dimanche, Evan m'a jeté un coup d'œil. Mais il n'a rien dit. J'ai laissé Sara imaginer ses plans sans réagir. Je savais pertinemment que ça ne pourrait pas se dérouler comme elle l'espérait. Le seul moment où j'avais une chance de m'échapper, c'était pour mon rendez-vous du dimanche à la bibliothèque.

Lorsque je suis rentrée à la maison ce soir-là, une surprise m'attendait.

— Le week-end prochain, on part skier avec les enfants, m'a dit George. Janet a dit que tu pouvais dormir chez elle.

J'ai eu l'impression de recevoir un coup de poing dans l'estomac. Janet habitait à plus d'une heure. Ce qui voulait dire que je ne pourrais pas aller au match, le vendredi. Et encore moins à la bibliothèque, le dimanche.

— Vendredi il y a le match pour le championnat, ai-je dit.

Carol m'a regardée avec un sourire mauvais.

— Eh bien, tu vas devoir le rater, a-t-elle rétorqué. Ma mère est déjà bien gentille d'accepter de t'héberger. Tu pourrais être un peu plus reconnaissante.

J'ai senti un nœud se former dans ma gorge. Comment faire ?

— Est-ce que je peux demander à Sara si je peux rester chez elle, plutôt ?

J'ai regardé George droit dans les yeux, ignorant délibérément Carol.

— Pourquoi pas…, a-t-il répondu.

— Je lui demanderai demain, ai-je dit, soulagée.

— Je vais plutôt appeler ses parents ce soir, est intervenue Carol. Je veux être sûre que ça ne leur pose pas de problème et qu'ils ne se sentent pas obligés de dire oui si c'est toi qui demande.

Pas de problème. Je savais qu'Anna et Carl seraient d'accord. Chaque fois qu'ils me voyaient chez eux, ils me disaient et répétaient que j'étais toujours la bienvenue. Mais je me suis empêchée de sourire et j'ai tâché de paraître contrariée. Carol devait avoir l'impression de garder le contrôle. Et de m'avoir sous son emprise.

Après le dîner, elle a téléphoné à Anna et lui a dressé la liste de tous les inconvénients que supposait ma présence chez eux. Mais, à sa grande déception, Anna était très contente de m'inviter. J'imaginais l'état d'excitation de Sara quand elle apprendrait la nouvelle ! Tout se passait comme elle l'avait projeté. Sauf que nous n'avions même pas eu à mentir.

En effet, le lendemain matin, lorsqu'elle est venue me chercher, Sara débordait d'énergie. Elle était déjà en train de réfléchir au programme du week-end. Elle a commencé à me parler d'une fête le samedi soir mais s'est interrompue net en voyant mes joues devenir écarlates.

— Oups… C'est vrai, j'avais oublié. Et ça te dit de faire un truc entre filles après le match, vendredi soir, si on gagne ?

— Super !

Elle a sauté de joie, trop contente de cette perspective. Bien sûr, il restait encore à régler les détails de la soirée. Et surtout, à gagner le match…

Pendant que nous traversions le hall, elle continuait à échafauder mille projets pour le week-end. En arrivant devant les casiers, nous sommes tombées sur Evan.

— Emma va passer le week-end chez moi ! a-t-elle annoncé avant de filer vers sa salle de classe.

— Génial ! Qu'est-ce qu'on va faire de beau, alors ?

— Tout ce que je sais c'est que vendredi soir, normalement, on a une soirée filles. Pour le reste, je ne sais pas. Il faut que tu demandes à Sara, c'est elle qui gère le planning !

Nous avons remporté la demi-finale. Le match a été très serré et nous avons gagné de justesse, grâce à Lauren qui a marqué un but dans la dernière minute de jeu. Nous étions tellement excitées par cette victoire que nous avons décidé de faire la fête le vendredi quel que soit le résultat. Sara a proposé à cinq des joueuses de rester dormir chez elle. Comme je les connaissais bien, cela ne me posait pas de problème.

Restait à organiser la soirée de samedi. Bizarrement, c'est moi qui l'ai fait. Sans le vouloir.

J'étais en train de prendre mes affaires de chimie dans mon casier quand j'ai vu Jake Masters s'approcher de moi. Le fameux Jake Masters, ami d'Evan, capitaine de l'équipe de foot, et qui m'avait fait un clin d'œil à la soirée de Scott Kirkland.

— Salut Emma ! Comment ça va ? a-t-il lancé d'un air détaché, comme si on avait l'habitude de se parler tous les jours.

Il s'est appuyé contre le casier pour me regarder.

— Très bien, merci. Et toi, ça va ? ai-je dit en jetant un rapide coup d'œil alentour pour vérifier qu'il s'adressait bien à moi.

Sans répondre à ma question, il a continué :

— Je fais une soirée samedi. Pas un truc très grand, genre une vingtaine de personnes. Seulement ceux que j'ai vraiment envie de voir, quoi. Et j'ai vraiment envie que tu viennes. Ça te dit ?

Le temps que j'intègre l'information, il a ajouté :

— Et évidemment, tu peux amener Sara ou qui tu veux d'autre.

— D'accord, ai-je dit, sans même me rendre compte que je venais de répondre à son invitation.

— Super ! Alors à samedi.

Il m'a fait un clin d'œil et est parti avant que j'aie eu le temps de dire ouf. Je suis restée là un moment, sidérée. C'était une blague ? J'avais rêvé ? Et, en plus, il m'avait de nouveau fait un clin d'œil ? Trop bizarre.

En allant au cours de maths, j'ai annoncé à Evan :

— C'est bon, je sais ce qu'on fait samedi soir.

D'un ton agacé, il a demandé :

— OK. Qu'est-ce que Sara a prévu ?

— En fait, j'ai dit à Jake Masters qu'on irait à sa fête.

C'était le monde à l'envers : *je* proposais d'aller à une fête. Je m'attendais à ce qu'il éclate de rire. Mais il est resté silencieux, l'air songeur.

— Qu'est-ce qu'il y a ?

— Jake t'a invitée à sa fête ?

— Ouais ! Ça m'a choquée, j'avoue. Je n'ai toujours pas compris comment ni pourquoi, mais oui, il m'a invitée. Et j'ai accepté.

Il a eu un petit rire.

— Et tu ne sais vraiment pas pourquoi il t'a invitée à sa fête ? Il est au courant que je viens avec toi ?

— Il m'a juste dit que je pouvais venir avec qui je voulais.

Je ne comprenais pas vraiment où était le problème et ce qui préoccupait Evan.

— OK, on ira à la fête de Jake. Mais tu as déjà entendu parler de ses fêtes ?

— Non. Pourquoi ?

Son ton ne me disait rien de bon. Je n'étais pas certaine d'avoir vraiment envie de savoir.

— C'est un peu… spécial. J'y suis déjà allé une fois.

— Spécial comment ?

Voyant mon air inquiet, il a aussitôt ajouté :

— Ça ira, ne t'en fais pas.

Sara a réagi différemment quand je lui ai annoncé la nouvelle : elle était tout excitée. Elle avait déjà entendu parler des fêtes « petit comité » de Jake et avait hâte de voir à quoi elles ressemblaient. Bien sûr, elle viendrait avec Jason.

Le vendredi matin, j'étais dans un état de stress avancé. Je ne pensais qu'au match. L'équipe féminine de football de Weslyn avait beau être très forte, c'était la première fois depuis dix ans que nous étions en finale.

Quand Sara est passée me prendre, elle était déchaînée. Pendant tout le trajet, elle n'a pas cessé de gigoter et de parler ! Elle s'est concentrée sur notre programme du week-end pour ne pas trop penser au match et je l'ai laissée dire, incapable de suivre son flot de paroles.

Sacrée surprise en arrivant au lycée : les murs du hall et des couloirs étaient couverts de banderoles d'encouragement en tous genres pour les joueuses de Weslyn ! Même sur nos casiers, on pouvait lire des « Allez les filles ! » en lettres brillantes. Tous ces messages n'ont fait qu'augmenter le degré d'excitation de Sara.

— Je ne sais pas comment je vais tenir toute la journée ! s'est-elle exclamée. J'ai tellement hâte d'être à ce soir !

La journée risquait en effet d'être longue. Je me sentais tellement sous pression que je ne rêvais que d'une chose : m'enfermer dans une pièce, mes écouteurs sur les oreilles, et me laisser envelopper par la musique pour me retrouver.

Et le pire était à venir… Lorsque nous sommes entrés en classe, le prof principal nous a annoncé que, pour la dernière heure de cours, tous les élèves devraient se rassembler dans le gymnase pour une « réunion de motivation » en l'honneur des joueuses de l'équipe de foot.

Sara a poussé des cris de joie. Moi, j'étais effondrée.

— Alors ? Pressée d'être à ce soir ? m'a demandé Evan pendant que Mme Abbott nous rendait nos devoirs.

— Au secours… Je crois que je vais m'enfuir en courant, ai-je soupiré en me prenant la tête dans les mains.

Il a éclaté de rire.

— Et je vais en rajouter une couche : je ne suis pas sûr de pouvoir aller à la fête de Jake demain.

— Quoi ! ?

J'avais presque crié. Deux ou trois élèves se sont retournés. Heureusement, Mme Abbot n'avait rien entendu. Elle continuait à distribuer les copies.

Evan a attendu quelques secondes avant de poursuivre :

— Mes parents veulent que je dîne avec eux, a-t-il expliqué. Et je n'ai pas trop le choix… Je suis vraiment désolé.

Changement complet de scénario. La perspective de cette fête sans Evan ne me tentait guère. Je ne voulais surtout pas être un boulet pour Jason et Sara et j'étais mortifiée à l'idée de me retrouver seule. L'inquiétude a dû se voir sur mon visage car Evan a aussitôt ajouté :

— Bon, je vais voir ce que je peux faire.

— Ça va, ai-je contré, en essayant en vain de cacher ma déception.

Survivre aux cours d'histoire et de chimie n'a pas été une mince affaire. L'angoisse montait sérieusement.

Le programme était un peu trop chargé en émotions. Pour ne pas me laisser submerger, je me suis focalisée sur le premier objectif : le match. La soirée, on verrait après. Chaque problème en son temps.

Après le cours de chimie, j'ai retrouvé Evan dans le couloir. Son sourire malicieux avait refait son apparition.

— J'ai un peu peur de ce que tu vas me dire.

— Je crois que j'ai trouvé une solution pour qu'on passe tous les deux une bonne soirée demain.

— Et c'est quoi ? ai-je demandé, pas exactement rassurée.

— Tu viens avec moi au dîner…

J'ai ouvert la bouche pour respirer un bon coup. Il s'est interrompu.

— Ça ne sera pas si terrible, a-t-il dit doucement en voyant ma réaction. Comme ça, j'aurai un prétexte pour partir plus tôt, et on ira ensemble à la fête.

Qu'est-ce qui était le pire ? Me retrouver seule chez Jake, ou rencontrer les parents d'Evan et essayer de tenir une conversation cohérente avec toutes sortes de gens intelligents et cultivés ?

— En fait, je vais plutôt essayer de convaincre Sara de rester à la maison et de regarder un film.

— Moi aussi, je déteste ces dîners où on doit faire semblant d'être une famille parfaite tout en parlant à des individus prétentieux. Je me disais juste que ça serait plus facile si tu étais là.

Je n'ai rien répondu. Nous sommes entrés en classe et nous nous sommes assis en silence à la même table. Pendant le cours, je l'ai regardé discrètement à plusieurs reprises. Il avait l'air triste. Je n'aimais pas le voir ainsi. Visiblement, ce dîner était aussi pesant pour lui que la fête de Jake l'était pour moi.

J'ai respiré profondément, l'estomac noué. La simple pensée de rencontrer ses parents me donnait des frissons.

Lorsque la sonnerie a retenti, je me suis tournée vers lui. J'avais pris ma décision. Et je savais que c'était la bonne.

— C'est bon, je vais venir.

— Quoi ?

— C'est un bon compromis, ai-je dit d'un ton que je voulais assuré. Je viens au dîner avec toi et tu viens à la fête avec moi.

Il m'a dévisagée pendant quelques instants avant de sourire.

— Je crois que je fais une bonne affaire, a-t-il dit.

— Pas sûr. Je ne suis vraiment pas douée pour la conversation de salon, je te préviens. À mon avis, ça risque surtout d'être embarrassant pour toi.

Il a ri.

— Impossible ! Et puis, tu verras vite que tu n'auras pas besoin de parler. Ces gens-là adorent parler d'eux. Tout ce que tu auras à faire, c'est de les écouter poliment en hochant la tête de temps en temps. Ne t'inquiète pas, je ne te laisserai seule pas un instant.

Avant d'entrer dans l'atelier pour le cours d'arts plastiques, Evan m'a regardée droit dans les yeux.

— Tu es sûre de vouloir faire ça ?

Je me suis forcée à sourire du mieux que j'ai pu.

— Certaine.

La lueur de soulagement que j'ai vue briller dans ses prunelles m'a instantanément réchauffé le cœur et mon sourire est devenu naturel.

Pendant le déjeuner, j'ai raconté à Sara les derniers événements et le nouveau plan mis au point par Evan pour la soirée.

— Tu vas rencontrer ses parents ? s'est-elle exclamée en ouvrant des yeux immenses. J'y crois pas !

Après quelques secondes de silence, elle a ajouté :

— Franchement, je n'arrive pas à te croire quand tu me dis que vous êtes juste amis. Moi je suis convaincue que tu as un faible pour lui, tu ne veux juste pas l'admettre.

— Tu dis n'importe quoi !

Je me suis sentie devenir cramoisie. Le sourire en coin de Sara ne m'a pas aidée.

— Tu peux penser ce que tu veux. Mais je te demande juste une chose : garde tes idées pour toi quand Evan est dans les parages.

— Em, je ne dirai jamais rien de ce que tu ressens pour lui !

— Ce que *tu crois* que je ressens pour lui, ai-je corrigé.

J'aurais dû être plus convaincante avec Sara. Un faible pour Evan, moi ? Jamais de la vie ! J'ai observé Evan tandis qu'il écoutait Mme Holt répéter la liste des devoirs pour le prochain cours. Le contour de son nez parfaitement droit, ses pommettes hautes, sa mâchoire carrée. Ses lèvres ourlées, légèrement entrouvertes, et ses yeux bleu acier qui passaient du visage de Mme Holt à son cahier. Plus bas, je devinais les muscles puissants de ses épaules. Je respirais lentement, hypnotisée. Dans ma poitrine, mon cœur murmurait un doux battement. La pulsation glissait le long de mes bras, dans mes jambes, parcourait mon corps.

Il a jeté un coup d'œil vers moi, j'ai aussitôt détourné le regard, les joues en feu. Même s'il ne pouvait pas deviner à quoi je pensais – je ne le savais pas moi-même –, je ne voulais surtout pas qu'il me surprenne en train de l'examiner ainsi. Mais à quoi je pensais, au fait ? Qu'est-ce qui m'arrivait ? Des dizaines d'images des moments passés avec lui ont jailli dans mon cerveau et mes pensées se sont mises à tourner comme des toupies. J'ai fini par admettre cette évidence que j'avais obstinément niée les derniers mois. J'étais amoureuse d'Evan Mathews.

— Ça va ? m'a demandé Sara.

— Mme Holt, ai-je lancé à haute voix.

Tous les élèves m'ont regardée.

— Euh… Est-ce que Sara et moi pouvons partir maintenant pour nous préparer ?

Sans même attendre la réponse, je me suis levée, j'ai pris mes affaires et je me suis dirigée vers la porte. Une fois dans le couloir, j'ai fait signe à Sara de se dépêcher.

— Qu'est-ce qui t'arrive ? Tu semble paniquée, a-t-elle lâché lorsque nous sommes entrées dans les vestiaires des filles.

Avant de répondre, j'ai vérifié qu'il n'y avait personne. Sara m'a regardée faire, inquiète.

— C'est horrible, ai-je chuchoté. Je ne peux pas y croire…

— Je ne te suis pas, là…, a dit Sara en fronçant les sourcils. Et pourquoi tu parles tout bas ?

— À propos d'Evan. Tu avais raison. Je pense que ce n'est pas juste un ami…

— C'est seulement maintenant que tu t'en rends compte ! a-t-elle lancé dans un éclat de rire.

— Arrête, Sara, c'est pas drôle. Tu sais bien que je ne peux pas me le permettre. C'est ça qui me panique.

Retrouvant son sérieux, elle est restée quelques instants à me dévisager sans rien dire.

— Je sais ce que tu crois. Que tu ne peux pas sortir avec lui. Mais moi, ce que je crois, c'est que tu te fais plus de mal en refoulant tes sentiments.

J'ai réfléchi un court moment avant de rétorquer :

— De toute façon, qu'est-ce qui me dit qu'il éprouve les mêmes sentiments que moi ?

Sara a levé les yeux au ciel.

— Em, tu es vraiment stupide ! Évidemment qu'il éprouve la même chose. C'est dingue d'être aveugle à ce point ! La question, c'est plutôt : si tu sors avec lui, tu crois qu'*elle* s'en apercevra ?

— Si Carol découvre que je sors avec quelqu'un, c'est foutu. Je ne peux pas prendre ce risque.

— C'est sûr, a-t-elle approuvé. Il est hors de question de la laisser te démolir encore plus qu'elle ne le fait.

Je ne m'attendais pas à cette réaction. Elle avait raison, bien sûr, mais c'était dur.

— Mais je ne veux pas non plus que tu renonces à lui. Donc, pour l'instant, il vaut mieux que vous restiez juste amis. Rien de plus. Peut-être que vous devriez passer moins de temps ensemble ?

— Sara, si je ne peux pas passer du temps avec lui, alors autant ne pas être amis. Je ne te demande pas de me surveiller, mais que tu m'aides à garder la tête froide. Si je n'y arrive pas, alors j'arrêterai de le voir. C'est tout.

— OK, on fait comme ça, a-t-elle souri. Mais ça ne m'empêche pas d'espérer qu'un jour vous soyez vraiment ensemble.

— Tu ne m'aides pas du tout, là !

— Tu as raison, pardon, a-t-elle répondu en m'adressant un sourire fautif.

## 17

## UNE VISITE INATTENDUE

— On doit vraiment aller à cette « réunion de motivation » ? ai-je dit en récupérant ma tenue de foot dans mon casier.

— Bien sûr qu'on doit y aller ! Em, ça va nous gonfler à bloc pour le match de voir toute l'école à fond derrière nous.

— Tu crois que je peux écouter ma musique pour ne pas les entendre ?

Elle m'a lancé un coup d'œil stupéfait. Pourquoi voulais-je absolument me tenir à l'écart de l'excitation générale ?

— Sara, je dois me concentrer. Déjà, j'ai été perturbée toute la journée avec l'histoire d'Evan, je voudrais éviter de me laisser entraîner dans une séance d'hystérie générale.

— Impossible que tu restes dans ton coin à écouter de la musique. En général, ils annoncent l'arrivée de l'équipe, on entre en courant et on va s'asseoir au fond du gymnase pour que tout le monde puisse nous voir. Tu vas devoir gérer l'hystérie générale…

— Tu es sérieuse ? On est « annoncées » et on doit s'asseoir devant tout le monde ?

— Em, t'en fais pas, ça va aller. Tu auras tout le temps de te concentrer pendant le trajet en car. En plus, on ne part pas avant quinze heures trente, donc après la réunion on ira se mettre dans une salle vide et je te promets de ne pas te parler. Tu pourras écouter de la musique ou faire tes devoirs ou n'importe quoi d'autre pour te vider la tête et te préparer pour le match. OK ?

J'ai hoché lentement la tête en soupirant.

Cette fichue réunion a été encore pire que ce que j'avais imaginé. Tout le monde chantait, les pom-pom girls dansaient, des dizaines de ballons flottaient dans l'air, ça criait et applaudissait dans tous les sens. Le clou, évidemment, ça a été quand ils ont « annoncé » l'équipe. Sara avait oublié de me préciser que nous étions appelées chacune notre tour. Lorsque j'ai entendu mon nom – en dernier, bien sûr – j'étais terrifiée. Je suis arrivée sur scène en tremblant. Pour couronner le tout, ils ont annoncé que j'étais la meilleure buteuse de l'État. La salle s'est mise à hurler en scandant mon nom. J'aurais voulu disparaître sous terre.

Quand cette mascarade s'est enfin achevée, j'ai filé dans une salle vide pour me cacher. Le casque sur la tête, de la bonne musique dans les oreilles, j'ai travaillé ma trigonométrie pour retrouver mes esprits.

Dans le bus, je n'ai pas participé aux chants et cris habituels. Je suis restée dans mon coin, silencieuse. Dix minutes avant d'arriver, je me suis enfoncée dans mon siège et j'ai fermé les yeux. À un moment donné, j'ai senti une petite tape sur mes genoux. J'ai ouvert les yeux : M. Pena était assis à côté de moi. Le car était presque vide. J'ai éteint la musique et je me suis redressée.

— Tu vas y arriver, a-t-il affirmé avec un sourire confiant.

— Je sais.

— OK, alors on y va !

J'ai remis ma musique et je suis sortie du car avec lui.

Pendant que nous nous échauffions, les spectateurs arrivaient en masse. Entre la présence de la foule et la détermination des joueuses, on sentait une énergie puissante se dégager. J'ai fermé les yeux, les oreilles et le cerveau pour ne pas voir les flashes des appareils photo ni entendre les cris du public ou les annonces des commentateurs. J'ai respiré profondément, emplissant mes poumons de l'air froid de novembre.

J'étais prête.

Le match s'est mieux passé que je ne l'avais imaginé. C'était agressif, bien sûr – les corps se heurtaient sans cesse pour prendre possession du ballon. C'était rapide – le ballon parcourait à toute allure le terrain dans un sens puis dans l'autre. C'était dur – les passes constamment interceptées et les tirs bloqués. À la mi-temps, le score était toujours de zéro-zéro.

La seconde période a démarré sur les chapeaux de roue, encore plus intense. Les deux équipes bataillaient ferme. Le ballon filait d'une joueuse à l'autre, nous attendions une occasion pour traverser la défense et construire une belle attaque. À un moment, une joueuse adverse a brandi sa main pour intercepter le ballon. Elle a raté son interception et le ballon a rebondi sur le torse de Jill qui a opéré un magnifique contrôle et l'a renvoyé vers l'avant du terrain. J'ai sauté pour l'attraper puis j'ai couru vers la zone. J'ai passé les joueuses du centre du terrain et, alors que je m'approchais de la ligne, une joueuse adverse a tenté de me bloquer. Dans un dernier effort, j'ai plongé avec le ballon le plus loin possible. J'ai atterri dans l'herbe et, au même moment, le coup de sifflet a annoncé le but. La foule s'est mise à hurler, à chanter, à crier des slogans et des encouragements. Je n'avais jamais vu ça ! Je me suis relevée, un peu étourdie, et j'ai vu les flashes crépiter. Puis Sara et Jill m'ont soulevée de terre, et m'ont portée en hurlant, complètement surexcitées.

Chaque équipe a marqué encore un but, mais nous avions gagné ! Au coup de sifflet final, un flot continu de spectateurs déchaînés a envahi le terrain et des dizaines d'inconnus sont venus me féliciter. J'étais tellement euphorique que cela ne m'a même pas gênée.

Evan a dû se frayer un passage pour arriver jusqu'à moi, son appareil photo à la main. Avant que je n'aie eu le temps de réagir, il m'a prise dans ses bras et m'a serrée contre lui.

— Bravo ! m'a-t-il glissé à l'oreille en relâchant son étreinte. Tu arrives toujours à mettre des buts incroyables dans des situations impossibles. Je crois que j'ai pris de bonnes photos de l'action.

— Merci, ai-je répondu avec un immense sourire.

D'autres félicitations et d'autres étreintes sont venues rompre le charme. J'ai perdu Evan de vue. Après un bon moment, passé à serrer des mains, à se laisser embrasser, féliciter, photographier, la foule de supporters a fini par se disperser. Nous avons échangé la traditionnelle poignée de main avec l'équipe adverse. Enfin, j'ai pu regagner le banc pour prendre mes affaires. Les spectateurs quittaient le terrain en direction du parking. Parmi eux se trouvait probablement Evan.

Sara m'a rejointe et nous nous sommes dirigées vers la sortie. Près de la porte, j'ai remarqué une vague silhouette. J'ai continué à marcher vers le car sans m'en soucier.

— Emily ! a crié la personne lorsque je suis passée devant elle.

Je me suis arrêtée et j'ai levé les yeux. Sara a suivi mon regard et a froncé les sourcils.

— Je préviens M. Pena que tu arrives, a-t-elle dit avant de s'éloigner.

— Qu'est-ce que tu fais là ? ai-je demandé d'une voix que j'aurais voulue plus ferme.

— Quelqu'un m'a amenée ici pour que je puisse te voir jouer, a répondu ma mère en esquissant un sourire. Bravo ! Je suis vraiment fière de toi.

Un parfum familier est venu chatouiller mes narines.

— Tu as bu, ai-je murmuré.

Rien n'avait changé.

— J'étais tendue à l'idée de te voir donc j'ai bu quelques verres. Pas grand-chose.

Elle s'est raclée la gorge avant de poursuivre :

— J'ai suivi tes exploits dans les journaux. Je ne pouvais pas rater ça ! Tu as l'air en pleine forme.

Je l'ai dévisagée. Impossible de parler. Impossible de bouger. Mon corps n'était plus qu'une boule de nerfs.

— Qu'est-ce qui t'est arrivé à l'œil ? a-t-elle demandé en désignant ma cicatrice.

J'ai haussé les épaules et baissé les yeux. Je ne voulais pas qu'elle distingue les larmes briller.

— Je pensais que tu ne voulais plus me voir, a-t-elle dit tout bas d'un air honteux en se tordant les mains. Surtout depuis que tu ne réponds plus à mes lettres.

— De quoi tu parles ?

— Tu n'as pas reçu mes lettres ?

J'ai secoué la tête.

— Je pense à toi tout le temps..., a-t-elle commencé.

— Non ! l'ai-je aussitôt interrompue, sentant la colère monter. Ne dis pas ça. Je ne veux plus t'entendre me répéter à quel point tu m'aimes mais que tu ne peux pas t'occuper de moi comme je le mérite. Je ne veux plus ! Tu ne sais même pas ce que je mérite.

Cette fois, c'est elle qui gardait les yeux baissés. Incapable d'affronter mon regard plein de larmes. Alors qu'elle s'apprêtait à m'énumérer ses éternels arguments pour sa défense, une voix a retenti :

— Rachel, tu es là ! Faut qu'on parte, bébé.

Un homme s'est approché de nous. Il avait la tête rasée, un blouson de cuir et un jean usé.

— On doit pas être en retard, a-t-il lancé d'un ton impatient, sans me regarder.

Ma mère m'a jeté un coup d'œil coupable. Je ne faisais pas partie de ses priorités. Comme toujours.

— Je dois y aller, ai-je glissé.

— Emily, je te présente Mark, a dit ma mère.

Il m'a adressé un très léger signe de tête avant de saisir la main de ma mère d'un geste agacé.

J'ai hoché la tête. Je savais très bien qui il était. C'était lui, sa priorité.

— C'était vraiment bien de..., a-t-elle commencé alors qu'il l'entraînait vers le parking.

J'ai tourné le dos et je suis partie sans lui laisser le temps de finir sa phrase.

Dans le car, l'excitation était à son comble. Tout le monde parlait, riait, chantait. Les félicitations ont fusé lorsque mes coéquipières m'ont vue. J'ai accueilli les cris et suis allée m'asseoir à côté de Sara.

— Tu veux te mettre près de la fenêtre ?

— Oui, ai-je répondu d'une voix sourde.

Je me suis effondrée sur mon siège et j'ai laissé aller ma tête contre la vitre froide. Les larmes me brûlaient les yeux, je luttais pour les empêcher de couler. Ma main tremblait lorsque j'ai essuyé ma joue. Sara l'a prise et l'a pressée doucement. Sans un mot, j'ai laissé mon regard errer par la fenêtre en m'efforçant de reprendre le contrôle de la situation.

— C'était ta mère, hein ? Elle a l'air...

— Pas du tout comme moi, ai-je murmuré en pensant à ce qui nous distinguait – ses grands yeux bleus et ses lèvres minces.

Je me suis tue un instant avant d'ajouter :

— Après quatre ans, il fallait qu'elle débarque un des jours les plus importants de ma vie ?

— Tu sais, je crois que ce que tu as de mieux à faire, c'est te dire que ça n'est pas arrivé. Je ne t'en parlerai plus, et tu vas l'oublier. On va profiter à fond de la soirée !

Après une heure passée chez Lauren au milieu de filles survoltées, Sara m'a fait un petit signe. Il était temps d'y aller. Cinq d'entre elles nous ont accompagnées chez Sara.

Nous avons écouté de la musique en mangeant des chips. Évidemment, le sujet « garçons » a fini par arriver. Je me suis tue, préférant ne pas me mêler à la conversation à moins d'y être obligée. Ça n'a pas loupé.

— Qu'est-ce qui se passe entre toi et Evan ? a lancé Casey.

— On est juste amis, ai-je répondu d'un ton faussement détaché.

— Mais c'est quoi ton problème ? a continué Veronica. Lui, il a l'air hyper chaud !

— C'est pas notre truc, c'est tout, ai-je riposté, sur la défensive.

— Tu sais que Haley Spencer te déteste, a ajouté Jill.

— Quoi ? me suis-je exclamée.

— Elle bloque sur Evan et elle est persuadée que s'il ne veut pas sortir avec elle, c'est à cause de toi.

J'ai éclaté de rire.

— Emma, t'es sérieuse, là ? a lâché Jaclyn Carter. Avoue qu'il est juste sublime, et intelligent, et musclé…

— Tout simplement parfait, a achevé Casey.

— Personne n'est parfait, ai-je répliqué.

— Alors quels sont ses défauts ?

J'ai jeté un regard à Sara en espérant qu'elle allait changer de sujet.

— Il peut être très ennuyeux, ai-je dit, sachant qu'elles ne se contenteraient pas de si peu.

— Je pense que tu devrais sortir avec lui, a conclu Jill. Vous seriez un aussi beau couple que Sara et Jason.

Mes joues sont devenues écarlates.

— À propos de Jason, Sara, qu'est-ce qu'il fait ce soir ? ai-je enchaîné, sautant sur cette occasion inespérée.

Sara a aussitôt rebondi en énumérant toutes les qualités de Jason. Gagné : elle avait réussi à capter l'attention des filles. Alors que je l'écoutais raconter ce que c'était que de sortir avec Jason Stark, j'ai senti que son enthousiasme n'était pas totalement sincère. Je n'aurais pas su dire quoi, mais il me semblait que quelque chose manquait.

Je me suis enfoncée dans mon fauteuil bercée par le bourdonnement des voix. Une question tournait à l'infini dans ma tête : que se passait-il entre Evan et moi ?

## 18

## Une autre dimension

— Il faut qu'on se dépêche, a lancé Sara. Il nous reste seulement deux heures pour te préparer.

— Mais c'est largement suffisant ! Qu'est-ce que j'ai de spécial à faire ?

— Tu dois prendre ta douche et t'épiler... Tiens, je t'ai acheté un nouveau flacon de lait pour le corps.

— Merci ! Mais il m'en restait encore... Et pourquoi tu veux que je m'épile ?

— J'adore ce lait et je trouve qu'il sent vraiment bon sur toi.

— Moi aussi je l'adore, mais tu ne m'as pas répondu : pourquoi je dois m'épiler ?

Tout ça commençait à me stresser de plus en plus.

— Tu vas mettre une jupe, a-t-elle avoué prudemment.

— Tu es sûre ?

Quand avais-je mis une jupe pour la dernière fois ? Aucun souvenir.

— Une jupe ? ai-je répété.

— Em, tu vas être magnifique ! Enfin, pas trop quand même… Il ne faudrait pas qu'il ait envie de t'embrasser. On serait mal.

Elle a poussé un soupir avant d'ajouter :

— Ça va être plus compliqué que je ne le pensais.

— Ne t'inquiète pas pour ça, l'ai-je rassurée.

La grande opération a enfin démarré. Pendant que je prenais ma douche puis que je m'épilais, Sara a fait l'inventaire complet de son dressing à la recherche de la tenue idéale. Elle m'a ensuite installée sur une chaise devant son miroir, m'a rapidement séché les cheveux avec la serviette avant de prendre son fer à friser. Quand j'ai vu les boucles se former tout autour de ma tête, j'ai frémi.

— Sara, je ne vais pas sortir comme ça !

— Attends, je n'ai pas fini.

J'ai préféré fermer les yeux. Visiblement experte en la matière, elle maniait habilement le peigne, le gel et le spray. J'ai fini par ouvrir les paupières. Elle avait coiffé mes cheveux en un magnifique chignon, laissant ma frange flotter légèrement sur mon front. Je n'aurais jamais imaginé avoir un jour une coiffure aussi élégante !

Après la coiffure, les vêtements. Elle m'a donné un pull rose, le plus doux que j'ai touché de ma vie, et une jupe en soie noire très fluide et gracieuse. Une fois habillée, je me suis regardée dans le grand miroir. Le col bateau du pull révélait la naissance de mes épaules et la jupe tombait harmonieusement au-dessus de mes genoux. L'ensemble avait un petit côté rétro qui me plaisait bien.

Elle m'a attaché autour du cou une fine chaîne en argent avec un diamant. Puis elle m'a tendu une paire d'escarpins avec des talons d'au moins dix centimètres.

— Des talons ? Sara, ça va être un massacre !

Je me suis aussitôt vue en train de me casser la figure devant tout le monde.

Je n'avais jamais porté de talons et ça n'était certainement pas la soirée idéale pour tenter l'expérience.

— Ça ira, ne t'en fais pas. Pense simplement à faire des petits pas.

Je me suis entraînée dans la chambre, en marchant lentement. Mes chevilles menaçaient de se tordre à chaque instant. Nous sommes ensuite sorties dans le couloir pour que je puisse tester sur une distance plus longue. J'étais en train de faire le parcours pour la cinquième fois, lorsque la sonnette a retenti.

— C'est lui ? ai-je lancé, paniquée.

Le rire de Sara a résonné.

— Ça n'est pas un rendez-vous amoureux, souviens-toi !

— C'est vrai, ai-je dit en respirant profondément pour me calmer.

— C'est juste un dîner avec ses parents et un paquet de vieux crétins.

— Emma ! Sara ! a appelé Anna de l'entrée. Evan est là.

Mon cœur a fait un bond.

— Tiens, a dit Sara en me mettant sur les épaules un long manteau blanc en cachemire et en me donnant un sac avec des vêtements de rechange pour la fête.

— Merci.

— Em, essaie de te détendre. Tu n'as aucune raison de t'inquiéter.

J'ai fermé les yeux un instant pour reprendre mes esprits, puis j'ai descendu les marches en faisant très attention de ne pas tomber. Fichus talons ! Je les détestais déjà. Comme si je n'avais pas assez de choses à penser. Par exemple : ne pas avoir l'air d'une idiote devant des dizaines de types super intelligents et super riches.

Evan m'attendait au pied de l'escalier mais j'ai préféré ne pas le regarder tant que je n'avais pas achevé ma périlleuse descente.

— Salut, ai-je marmonné.

— Salut, a-t-il répondu gaiement.

— Coucou Evan, a lancé Sara en descendant à son tour. Comment je m'en suis sortie ? Elle est présentable ?

Je lui ai décoché un regard meurtrier.

Il a ri.

— Elle est carrément présentable, tu veux dire !

— Tu as fait la connaissance de mes parents ?

— Oui, nous nous sommes présentés, a répondu Evan.

— Amuse-toi bien, Emma, a dit Anna en me serrant dans ses bras. Tu es magnifique !

— Merci, ai-je bafouillé en rougissant.

— Tu n'as pas l'air très à l'aise…, a commenté Evan.

— Pas du tout, tu veux dire, ai-je avoué avec un petit rire nerveux.

Voir son sourire, si gentil, a fait baisser la pression d'un cran.

— Bon, je vais essayer de ne pas faire durer trop longtemps le supplice. On y va !

— Je te préviens, je suis hyper maladroite avec ces chaussures. Je me sens tout à fait capable de tomber et de casser quelque chose.

— OK, je veillerai à ce que tu ne t'approches pas des objets fragiles, m'a-t-il taquinée en montant dans la voiture.

— Et si je pouvais rester tout le temps assise, ça serait encore mieux !

— Je vais voir ce que je peux faire. Mais je crains que pendant le cocktail nous ne soyons bloqués dans une pièce avec assez peu de possibilités.

— Pendant le quoi ? ai-je demandé.

— Désolé, j'oublie que tu n'as pas l'habitude de ce genre de trucs. On retrouve mes parents et ensuite on va ensemble à une sorte de fête.

— Tes parents savent que je viens ?

— Bien sûr qu'ils savent. Je préfère te prévenir : je pense qu'ils vont te présenter aux autres comme ma petite amie. J'ai bien essayé de rectifier le tir, mais bon… Désolé.

— Pas de problème, ai-je murmuré en me sentant devenir écarlate.

— Voilà comment ça va se dérouler : ce sont M. Jacobs et sa femme qui organisent la fête. Ils accueillent les invités à la porte. Je crois qu'il y aura seulement une vingtaine de personnes, pas plus.

Une vingtaine de personnes ! Donc vingt noms à retenir, vingt mains à serrer et vingt conversations avec sourire forcé à tenir. Un cauchemar.

— J'espère que je trouverai une excuse valable pour que nous puissions partir rapidement. Je vais dire qu'on doit aller à un spectacle ou un truc du genre. Quoi que je dise, n'aie pas l'air étonné, OK ?

— OK.

Ce soir, j'allais découvrir l'univers d'Evan, mais je n'avais pas la moindre idée de comment je m'en sortirais.

— Merci pour ce que tu fais, a-t-il dit en me jetant un rapide coup d'œil tout en conduisant. Je te le revaudrai.

— Comme ça on sera quittes.

— Tu me diras ça quand on en aura fini.

Quelques minutes plus tard, Evan se rangeait derrière une grosse Mercedes noire. La voiture de ses parents. Elle a aussitôt démarré et nous l'avons suivie. Après avoir franchi un large portail, nous avons roulé le long d'une allée bordée de lampadaires anciens et sommes finalement arrivés devant une magnifique demeure en pierre blanche.

La façade était éclairée par des lumières en contrebas, ce qui donnait à la villa un air de château. Par les deux grandes baies vitrées située de chaque côté de la porte d'entrée, on pouvait apercevoir de vastes pièces tapissées de tentures et chaudement éclairées. Devant la maison s'étalait une pelouse aussi lisse qu'un gazon anglais.

L'estomac noué, je me suis rendu compte que j'étais totalement dépassée par la situation. Propulsée dans une autre galaxie.

J'ai lancé un coup d'œil angoissé à Evan. Il m'a souri.

— Ne t'inquiète pas. Ça sera fini avant même que tu ne t'en aperçoives.

Un homme en costume noir et nœud papillon s'est approché de la voiture et a ouvert la portière d'Evan. Avant de sortir, il m'a dit :

— Surtout, ne bouge pas.

Je n'avais aucune envie de bouger. Et encore moins de sortir.

Il a fait le tour de la voiture, a ouvert ma portière et m'a tendu la main. Je l'ai regardé comme s'il était devenu fou, avant de penser que son aide me serait en effet bien utile avec mes talons de dix centimètres.

Au pied des quelques marches qui menaient à la demeure, se tenaient les parents d'Evan. Avec ses longs cheveux blonds et ses grands yeux bleus, sa mère était sublime. Elle portait un élégant manteau et une quantité de bijoux comme je n'en avais jamais vu. Mince, les traits fins, elle donnait l'impression d'un être tout en délicatesse.

À l'inverse, M. Mathews était imposant. Il était plus grand qu'Evan, mais leur ressemblance était frappante. Le même visage aux lignes régulières, les mêmes cheveux châtain clair et les mêmes yeux bleu-gris. Debout, dans son smoking noir, il paraissait sérieux.

Avant de m'avancer vers eux, j'ai pris une profonde inspiration. Pendant les présentations, j'ai essayé d'offrir mon sourire le plus aimable.

— Vivian et Stuart Mathews. Et voilà..., a commencé Evan.

— Emily Thomas, a achevé sa mère en me tendant la main.

Au prix d'un bel effort, j'ai réussi à masquer ma surprise. Je ne m'attendais pas à être appelée Emily par quelqu'un que je n'avais jamais vu.

— Je suis très heureuse de faire votre connaissance, ai-je dit en serrant sa main soignée.

Stuart n'a pas bougé d'un millimètre, oubliant de me tendre la main à son tour.

— Vous êtes ravissante, a commenté Vivian en me regardant des pieds à la tête. C'est la première fois que nous rencontrons une petite amie d'Evan.

J'avais beau m'y attendre, ses mots ont déclenché une réaction immédiate dans mon corps et mon visage s'est empourpré.

— Maman, tu as vu Beth, a soupiré Evan d'un ton agacé.

— Juste une fois, en coup de vent, a précisé sa mère. Mais peu importe, cela me fait plaisir de vous voir, Emily. On y va ?

Je me suis aussitôt raidie. Avec ces talons, je ne me sentais déjà pas à l'aise, mais à côté de cette femme sophistiquée, je risquais l'humiliation totale. J'ai lancé un coup d'œil terrifié à Evan en m'approchant des marches. Il n'y en avait que trois, mais j'avais l'impression d'en voir mille.

Il m'a tendu son bras droit pour que je m'appuie et je me suis concentrée sur chaque marche. J'en ai même oublié de respirer. Ses parents, qui avaient monté l'escalier tout ce qu'il y a de plus normalement, nous attendaient poliment devant l'imposante porte en bois sculpté.

— Stuart ! Vivian ! ont lancé des voix à l'intérieur. Entrez, entrez ! C'est si bon de vous voir !

Ils ont été chaleureusement embrassés par un couple que j'ai supposé être M. et Mme Jacobs.

— Evelyn et Maxwell, vous vous souvenez de notre fils cadet, Evan ? a dit Vivian en nous cédant le passage.

— Bien sûr, a répondu M. Jacobs en serrant la main d'Evan.

— Et je vous présente sa petite amie, Emily Thomas.

J'ai souri poliment.

— Merci d'être venue, a dit Mme Jacobs en prenant ma main entre les siennes.

— Merci à vous de me recevoir, ai-je répondu.

Evan m'a aidée à retirer mon manteau et l'a tendu à un maître d'hôtel en smoking. Un somptueux lustre en cristal descendait du plafond et éclairait l'entrée. Face à nous, il y avait un escalier en marbre recouvert d'un épais tapis rouge. J'étais tellement fascinée par le spectacle que j'avais sous les yeux que je n'ai même pas remarqué qu'Evan avait le regard rivé sur moi.

— Qu'est-ce qui se passe ? ai-je demandé, inquiète à l'idée d'avoir fait une bêtise.

— Un autre pull rose, hein ? Tu me tues…

J'ai froncé les sourcils en rougissant.

Il m'a adressé un beau sourire tandis que nous suivions ses parents. À vrai dire, le découvrir dans son costume noir m'avait aussi quelque peu perturbée.

Nous sommes entrés dans une immense pièce, plus grande que tout le premier étage de ma maison, avec des murs deux fois plus hauts. De part et d'autre des fenêtres, de lourds rideaux en velours grenat étaient retenus par des cordons de fils d'or. Des panneaux en bois sculpté incrustés d'ivoire surplombaient chacune des fenêtres et de nombreux tableaux dignes de figurer dans des musées ornaient les murs. Dans le fond de la pièce, trônait une cheminée en pierre.

Comme l'avait prévu Evan, il n'y avait aucune chaise pour s'asseoir. Je voyais bien quelques fauteuils anciens mais ils semblaient être là plus pour décorer que pour servir. Le seul autre meuble était une large table en chêne avec, posée au milieu de son plateau en ardoise, une composition florale de toute beauté – un fabuleux mélange de couleurs chatoyantes et de textures veloutées.

— Ça va ? m'a demandé Evan tandis que je regardais tout autour de la pièce, les yeux écarquillés.

— Très bien, ai-je répondu en hochant lentement la tête.

Il a souri et m'a pris la main pour m'entraîner dans un coin de la pièce.

— Evan !

La voix, chantante et distinguée, était celle d'un homme de taille moyenne, brun, portant une fine moustache.

— Comment vas-tu ? Stuart m'avait prévenu que tu viendrais ce soir.

— Content de vous voir, M. Nicols, a dit Evan en lui serrant la main. Je vous présente Emma Thomas. Nous sommes dans le même lycée. Emma, voici M. Nicols. Il travaille avec mon père.

— Vous êtes divine, ma chère, a complimenté M. Nicols en retenant ma main dans les siennes tandis que ses yeux me détaillaient de la tête aux pieds.

Surprise par le compliment, je lui ai adressé un sourire gêné.

— Evan, tu devrais plus souvent amener tes amies, a-t-il glissé en lui donnant un coup de coude.

J'ai dû faire un énorme effort pour garder un visage impassible.

Après quelques échanges sur le football et sur les projets de voyages d'Evan pour l'hiver, M. Nicols s'est éloigné. À mon grand soulagement.

— Je suis vraiment désolé. Je n'aurais jamais imaginé qu'on puisse se montrer aussi grossier.

— C'était… intéressant, ai-je répondu, incapable de dire autre chose.

— Tu veux quelque chose à manger ? m'a-t-il demandé en interpellant un serveur en livrée qui portait un plateau d'argent avec des bouchées apéritives très élaborées.

— Non, merci.

— Je te promets que ça sera fini avant que tu ne t'en rendes compte.

— Tu l'as déjà dit.

J'avais l'impression qu'il répétait ça autant pour lui que pour moi.

Au même instant, Vivian s'est approchée de nous, accompagnée d'un homme plutôt corpulent qui portait de fines lunettes et dont la crinière blanche contrastait fortement avec le visage rougeaud.

— Evan, tu te souviens du Dr Eckel ?

— Bien sûr ! Je suis ravi de vous revoir, docteur Eckel.

— Et voici la petite amie d'Evan, Emma Thomas, a ajouté sa mère.

— Très heureux de faire votre connaissance, mademoiselle Thomas, a déclaré le Dr Eckel en serrant doucement ma main.

J'ai affiché un sourire sincère.

— Le Dr Eckel est professeur de biochimie à l'université Yale, a précisé Evan.

— Oh ! ai-je acquiescé.

— Est-ce que vous avez beaucoup de cours en commun, avec Evan ? m'a interrogée sa mère.

— Nous sommes ensemble dans la plupart des cours.

— C'est merveilleux !

Je n'ai pas su quoi répondre. À vrai dire, je n'étais pas très sûre d'avoir compris ce qu'elle entendait par là.

— Emma est aussi une excellente sportive, a ajouté Evan en venant à ma rescousse. Grâce à elle, l'équipe féminine de foot a gagné le championnat de l'État hier soir.

Son intervention ne m'a pas vraiment aidée. Plus ils parlaient de moi et plus je me sentais embarrassée.

— Félicitations, a commenté le Dr Eckel. Vous avez commencé à vous renseigner pour les universités ?

— Je n'en ai pas encore visité, mais des directeurs sportifs sont venus nous voir jouer. Idéalement, j'aimerais aller à Stanford.

Ma voix paraissait très faible au milieu de l'immense pièce.

— Ah oui ? s'est intéressée Vivian.

— Et vous pensez faire quelles études ? a interrogé le Dr Eckel.

— Je n'ai pas encore décidé.

— Elle peut choisir absolument ce qu'elle veut, a précisé Evan. Elle est la première dans toutes les matières avec la meilleure moyenne générale.

— Ah..., a réagi sa mère, intriguée.

— Eh bien je vous souhaite le meilleur ! a déclaré le Dr Eckel en me serrant de nouveau la main avant de rejoindre, avec Vivian, un autre groupe d'amis.

Je me suis tournée vers Evan.

— Ne fais plus jamais ça, s'il te plaît.

— Quoi ?

— Parler de moi de cette façon. C'est vraiment gênant.

— Désolé, mais tout ce que j'ai dit est vrai ! Je n'ai rien exagéré.

J'ai poussé un grand soupir.

— C'est juste que je ne suis pas habituée.

— Je sais, a-t-il répondu en me prenant la main et en la pressant légèrement.

— Mes parents m'avaient dit que tu serais ici ce soir ! s'est soudain exclamée une voix féminine.

Une jeune fille aux longues boucles blondes s'est approchée de nous. Elle était vêtue d'une robe bustier noire qui mettait en valeur son corps élancé. À côté d'elle, je me suis soudain sentie comme une gamine très quelconque.

Elle a passé son bras autour de l'épaule d'Evan et lui a donné un léger baiser sur la bouche. Il a lâché ma main pour l'étreindre à son tour. Les bras ballants, j'ai baissé les yeux pour ne pas assister à ces retrouvailles intimes.

— Catherine, je te présente Emma Thomas, qui est au lycée avec moi. Catherine est la fille de M. et Mme Jacobs, a expliqué Evan.

Elle s'est tournée vers moi, découvrant visiblement ma présence, et s'est pressée tout contre Evan.

— Ravie de te connaître, a-t-elle dit.

— Catherine est au lycée de Boston, a ajouté Evan.

— Et c'est bien ? ai-je demandé, histoire de dire quelque chose.

— Oui, a-t-elle lâché sans me regarder.

Puis elle a poursuivi, en m'ignorant :

— J'ai une surprise pour toi, Evan. Monte avec moi, tu vas voir.

Elle a fait quelques pas en le tirant par la main.

Un vent de panique m'a étreinte. J'allais me retrouver seule.

À cet instant, Evan s'est penché vers Catherine et lui a glissé quelques mots à l'oreille. Elle s'est arrêtée et m'a dévisagée avec un drôle d'air. Il lui a murmuré autre chose et elle l'a regardé en fronçant les sourcils. Elle a caressé rapidement sa joue avec une mine boudeuse avant de se pencher à son tour contre son oreille. Il a secoué la tête avec un sourire désolé. Elle a haussé les épaules, lui a donné un baiser fugace sur les lèvres et s'est éloignée. J'aurais aimé disparaître sous terre.

Evan s'est tourné vers moi. Avant même qu'il n'ait le temps d'ouvrir la bouche, j'ai lancé :

— Je ne veux pas savoir. Ça ne me regarde pas.

Il m'a scrutée attentivement, puis a dit :

— Je suis désolé. J'ai trouvé son petit numéro hyper lourd.

J'ai haussé les épaules, puis baissé les yeux.

— C'est bon. C'est juste que je ne sais pas très bien à quoi m'attendre.

— Pas à ça, en tout cas, a-t-il affirmé d'une voix claire.

Il m'a relevé le menton et m'a pris la main. J'ai plongé mes yeux dans les siens, soudain oppressée.

— OK ?

— Oui.

C'était la plus étrange soirée de ma vie. Je me trouvais en compagnie d'Evan dans une maison sublime, au milieu de gens ultra privilégiés. Il avait vu juste : après ça, la fête de Jake ressemblerait à une simple sortie entre copains.

En une heure, j'ai rencontré plus d'individus que durant toute mon existence. Ça m'a paru durer une éternité… Le scénario était chaque fois le même : après avoir posé à Evan une ou deux questions polies, et sans vraiment en écouter la réponse, la personne évoquait d'un air satisfait ses propres succès, sa carrière parfaite, sa réussite financière, sa famille idéale, sa belle maison… Tandis que je commençais à m'habituer aux récits complaisants des uns et des autres, M. Jacobs a proposé aux invités de gagner la salle à manger.

Le récit détaillé de toutes ces existences triomphantes m'avait ouvert l'appétit : je mourais de faim. Nous sommes entrés dans une pièce tout aussi immense que la première, dont les fenêtres donnaient sur la pelouse. Des miroirs anciens habillaient les murs, ainsi que quelques tableaux de collection.

Une longue table trônait au milieu de la pièce, avec une quarantaine de chaises disposées autour (au lieu de la vingtaine qu'avait annoncée Evan). Le couvert était à l'image de la maison : riche et élégant. Devant les assiettes en porcelaine de Chine étaient alignés une série de verres à pied. Des petits bouquets colorés disposés çà et là donnaient à l'ensemble une tonalité joyeuse. Un lustre en cristal suspendu au-dessus de la table diffusait une lumière douce et chaude.

En vrai gentleman, Evan a tiré ma chaise pour que je puisse m'asseoir, avant de s'installer à ma gauche. Par chance, j'avais à ma droite le Dr Eckel. La seule personne à ne pas s'être montrée égocentrique et grossière. Il n'était pas très bavard, ce qui m'allait parfaitement.

Bien sûr, à la gauche d'Evan se trouvait Catherine. Elle a rapproché sa chaise, bu une gorgée de vin et s'est penchée vers lui.

— Tu ne bois pas, ce soir ?

— Je conduis, a-t-il répondu.

— Tu n'es pas obligé, a-t-elle dit, suffisamment fort pour que je puisse l'entendre.

Je me suis raidie et j'ai saisi mon verre d'eau pour me donner une contenance.

— Tu m'as manqué, a-t-elle murmuré.

J'ai avalé ma gorgée d'eau de travers et me suis mise à tousser sans pouvoir m'arrêter. Tout le monde m'a regardée.

— Excusez-moi, ai-je bafouillé.

J'étais écarlate.

— Ça va ? s'est inquiété Evan, tournant le dos à Catherine.

— Oui. J'ai juste avalé de travers.

Une armée de domestiques habillés de blanc est entrée dans la pièce, chacun portant une assiette recouverte d'une cloche en métal argenté. Dans un geste distingué, ils ont posé leur plat au même moment devant chaque convive. C'était un ballet impressionnant à voir.

— Commence par les couverts le plus à l'extérieur, m'a chuchoté Evan.

À gauche de l'assiette, quatre fourchettes ; à droite, quatre couteaux et une cuillère. Qu'allait-on manger pour avoir besoin de tout ça ?

— Evan, ne m'ignore pas, s'il te plaît, a murmuré Catherine tandis que nous mangions la soupe.

En dehors de moi, personne n'a paru l'avoir entendue.

— Je ne t'ignore pas, Catherine.

— Quand est-ce que tu reviens me voir à Boston ? C'était tellement bien, la dernière fois. Tu te souviens ?

Elle est partie d'un grand rire. Un peu forcé, m'a-t-il semblé. Mes mains se sont crispées sur mes couverts. J'ai bu une gorgée. Et j'ai toussé de nouveau.

— Je suis très occupé en ce moment, a répondu Evan.

Il m'a jeté lancé un coup d'œil malicieux. J'ai baissé le regard.

— Mais je ne t'ai pas vu depuis la rentrée de septembre. Je ne te manque pas ? Pourquoi tu ne viendrais pas le week-end prochain ?

— C'est les vacances de la Toussaint.

— Justement, viens me voir !

— Mon frère sera là. Je pense qu'on ira skier.

— Evan, ne me force pas à te supplier.

Elle était sérieuse ? J'ai avalé une nouvelle gorgée d'eau pour ne pas éclater de rire. Sans m'étrangler cette fois. À peine avais-je reposé mon verre vide sur la table qu'un domestique, surgi de nulle part, l'a rempli.

Pendant les deux plats suivants, Catherine a boudé.

Ce que j'avais dans mon assiette ne ressemblait à rien de ce que j'avais pu goûter jusque-là. Je n'avais pas la moindre idée de ce que j'étais en train de manger, mais j'ai découvert avec étonnement que j'aimais ça.

— Comment ça se passe ? m'a demandé Evan en se penchant vers moi.

— Bien, merci, ai-je répondu sans lever les yeux.

Si je le regardais, je risquais d'apercevoir Catherine, et je n'étais pas certaine de pouvoir garder mon sérieux.

— Et toi ?

— Je meurs déjà d'envie de partir, a-t-il avoué.

Je n'ai pu retenir un sourire.

Au cinquième plat, j'avais déjà bu quatre grands verres d'eau et je commençais à ressentir un besoin urgent d'aller aux toilettes. L'idée de me lever et de devoir sortir de la pièce devant tous ces gens me paralysait, mais l'envie était trop pressante.

— Tu sais où sont les toilettes ? ai-je demandé tout bas à Evan.

— Il doit y en avoir vers l'entrée, je pense. Mais je ne sais pas exactement où… Il vaut mieux que tu demandes à l'un des domestiques.

Par chance, l'entrée se trouvait juste derrière nous. Retenant mon souffle, je me suis levée et me suis concentrée pour marcher le plus gracieusement possible jusqu'à la porte. Une domestique en tailleur bleu et tablier blanc, les cheveux retenus par un chignon, se tenait là, droite comme un I.

— Excusez-moi, ai-je murmuré. Pouvez-vous me dire où se trouvent les toilettes, s'il vous plaît ?

— Vous traversez l'entrée et vous les trouverez à droite de l'escalier.

— Merci.

En franchissant la porte, un de mes talons s'est pris dans la barre de seuil et m'a fait perdre l'équilibre. Après avoir effectué quelques pas maladroits pour ne pas m'étaler de tout mon long, j'ai réussi à me rétablir. Mais mes pas précipités avaient résonné à travers le hall.

Evan est arrivé aussitôt.

— Ça va ?

— Oui, tout va bien, ai-je répondu en me rcdressant.

J'ai rajusté mon pull sur mes hanches, pris une profonde inspiration et me suis dirigée vers les toilettes. J'y suis restée un bon moment pour permettre à mon cœur de retrouver un rythme normal et à mon visage de reprendre une couleur plus discrète.

Quand je suis retournée à table, une assiette de fromages variés m'attendait. Catherine était littéralement affalée contre Evan. En m'asseyant, j'ai résisté à la tentation de les regarder. Elle parlait si bas que je ne pouvais pas entendre ses paroles.

Une fois son assiette de fromages terminée, Evan s'est levé et a quitté la table. Catherine s'est esclaffée en le regardant partir. Je lui ai lancé un coup d'œil interrogateur. Elle a fait une légère grimace avant de prendre son verre et d'avaler une nouvelle gorgée de vin.

De retour dans la salle à manger, Evan s'est approché de ses parents, à l'autre bout de la table, et leur a parlé à l'oreille en regardant sa montre. Sa mère lui a donné une rapide caresse sur la joue. Il s'est ensuite dirigé vers les Jacobs, assis non loin de là, et a échangé quelques mots avec eux avant de leur serrer la main. Puis il est venu vers moi.

— Prête ? m'a-t-il demandé en se penchant vers moi.

— Bien sûr.

Il m'a aidée à me lever. Une fois dans l'entrée, il a tendu son ticket au domestique en smoking qui tenait le vestiaire pour récupérer nos manteaux.

— Déjà ? a lancé Catherine en pénétrant dans le hall.

— Nous allons à une autre soirée, a répondu Evan d'un ton sec.

— Tu reviendras me voir ?

Cela ressemblait davantage à un ordre qu'à une question. Pathétique. Impossible de me retenir : j'ai éclaté de rire. J'en avais les larmes aux yeux.

— C'est moi qui te fais rire ? a-t-elle demandé d'un air pincé.

— En fait… oui.

J'avais beau essayer de m'arrêter, c'était plus fort que moi. Avec un large sourire, Evan a lancé :

— Bonne nuit, Catherine.

Il m'a ouvert la porte et nous sommes sortis. À peine dehors, je me suis totalement lâchée. Un vrai fou rire. Il m'a fallu quelques minutes avant de réussir à me calmer. Evan me regardait, amusé.

— Je suis content que tu le prennes comme ça, a-t-il commenté en enfonçant ses mains dans ses poches.

— On va dire qu'on est quittes, maintenant.

## 19

## Pas envie de rire

— Prête pour la soirée de Jake ? a demandé Evan une fois au volant.

— Après une soirée comme celle-là, je pense que je peux tout affronter.

— On va voir ça, a-t-il glissé, espiègle. Peut-être que ça va être mon tour de rire un peu.

— Qu'est-ce que tu veux dire ?

— Rien.

Lorsque nous sommes arrivés devant la maison, il y avait déjà une dizaine de voitures. Pendant qu'Evan faisait le guet, je me suis changée dans la voiture pour enfiler un jean et des chaussures plus confortables.

— Je me sens tellement mieux comme ça, ai-je avoué en le rejoignant.

— Mais toujours aussi classe.

Ignorant sa remarque, j'ai à mon tour fait le guet pendant qu'il troquait son costume contre un jean et un sweat-shirt.

— Dès que tu veux partir, tu me le dis et on s'en va, m'a-t-il rappelé devant la porte.

— OK, ai-je répondu, un peu étonnée.

Depuis que je lui en avais parlé, il avait des réactions et tenait des propos étranges au sujet de cette fête. Je ne parvenais pas à comprendre pourquoi.

J'ai sonné. En me voyant, Jake a eu l'air réjoui et a ouvert grand la porte. Quand il a aperçu Evan, son sourire a disparu.

— Ah, tu as amené Evan.

— Content de te voir, Jake, a dit Evan en lui donnant une tape sur l'épaule tandis qu'il entrait dans la maison.

Après avoir fermé la porte, Jake s'est tourné vers lui.

— On va être en sous-effectif, ce soir, je te préviens, l'a-t-il informé en faisant une drôle de grimace.

— Pas de problème.

Que voulait-il dire ? J'ai observé le visage d'Evan dans l'espoir d'y lire une explication. Mais il s'est contenté de me sourire.

— Vous pouvez accrocher vos manteaux dans le placard, a indiqué Jake en montrant une porte derrière nous.

Nous l'avons ensuite suivi le long d'un couloir. Sur la gauche, j'ai aperçu un vaste salon avec un canapé recouvert d'affaires et un grand téléviseur. Des bougies brillaient faiblement, quelques personnes discutaient tranquillement. Un air de jazz, doux, presque mélancolique, circulait dans la maison. Le couloir s'achevait sur une cuisine toute blanche éclairée par de nombreux spots.

Adossée contre le frigidaire, Sara riait avec Jason.

— Les boissons sont en bas, a annoncé Jake. Faites comme chez vous. Je reviens.

Il a disparu dans l'escalier qui menait à l'étage.

— Emma ! Evan ! s'est exclamée Sara en nous voyant. Alors, ce dîner ?

— Nourrissant ! Et instructif..., ai-je répondu en riant.

Evan m'a regardée de travers et Sara nous a dévisagés tour à tour pour tenter de comprendre le message.

— Je te raconterai plus tard, ai-je lâché. Et vous ? Vous êtes arrivés il y a longtemps ?

— Non, pas très... Je me donnais encore dix minutes avant de t'appeler.

— Où sont les autres invités ?

— Je ne sais pas. J'imagine qu'ils sont en bas. Mais je n'ai pas l'impression qu'il y ait beaucoup de monde.

À cet instant, la sonnerie de la porte d'entrée a retenti. Jake a dégringolé les marches et s'est précipité pour ouvrir. Au bout du couloir, j'ai aperçu six silhouettes.

— Je crois que tout le monde est là, ai-je entendu Jake dire à l'un d'eux en approchant de la cuisine.

— Emma Thomas ? a chuchoté ce dernier.

J'ai fait comme si je n'avais pas entendu.

— N'y pense même pas, a murmuré Jake d'un ton ferme en conduisant le groupe vers l'escalier.

Evan a eu un petit sourire. Inquiète, je lui ai lancé un regard interrogateur. Que se passait-il ? Il a haussé les épaules et détourné les yeux.

— On va en bas ? a proposé Sara.

— Pourquoi pas, ai-je répondu.

Sara et moi sommes sorties de la cuisine, suivies de Jason et d'Evan, qui parlaient d'un match de foot. Nous avons descendu les marches et sommes arrivés dans une cave sombre au plafond bas. Au pied de l'escalier, il y avait un long bar en U avec des chaises hautes. Une quinzaine de personnes étaient assises là en train de discuter.

D'autres étaient installées au fond de la pièce, sur un grand canapé en cuir noir, ou dispersées autour de la table de billard qui trônait au milieu. Personne ne regardait la télévision sur le grand écran ni ne jouait au billard. Les enceintes diffusaient la même musique langoureuse qu'à l'étage.

— Tu veux quelque chose à boire ? m'a demandé Jake.

— Il y a de l'eau pétillante ?

— Bien sûr. Dans le frigo, là-bas, a-t-il dit en montrant une porte à l'autre bout de la pièce. Tu te sers autant que tu veux.

En me frayant un passage à travers les groupes d'invités, je suis allée jusqu'au vieux frigidaire blanc. Il était rempli de boissons de toutes sortes. J'ai attrapé une canette avant de retrouver au bar Sara, Evan et Jason.

— Tu trouves ça comment ? ai-je glissé à Sara qui était en train de boire une gorgée du liquide rouge qui se trouvait dans son verre. C'est un peu étrange, non ?

— Je m'étais toujours demandé ce qu'étaient ces fameuses fêtes chez Jake. Je crois que je commence à comprendre. Et je comprends aussi pourquoi il ne m'avait jamais invitée, moi, la fille d'un juge…

Jake s'est approché de nous avant que j'aie le temps de lui demander de quoi elle parlait.

— Evan, viens, je voudrais te présenter des gens que tu ne connais sûrement pas.

Evan lui a lancé un regard intrigué et a hésité une seconde avant de se lever.

— Je reviens tout de suite, m'a-t-il assuré.

Il avait beau avoir un comportement curieux, je trouvais que cette fête était beaucoup plus supportable que la précédente et cela ne me dérangeait pas qu'il me laisse seule quelques instants.

— J'aimerais bien jouer au billard, ou faire quelque chose, ai-je dit. C'est bizarre de rester comme ça.

— C'est pas ce genre de fête-là, m'a chuchoté Sara avec un sourire entendu.

— Qu'est-ce que tu veux dire ?

Je commençais à trouver tout cela de plus en plus étrange. Et ennuyeux, aussi.

— Coucou ! s'est exclamée une fille brune en arrivant dans la cave.

Sara s'est tournée vers elle et lui a souri.

— Hé, Bridget !

Elle est venue vers nous et a serré Sara dans ses bras. Elle était accompagnée d'un des joueurs de l'équipe de foot.

— Je ne savais pas que tu serais là, a-t-elle dit, étonnée.

— Je suis venue avec Emma. Emma, voici Bridget.

— Salut, ai-je dit.

Elle m'a souri poliment. Le type qui était avec elle a posé sa main sur sa taille. Si bas, qu'elle était quasiment sur sa fesse. J'ai fait comme si je n'avais rien remarqué.

Jason a commencé à discuter avec lui. Ils semblaient se connaître. Le type gardait sa main sur la fesse de Bridget. Un peu comme si elle était sa propriété.

— Vous venez d'arriver ? a demandé Bridget.

— Il n'y a pas très longtemps, a répondu Sara.

Elle a baissé la voix avant d'ajouter :

— Je ne savais pas que tu t'intéressais à Rich.

— Bah pourquoi pas, a lâché Bridget avec un haussement d'épaules.

Sara a eu l'air étonnée mais n'a pas cherché à en savoir plus. Elles se sont mises à parler de leurs mères qui, visiblement, étaient amies, et d'autres sujets communs auxquels je ne comprenais rien. Je me suis installée sur une des chaises hautes du bar et ai bu mon eau gazeuse en écoutant leur conversation d'une oreille distraite.

— On monte, m'a dit Sara au bout d'un moment. Ça va aller ? Je reviens tout de suite, promis.

— Pas de problème, l'ai-je rassurée avec un sourire.

— Ne bouge pas de là.

Ça sonnait comme une mise en garde. Décidément, tout le monde se conduisait bizarrement, ici. J'ai regardé autour de la pièce mais la lumière était si faible que je n'arrivais pas à distinguer dans quel groupe se trouvait Evan.

— On dirait qu'on t'a abandonnée ? a dit une voix derrière moi.

En me retournant, j'ai aperçu un brun aux yeux gris-vert, accoudé à la chaise voisine. Il faisait partie du groupe de gens que j'avais entrevus dans l'entrée.

— C'est temporaire, ai-je répondu. Tu connais Jake ?

— C'est un bon copain. Tu es Emma Thomas, c'est ça ?

— Oui..., ai-je dit en m'efforçant de me rappeler si sa tête me disait quelque chose.

— Moi c'est Drew Carson. Tu ne me connais probablement pas.

Son nom m'était pourtant familier. Mais je n'arrivais pas à savoir pourquoi.

— Et toi, tu me connais ?

— Bien sûr, a-t-il ri. C'était un sacré match hier ! J'ai entendu dire que des directeurs sportifs t'avaient repérée...

J'ai rougi.

— Donc tu y as assisté ?

— Tout le monde y était.

Sa franchise m'a fait sourire.

— Je ne sais pas pourquoi, mais ton visage me dit quelque chose, ai-je bafouillé en rougissant davantage. Je t'ai déjà vu, j'en suis sûre. Mais je n'arrive pas à me rappeler où.

— Au basket, peut-être ?

Exactement. Drew Carson : le capitaine de l'équipe de basket. Ça collait bien avec sa carrure athlétique. Je n'avais pourtant pas souvenir de l'avoir particulièrement remarqué.

— Au basket, c'est ça ! Désolée...

— Pas de problème. C'est moi. J'aurais dû te parler avant ce soir. Ça m'étonne de te voir ici, mais ça me fait plaisir.

Un large sourire a éclairé son visage, faisant apparaître deux fossettes. Comment je m'étais débrouillée pour ne pas l'avoir calculé plus tôt ? Il était carrément beau.

— J'aime bien ton pull, a-t-il dit après quelques instants.

— Merci, ai-je répondu en rougissant à nouveau.

Je cherchai désespérément quelque chose à dire tout en paraissant naturelle.

— Tu fais du ski ?

D'où me venait cette question ? Pas la moindre idée. C'était sorti tout seul.

— Oui. Je vais dans le Vermont le week-end prochain avec ma famille. Et toi ?

— Non, je ne skie pas.

Silence gêné. Nous avons échangé un regard avant de rire tous les deux. Les gens, autour de nous, nous ont dévisagés avec un air de reproche.

— Oups…, ai-je lâché. Je ne savais pas que nous étions censés être silencieux.

— T'en fais pas pour ça. C'est juste qu'ils prennent tout ça un peu trop au sérieux.

Encore une allusion qui m'échappait. Beaucoup de choses semblaient m'échapper, ce soir. J'espérais quand même finir par comprendre.

— Et qu'est-ce que tu fais d'autre ? En dehors du basket et du ski, je veux dire.

— Du surf. Et aussi du kayak en eau vive, quand je peux.

Là-dessus, il s'est mis à me décrire les plus belles vagues qu'il avait affrontées, en Australie. On a continué à discuter tranquillement. Jusqu'à ce que je me rende compte que cela faisait un long moment qu'Evan, Sara et Jason avaient disparu. Tout en parlant, j'ai jeté un œil autour de moi. Impossible de discerner les visages dans l'obscurité.

— Je reviens tout de suite, ai-je lancé. Je vais chercher autre chose à boire.

— Moi, je vais faire un tour dans la salle de bains, a-t-il répondu en montrant l'escalier. On se retrouve ici ?

— Bonne idée, ai-je confirmé.

Je me suis approchée du canapé en dévisageant discrètement les gens pour voir si Evan ou Sara s'y trouvaient. Certains couples s'embrassaient goulûment devant tout le monde. Absolument pas gênés par ma présence ou par celle des autres couples à côté d'eux. J'ai baissé les yeux, mal à l'aise. En entendant des respirations haletantes, j'ai accéléré le pas.

Une fois arrivée à l'autre bout de la pièce, j'ai jeté un œil autour de moi, cherchant un autre moyen de retourner au bar. Rien. Seulement une porte-fenêtre qui ouvrait sur la cour arrière. L'angoisse est montée d'un cran.

— Ah, tu es là !

J'ai fait demi-tour pour me retrouver nez à nez avec Jake qui refermait une porte derrière lui.

— Salut, ai-je articulé en m'efforçant de cacher ma nervosité.

— Je voulais te parler depuis le début de la soirée, a-t-il susurré en s'approchant de moi. Mais je n'avais pas envie de le faire ici. Viens, on va chercher un coin plus tranquille pour…

Il s'est interrompu un instant avant d'ajouter, avec un air entendu :

— … faire connaissance.

Soudain, tout s'est éclairé dans ma tête. Comment ne m'en étais-je pas rendu compte plus tôt ? J'ai encaissé le choc et je suis restée impassible.

— Bah…, ai-je marmonné en jetant un œil sur la porte close derrière lui. En fait je n'ai pas très envie de bouger. On peut rester discuter au bar ?

— J'avais plutôt envie d'un endroit avec moins de gens…, a-t-il insisté en se collant tout contre moi.

Cette fois, je n'ai pas pu me retenir. Les mots sont sortis de ma bouche sans que je puisse rien contrôler.

— C'est quoi, l'idée ? Une soirée où tout le monde se chope, c'est ça ? Et donc tu as décidé de m'inviter ?

— Pourquoi pas ? a-t-il riposté, plein d'arrogance.

— Tu me connais mal. Tu as vraiment cru que je sortirais avec toi ?

Son sourire s'est figé. Plutôt que de lui envoyer des paroles trop violentes, j'ai préféré m'en aller. Soudain, j'ai vu que la porte derrière lui était ouverte. Evan se tenait là, la main sur la poignée. À voir son sourire amusé, il avait dû entendre toute la conversation.

— Eh, Emma ! m'a interpellée Drew, qui était là lui aussi.

Découvrant ma mine décomposée, il a ajouté :

— Qu'est-ce qui se passe ?

— Tu étais aussi dans le coup ?

Sans même attendre sa réponse, je me suis précipitée vers l'escalier. Jason et Sara étaient dans la cuisine, leurs manteaux sur le dos.

— Est-ce qu'on peut y aller, s'il vous plaît ?

— On allait justement te chercher, a dit Sara. On rentre chez moi.

— Je vous suis, a lancé Evan dans mon dos.

Une fois dehors, Sara et Jason se sont dirigés vers la voiture de Sara pendant que je marchais d'un pas impatient vers celle d'Evan.

— J'aurais dû te prévenir, je suis désolé, a-t-il dit après avoir fermé la portière.

— Tu savais et tu m'as laissée venir ?

— Je savais qu'il ne se passerait rien. Je n'étais pas inquiet. J'espérais simplement que tu montrerais à Jake que tu n'es pas intéressée par lui. Ce que tu as clairement fait. J'en ai tellement assez de l'entendre dire que…

Il s'est interrompu.

— Je suis désolé. Vraiment.

Devant son visage grave et ses yeux tristes, ma colère s'est envolée. J'avais définitivement du mal à rester fâchée avec lui. Mais une fois sur la route, une angoisse sourde m'a fait mal au ventre.

— Mais au fait, tu étais passé où ? Tu as… ?

Evan a éclaté de rire.

— Laisse tomber, ça ne me regarde pas, ai-je murmuré en regardant par la fenêtre.

Toutes sortes d'hypothèses me torturaient l'esprit.

— Tu n'as aucune raison de t'inquiéter, a-t-il assuré. Jake a voulu me présenter quelques filles pour m'occuper et en profiter pour te parler. Je pense qu'il n'a pas supporté que je sois là. Il savait que tu venais avec Sara, et que Sara viendrait probablement avec Jason, mais il ne s'attendait pas à me voir débarquer. J'ai simplement discuté. Comme toi avec Drew Carson, non ?

Mon cœur a fait une pirouette dans ma poitrine.

— Mais tu m'as bien dit que tu étais déjà allé à une fête de Jake ?

— Une seule fois, et je n'avais pas la moindre idée de ce que c'était avant d'y mettre les pieds. Je n'ai pas…

Il avait du mal à trouver ses mots. Un silence s'est installé. Je regardais les arbres et les maisons défiler par la fenêtre.

— Ça te dérangerait vraiment ? a-t-il finalement demandé.

— Quoi ?

— Si j'avais embrassé une fille, ou fait autre chose, à une soirée de Jake ?

J'ai hésité avant de répondre.

— Je ne pensais pas que tu étais comme ça, ai-je dit doucement.

— Mais je ne suis pas comme ça ! a-t-il protesté. C'est pour ça que je n'y suis allé qu'une fois, et que je n'ai pas fait ce que tu crois. Ça ne m'intéresse pas. C'est trop important pour le faire… comme ça, dans la maison d'un quasi-inconnu avec quelqu'un qu'on choisit presque au hasard.

J'ai eu un rire gêné.

— Qu'est-ce ce qui te fait rire ?

— Je ne peux pas parler de ça avec toi. C'est trop bizarre.

— Parler de sexe, c'est bizarre ?

— C'est parler de sexe *avec toi* qui est bizarre, ai-je précisé, de plus en plus nerveuse. Est-ce qu'on peut changer de sujet ?

— Donc, tu n'as jamais…, a-t-il commencé.

— Evan !

— Visiblement pas, a-t-il conclu d'un ton calme.

— Et toi, si ? ai-je répliqué sans même réfléchir.

— Je croyais qu'on ne devait plus parler de ça…

— Exact.

J'ai tourné le dos et me suis de nouveau absorbée dans la contemplation du paysage. Nous n'avons plus dit un mot jusqu'à la maison de Sara.

— Ça t'ennuie si Jason et moi on regarde un film dans ma chambre ? m'a-t-elle demandé à voix basse, profitant de ce que les garçons étaient un peu loin devant. J'ai envie d'être un peu tranquille avec lui.

Une décharge électrique m'aurait fait le même effet. Si elle restait dans sa chambre avec Jason, cela signifiait… que je me retrouvais en tête à tête avec Evan.

— Pas de problème, ai-je dit en refoulant ma panique.

Avant de fermer la porte de sa chambre, elle m'a fait un clin d'œil.

Evan s'est assis sur le canapé du salon avec un regard interrogateur.

— Ils veulent être un peu seuls tous les deux, ai-je expliqué en m'installant à l'autre bout du canapé. Qu'est-ce qu'on regarde comme film ?

— Tu vas encore t'endormir ?

— Non, promis.

Vu l'état de stress dans lequel j'étais, ça me semblait impossible.

Evan a choisi, dans l'impressionnante collection de DVD, une histoire de gens qui disparaissaient mystérieusement. Au bout d'une vingtaine de minutes, la fatigue de la soirée a commencé à se faire sentir. J'ai attrapé un coussin et je me suis allongée. J'avais beau essayer de lutter, mes paupières devenaient de plus en plus lourdes. Le sommeil a fini par gagner la partie.

— Emma, a chuchoté Sara en me secouant l'épaule.

Sa voix était étouffée, comme si elle venait de très loin. Je n'avais aucune envie d'émerger de mon cocon, c'était trop agréable.

— Em, il est deux heures du matin !

Je l'entendais plus clairement, à présent. Au moment où j'ai marmonné quelque chose pour montrer que j'étais réveillée, j'ai senti comme un poids autour de ma taille. Et une curieuse chaleur dans mon dos. J'ai cligné plusieurs fois des yeux pour chasser le brouillard dans mon cerveau. Un bruit régulier résonnait dans mon oreille et je sentais un souffle chaud sur ma nuque. D'un seul coup, j'ai ouvert grand les yeux et je me suis redressée.

— Qu'est-ce qu'il y a ? a demandé Sara en voyant mon air horrifié.

— Il y a que…

Avec beaucoup de précautions, j'ai soulevé le bras qui m'entourait la taille et je me suis glissée hors du canapé.

J'ai lancé un regard noir à Sara.

— Mais je n'ai rien fait ! a-t-elle protesté tout bas.

J'ai marché sur la pointe des pieds jusqu'à l'escalier, Sara sur les talons.

— Je me suis endormie alors qu'il était là, ai-je dit en montrant Evan, allongé sur le canapé.

— Vous étiez tellement mignons, tous les deux…

— C'est bon, oublie ! ai-je protesté en fronçant les sourcils. Et maintenant, je fais quoi ?

— Tu le réveilles et tu le vires, a-t-elle lancé en ricanant avant de se diriger vers sa chambre.

— Sara ! ai-je crié à voix basse tandis qu'elle refermait la porte.

J'ai soupiré puis j'ai jeté un œil vers le canapé. Il dormait profondément. Je me suis assise à l'autre extrémité, les genoux ramenés sous le menton. Je l'ai regardé respirer en m'efforçant de trouver le courage de le réveiller.

Du bout de mon pied, j'ai donné un petit coup contre sa cuisse.

— Evan…

Pas de réponse. J'ai poussé sa cuisse un peu plus fort.

— Evan, réveille-toi.

— Mmmh, a-t-il grogné en se tournant sur le dos.

Puis il a ouvert les yeux et m'a regardée.

— Salut, a-t-il dit, tout sourire, en étirant les bras au-dessus de sa tête.

— Salut.

— Il est quelle heure ? a-t-il demandé d'une voix ensommeillée.

— Deux heures du matin.

— Nooon ?! Pourquoi tu m'as laissé m'endormir ?

— Je me suis endormie avant toi !

— Ah oui, c'est vrai…

— Ça va aller ? Tu vas pouvoir conduire jusqu'à chez toi ?

— Sinon quoi ? Tu me laisserais dormir ici ?

— Non. Je m'inquiétais, c'est tout.

Il a souri et s'est levé. Après s'être de nouveau étiré, il a ramassé ses chaussures et les a enfilées.

— On se voit… tout à l'heure, en fait ? a-t-il dit en attrapant son manteau sur la chaise.

— Tu ne préfères pas plutôt dormir ?

— On est dimanche, c'est mon jour, a-t-il lâché, plein de malice. Je passe te prendre à dix heures.

— On peut dire plutôt onze heures ?

Le temps de la grasse matinée. Et de pouvoir débriefer avec Sara.

— Dix heures et demie ?

— OK. Et je dois être à la maison à seize heures, donc de retour ici à quinze heures.

Nous avons descendu l'escalier tout doucement pour ne pas réveiller les parents de Sara. Je me suis arrêtée sur la dernière marche. Il a ouvert la porte et m'a dévisagée sans rien dire pendant que je me tenais les bras croisés, frissonnant à cause du courant d'air. Son long regard a déclenché une drôle de sensation dans mon ventre.

— Bonne nuit, ai-je finalement murmuré.

— Bonne nuit.

J'ai verrouillé la porte derrière lui et remonté quatre à quatre l'escalier pour aller dans la chambre de Sara. Elle m'attendait.

— Il t'a embrassée ? a-t-elle lancé dès que j'ai franchi le seuil.

— Non ! Sara, tu ne peux pas à la fois espérer que je te réponde oui et me répéter que je ne peux pas sortir avec lui.

— Tu as raison, a-t-elle soupiré. Je te promets que je vais essayer d'être plus cohérente. Mais j'ai tellement envie que tu l'embrasses !

— Eh bien, garde ton envie pour toi ! Bonne nuit.

Je me suis glissée sous les couvertures en espérant que le sommeil vienne vite. Pour ne pas avoir le temps de réfléchir à la question qui pointait déjà dans ma tête : avais-je envie qu'Evan m'embrasse ?

# 20

# La pièce

— Tu dors ? a soufflé Sara de son lit.

— Mmmmh…, ai-je marmonné sous les draps.

— Allez, réveille-toi ! Tu dois me raconter le dîner, n'oublie pas.

J'ai rabattu le drap et me suis tournée vers elle. Elle était nettement plus réveillée que moi et montrait son impatience.

— Alors ? Comment ça s'est passé, ce dîner ?

Je lui ai fait le récit détaillé de ma soirée sur l'Autre Planète. J'ai décrit ses parents, brossé le portrait des invités grossiers qui étaient là et expliqué à quel point Evan se comportait différemment au milieu de ces gens. J'ai gardé le meilleur pour la fin : Catherine. Cette histoire l'a tellement fait rire que des larmes coulaient sur ses joues.

— Nooon, tu lui as vraiment dit ça ? a-t-elle lâché entre deux éclats de rire.

— C'est sorti tout seul, ai-je avoué. Ça, plus la fête de Jake, ça faisait beaucoup.

— Comment ça ? Qu'est-ce qui s'est passé chez Jake ? En dehors du fait que tout le monde se roulait des pelles dans tous les coins…

— Quand j'étais toute seule, j'ai discuté avec Drew Carson. Je l'ai trouvé super sympa. Enfin… jusqu'au moment où j'ai compris ce qui se passait dans cette fête. Ensuite je vous ai cherchés. Et là, Jake m'est tombé dessus. Il voulait absolument m'emmener ailleurs pour être seul avec moi.

— Et qu'est-ce que tu as fait ? a interrogé Sara, horrifiée. Je t'avais dit de ne pas bouger de là !

— Mais je ne savais pas de quoi tu parlais. Quand j'ai enfin compris, je lui ai évidemment dit qu'il était hors de question que je sorte avec lui ! Puis je suis montée et je vous ai retrouvés. Le pire, c'est qu'Evan savait de quel genre de fête il s'agissait et qu'il ne m'a pas prévenue… Il avait déjà été une fois chez Jake.

— Sérieux ? a-t-elle demandé, stupéfaite. Je ne pensais vraiment pas qu'il était comme ça.

— Moi non plus. Il m'a juré que non et qu'il n'avait « rien fait ». Mais il n'a pas non plus voulu me dire exactement ce qui s'était passé. De toute façon, je ne suis pas sûre de vouloir savoir.

— Moi si.

— Sara ! Il peut faire ce qu'il veut avec qui il veut, ça ne nous regarde pas.

Il était urgent de changer de sujet de conversation. J'ai enchaîné :

— Et avec Jason ? Comment ça s'est passé ?

Sara a poussé un profond soupir. Pas exactement la réaction que j'attendais.

— Quoi ? Raconte !

— Tu as fait plus de choses avec Evan sur ce canapé que moi et Jason... Bon, quand même, on s'est embrassés. Mais c'est tout.

— C'est-à-dire ?

— Je sais ce que tu penses de moi, a-t-elle répliqué en me regardant. Mais c'est comme ça : j'aime le sexe. Et lui, il ne me touche pas. Je ne sais pas quoi faire. Je pense qu'il n'est pas vraiment attiré par moi...

La déception s'entendait dans sa voix. Je ne savais pas comment la réconforter.

— Mais tu l'aimes toujours ?

— Je n'en suis même plus sûre.

Après quelques instants de silence, elle a changé de sujet.

— On n'a même pas reparlé de la visite surprise de ta mère.

— Je n'ai pas très envie d'en parler. C'est trop récent encore.

D'une manière générale, j'évitais de me replonger dans mes souvenirs avec ma mère. Trop douloureux.

Devant ma réticence, Sara n'a pas insisté. Visant le réveil, elle a dit :

— À quelle heure Evan vient te chercher ?

— Dix heures et demie, ai-je répondu en regardant à mon tour. C'est dans une heure ! Je dois prendre ma douche. Mais on n'a pas clos le sujet Jason ! On en reparle demain, sans faute ?

— OK.

À l'heure dite, Evan est arrivé. J'étais prête et je l'attendais dans l'entrée.

— Quel est le programme ? ai-je demandé en montant dans la voiture sous ce doux soleil de novembre.

— Tu vas voir.

En arrivant chez lui, j'ai été surprise de voir une BMW gris métallisé garée devant la maison. L'idée d'affronter ses parents après ma piètre performance de la veille ne me réjouissait guère.

— Qui est là ?

— Ma mère. Mais ne t'en fais pas, on ne la verra probablement pas.

À peine avait-il achevé sa phrase que la porte d'entrée s'est ouverte. Sa mère est sortie sur le perron pour venir à notre rencontre.

— Enfin… Peut-être que si, finalement ! a-t-il ajouté.

Vivian portait un pantalon serré noir et un sweat-shirt bleu ajusté qui mettaient en valeur sa taille fine. Même dans des vêtements de tous les jours, elle était incroyablement élégante.

— Emily ! m'a-t-elle dit avec un grand sourire. Ça me fait plaisir de te revoir.

J'ai souri à mon tour, un peu étonnée par la chaleur de son accueil, pendant qu'Evan l'observait.

Nous avons grimpé les marches pour la rejoindre et elle m'a serrée dans ses bras. Je me suis raidie, incapable de répondre à son geste. Je ne m'attendais pas à ça.

— Evan et toi avez prévu de passer l'après-midi ensemble, quelle bonne idée !

— Maman... Qu'est-ce qui t'arrive ?

Elle lui a jeté un regard désapprobateur.

— Je suis contente de revoir Emily, c'est tout.

Elle m'a gratifiée d'un large sourire.

— On va dans le garage, a-t-il annoncé en la dévisageant d'un air suspicieux.

— Contente de t'avoir vue, a-t-elle dit. Tu pourrais peut-être venir dîner un de ces jours.

— Euh... Merci. Avec plaisir.

Encore sous le choc, je me suis repassé les images de notre rencontre, la veille. Sans comprendre les raisons qui la rendaient soudain si gentille à mon égard.

J'ai suivi Evan mais, au lieu de monter dans la salle de jeux, il a ouvert la porte qui donnait dans l'autre partie du garage. Après l'avoir refermée derrière nous, il s'est adossé au mur, l'air songeur.

— Qu'est-ce qu'il y a ?

— Je ne sais pas du tout pourquoi elle se conduit aussi bizarrement et ça m'inquiète un peu. J'essaie de me rappeler si j'ai dit ou entendu quelque chose qui expliquerait son attitude. Je suis désolé qu'elle t'ait mise mal à l'aise.

— J'étais en train de me poser les mêmes questions. Je pensais qu'elle serait distante avec moi après toute la maladresse dont j'ai fait preuve hier soir. En plus, j'étais sûre que Catherine lui raconterait ce qui s'est passé...

Il a souri au souvenir de cet épisode.

— D'ailleurs, je suis vraiment désolée pour ça, ai-je ajouté, les yeux au sol.

— De quoi tu parles ?

— Au lieu de rire, pendant le dîner, j'aurais dû te venir en aide. Je ne riais pas de toi mais d'elle. Elle était tellement ridicule. Et je me sentais mal pour toi.

— Je sais bien, ne t'en fais pas.

Il m'a souri.

— Bon, on fait quoi ? ai-je demandé en regardant autour de moi.

Un jet-ski, deux motoculteurs et quelques motos et bicyclettes étaient garés dans le grand espace. Evan s'est approché d'une des motos et m'a tendu un casque rouge.

— On va faire un tour.

Il a poussé l'engin jusqu'à la porte et a appuyé sur un bouton pour ouvrir le garage. Je l'ai regardé sortir sans bouger d'un pouce.

— Je ne suis pas certaine que ce soit une bonne idée, Evan.

— Tu vas adorer, crois-moi ! a-t-il dit en mettant son casque.

À pas lents, je l'ai rejoint dehors. Il m'a aidée à enfiler mon casque et me l'a attaché. Puis il m'a montré comment je devais m'asseoir et placer mes pieds sur les cale-pieds en m'expliquant que le chemin était plutôt plat mais qu'il pouvait y avoir quelques nids-de-poule. Très rassurant. Non seulement je montais sur une moto pour la première fois de ma vie, mais en plus je risquais d'en être éjectée !

Il a donné quelques coups de kick et le moteur a démarré dans un vrombissement impressionnant. Tournant la poignée d'accélérateur, il l'a fait gronder encore plus fort. Dans ma poitrine, mon cœur battait fort aussi. À son signal, je suis montée derrière lui en suivant ses instructions. Je me suis assise en me collant contre son dos et j'ai posé mes mains sur ses hanches. Il a pris mes doigts et a tiré mes mains de manière à ce que j'enserre complètement sa taille. Dès que nous avons commencé à rouler, j'ai compris pourquoi.

Nous avons suivi un chemin à travers le champ derrière la maison pour rejoindre les bois. Une fois au milieu des arbres, j'ai agrippé Evan encore plus fort. Le terrain était de plus en plus accidenté et je tressautais à la moindre pierre ou racine. J'avais tellement peur qu'il m'était difficile d'apprécier l'expérience. Petit à petit, quand même, j'ai fini par m'habituer aux secousses et j'ai desserré mon étreinte. Mais je restais solidement accrochée à lui, sachant qu'une simple branche sur le chemin pourrait me faire faire un dangereux vol plané. Les arbres avaient perdu leurs feuilles et laissaient passer les rayons du soleil en une jolie lumière tamisée.

Après avoir ralenti, Evan s'est arrêté. Il a coupé le moteur et a enlevé son casque. J'ai voulu faire de même mais je n'ai pas réussi à défaire la mentonnière. Les jambes encore tremblantes, je suis descendue de la moto et me suis tournée vers lui pour qu'il m'aide.

— Alors ? a-t-il demandé.

— Pas mal.

— Avoue, tu as adoré !

— Pas vraiment…

Il a hoché la tête avec un sourire.

J'ai regardé autour de moi. Un jeu d'ombres et de lumière faisait scintiller les feuilles qui recouvraient le sol. Un peu plus loin, un ruisseau coulait le long d'une colline avant de disparaître derrière les arbres.

— C'est joli.

— J'ai pris des super photos dans ce coin.

— Je n'ai jamais vu tes photos. En dehors de celles pour tes articles et celles que tu as proposées pour le calendrier, je veux dire.

— Je pourrai te les montrer quand on rentrera, si tu veux.

— Super !

Nous avons marché jusqu'au ruisseau et nous nous sommes assis sur le sol recouvert de mousse.

— Ma mère s'est pointée au match, l'autre soir, ai-je dit, le regard perdu dans la contemplation de l'eau qui circulait entre les pierres.

Je n'avais pas prévu de dire ça. À vrai dire, jusqu'à cet instant, je croyais que j'avais définitivement effacé cet incident de mon cerveau.

— Tu devais être contente de la voir.

J'ai eu un rire bref.

— Je ne sais pas très bien.

Evan est resté silencieux. Il attendait la suite.

— En fait, c'était surtout gênant.

— Ah bon…

Ne sachant pas quoi dire d'autre, il m'a pris la main. Ça m'a touchée au cœur. Nous sommes restés silencieux, suivant des yeux le courant du ruisseau.

— Je ne comprends toujours pas pourquoi ma mère s'est comportée comme ça, a-t-il confié au bout d'un moment. C'est possible qu'elle t'aime bien, tout simplement.

— Merci, ai-je riposté d'un ton sarcastique.

— Ce que je veux dire c'est que tu n'as pas beaucoup parlé avec elle, hier soir, et c'est la première fois que je la vois accepter quelqu'un aussi facilement. Elle est assez difficile en général.

— C'est ce qu'elle dégage, ai-je admis avec un petit hochement de tête. À propos d'hier soir… Tu étais vraiment différent de d'habitude, pendant ce dîner. C'était un peu bizarre.

— Comment ça ?

— Tu faisais plus âgé. Tu parlais bien et tu agissais un peu comme un… snob, ai-je expliqué en espérant ne pas être blessante.

Je l'ai dévisagé pendant qu'il réfléchissait à ce que je venais de dire.

— Je n'avais jamais remarqué ça, mais tu as sans doute raison. À force de fréquenter ce genre de soirées depuis des années, ça a fini par déteindre sur moi, j'imagine.

Il a fait un sourire en coin.

— Va falloir que tu m'accompagnes plus souvent pour que je reste moi-même, a-t-il suggéré en me poussant gentiment avec son épaule.

Le contact m'a fait frissonner. J'ai respiré profondément pour retrouver mon calme, un sourire figé sur les lèvres.

Une sonnerie discrète a retenti. Evan a sorti son portable de sa poche, regardé le nom et m'a fait une grimace avant de répondre.

— Salut, Jake.

J'ai écarquillé les yeux.

Evan a écouté un moment sans rien dire.

— Désolé de ne pas t'avoir dit que je viendrais avec elle. Je ne pensais pas que c'était important.

Nouveau silence.

— Je comprends. Mais je t'avais prévenu qu'elle n'était pas comme ça.

Il m'a jeté un regard furtif. J'ai ouvert la bouche, médusée, essayant d'imaginer ce que Jake pouvait dire à l'autre bout du fil.

— Non, je ne pense pas que tu doives t'inquiéter. Elles ne vont rien dire… Non, Jason non plus. J'en ai parlé avec lui hier soir.

Silence.

— Ouais, on va dire qu'elle n'était pas intéressée non plus.

Grand sourire d'Evan. J'ai senti le rouge envahir mes joues.

— T'en fais pas pour ça. Tout va bien. On se voit demain.

Il a raccroché et a éclaté de rire.

— Tu as intérêt à me dire de quoi il s'agit !

— Il était énervé que je sois venu et pensait que c'était pour ça que tu as réagi comme tu l'as fait. Il voulait aussi être sûr que vous ne parlerez pas de la fête. Ses invités sont triés sur le volet pour cette raison : personne ne raconte ce qui s'y passe. Il y a des rumeurs, mais personne ne confirme. Bon, la bonne nouvelle, c'est qu'il ne va plus te draguer… Je pense qu'il a compris, maintenant.

— Tant mieux. Il est tellement arrogant. Je ne comprends pas que tu puisses être ami avec un type pareil.

— Ça n'est pas vraiment le cas. Je l'ai connu avant d'arriver ici. Sa mère et la mienne étaient dans le même conseil d'administration d'un fonds de pension et je l'ai rencontré à un dîner. Quand il a su que je m'installais à Weslyn, il m'a invité à une fête pour me « présenter » des gens avant de commencer le lycée.

J'ai failli lâcher un commentaire sur cette « présentation » mais je me suis retenue. Au fond, je n'avais pas envie d'en savoir plus.

— Et on est tous les deux dans l'équipe de foot. Et on a traîné quelques fois ensemble avec d'autres gars, mais rien de plus. Il est lourd. Je n'aimerais pas du tout être à la place de la fille qu'il a en tête. Tu ne peux pas imaginer ce qu'il dit…

Il s'est arrêté avec un air contrit.

— Tu es sérieux, là ? Il a dit des trucs sur moi ?

— Il ne le fait pas devant moi parce qu'il sait que ça me met en colère et je ne me gêne pas pour le lui dire. C'est un vrai débile, mais ne t'en fais pas, il ne raconte pas de bobards – genre qu'il est sorti avec toi ou des trucs comme ça.

Je voyais bien qu'il essayait de me rassurer ; mais la simple idée d'avoir été un sujet de conversation pour Jake me rendait dingue.

— On devrait rentrer, a-t-il suggéré pour me tirer de mes pensées désagréables.

Nous nous sommes levés et dirigés vers la moto. Il m'a aidée à attacher mon casque et nous sommes repartis. Heureusement, le trajet du retour m'a paru plus court. Les balades à moto n'étaient clairement pas ma tasse de thé.

— Tu as faim ? m'a-t-il demandé. Je peux descendre nous chercher des sandwichs.

— OK, avec plaisir.

Il a mis la musique d'un chanteur dont la voix grave et profonde célébrait le plaisir de dormir à la belle étoile. Assise sur le canapé, j'ai écouté rêveusement la chanson en l'attendant. Perdue dans mes pensées, je ne l'ai même pas entendu monter l'escalier.

— Et voilà ! s'est-il exclamé en entrant dans la pièce.

Il a ri en me voyant sursauter. Sur la table basse devant moi il a posé une assiette et une canette de Coca.

— Ta mère est toujours là ?

— Ouais ! Elle m'a pris la tête parce que je t'avais emmenée faire un tour à moto. J'ai fini par lui dire que tu n'étais pas en porcelaine.

J'avais du mal à croire que sa mère se préoccupe ainsi de moi. Elle me connaissait à peine.

Une fois notre sandwich terminé, Evan m'a demandé si je voulais voir ses photos.

— Et comment !

Je l'ai suivi dans une pièce peinte à la chaux, avec des poutres apparentes. En face des fenêtres qui donnaient sur le devant de la maison étaient disposés deux lits jumeaux. Le long du mur se trouvait un grand bureau sur lequel étaient rangés des appareils photo, des objectifs et des piles de photos.

Mais la chose qui m'a sauté aux yeux, c'était l'écharpe blanche de Sara, posée sur le dossier de la chaise. Evan a intercepté mon regard.

— Tu l'as laissée dans ma voiture et j'oublie toujours de te la rendre.

J'ai hoché la tête sans un mot.

Evan a commencé par les photos de paysages accrochées aux poutres en m'expliquant où avait été prise chacune d'elles. J'avais l'impression d'être moi-même aux endroits qu'il décrivait, à côté de lui lorsqu'il avait appuyé sur le déclencheur.

Il est passé à celles qui étaient éparpillées sur le bureau. Après avoir fait quelques commentaires, il s'est tu pour me laisser les découvrir par moi-même. J'étais sans voix. Lorsque j'avais vu ses photos pour le journal, j'avais tout de suite compris qu'il était doué. Mais pas à ce point.

Un album de cuir noir était posé là. Au moment où je l'ai pris, j'ai vu Evan se raidir. J'ai hésité un instant. Peut-être ne voulait-il pas que je le regarde ?

— C'est mon travail pour le cours d'arts plastiques, a-t-il précisé.

Je ne comprenais pas pourquoi il semblait si crispé.

— Je peux regarder ?

— Bien sûr, a-t-il répondu.

Il avait l'air vraiment embarrassé.

J'ai tourné les pages et observé attentivement les images. Il y avait des photos de sport, des scènes de rue, des compositions abstraites réalisées à l'aide d'objets non indentifiables qui formaient un ensemble de lignes et de courbes élégantes. Lorsque j'ai tourné la page suivante, j'ai eu le souffle coupé. À côté de moi, j'ai senti qu'Evan était tétanisé.

Lentement, j'ai détaillé l'image en noir et blanc. Le portrait d'une fille. L'arrière-plan sombre faisait ressortir la pâleur de sa peau. Une mèche de cheveux échappée flottait sur ses lèvres entrouvertes. Quelques gouttes d'eau perlaient sur ses joues. Ses yeux en amande, bordés de cils noirs qui accentuaient son regard profond et mystérieux, perdu au loin. L'ensemble dégageait une puissante émotion.

— C'est magnifique, ai-je soufflé.

— J'adore cette photo. Sûrement à cause de ce que je ressens pour son modèle.

Je me suis tournée vers lui, troublée par ses mots.

— Quoi ?

Je sentais un étau autour de ma poitrine et le rythme de mon cœur s'est accéléré.

— Tu ne te souviens pas quand j'ai pris cette photo ?

Fronçant les sourcils, je lui ai lancé un regard dubitatif.

— Tu étais silencieuse depuis un moment. Quand je suis venu te demander si tout allait bien, tu n'as pas dit un mot. Donc je suis allé chercher mon appareil pour prendre quelques photos de la fête et te laisser un peu tranquille. Comme tu n'avais pas l'air d'avoir envie de bavarder…

Je n'étais pas certaine de vouloir en entendre davantage. Ma tête bourdonnait et j'avais du mal à respirer.

— Sara était dans la maison. Elle m'a demandé où tu étais. Je lui ai dit que j'allais te chercher et qu'on se retrouverait dehors. Il avait commencé à pleuvoir. C'était étonnant de te voir là, sous la pluie, immobile. Tu avais l'air complètement ailleurs. À des millions d'années-lumière. Je devais absolument saisir cet instant. Ensuite, je t'ai parlé un peu, mais sans succès.

Donc je me suis assis à côté de toi, et j'ai attendu. Au bout d'un moment, tu es sortie de ta bulle, et tu t'es rendu compte qu'il pleuvait.

Chacun de ses mots me parvenait comme dans un halo. Je n'en comprenais pas le sens. Soudain, j'ai plongé mon regard dans la profondeur de ses yeux gris-bleu. Et j'ai compris. Mes genoux se sont mis à trembler et mon pouls s'est brutalement accéléré. Les yeux baissés, le souffle coupé, je me suis assise sur la chaise.

Après quelques instants de silence, Evan m'a demandé :

— Ça va ?

— Non, ai-je marmonné en secouant la tête.

J'ai levé mes yeux sur lui avant d'ajouter :

— Tu ne peux pas dire ça, Evan. N'y pense même pas.

— J'espérais une autre réponse...

Dans son regard, j'ai lu la déception.

— Je suis désolée..., ai-je commencé.

— Non, non, c'est bon, a-t-il coupé.

Puis, après une seconde de réflexion :

— Tu es en train de me dire que tu ne ressens pas du tout la même chose ?

Mon cœur explosait dans ma poitrine ; je retenais mon souffle.

— Je... Je ne peux pas. On ne peut pas..., ai-je bafouillé. Tu ne comprends pas. Peu importe ce que je ressens, c'est impossible.

Sourcils froncés, il a plongé son regard dans le mien et a secoué la tête.

— Je ne comprends pas, en effet.

— Je préfère qu'on soit juste amis.

— Mais est-ce que tu ressens la même chose que moi, ou pas ?

— C'est bien plus compliqué que ça. Si on ne peut pas être seulement amis, alors...

Impossible de finir cette phrase.

— S'il te plaît... Juste amis. C'est possible ?

Il n'a rien dit. La sonnerie de son téléphone a brisé le silence. Après un rapide coup d'œil sur l'écran, il m'a regardée.

— Je dois répondre. C'est mon frère.

J'ai hoché la tête et il est sorti de la pièce. Ses pas ont résonné dans l'escalier.

Restée seule, j'ai essayé de me calmer. J'ai posé mes mains tremblantes sur le bureau. Puis j'ai fermé les yeux et je me suis forcée à respirer lentement et profondément pour chasser la boule que j'avais dans la gorge et le nœud dans mon ventre. Après quelques respirations, je me suis levée. Mes jambes étaient comme du coton. J'ai quitté la pièce en refermant la porte derrière moi.

# 21

## JUSTE AMIS

— Bien sûr qu'on peut être amis, a lâché Evan lorsqu'il m'a vue sur le canapé, perdue dans mes pensées, une vingtaine de minutes plus tard.

Il s'est assis à côté de moi et m'a pris la main. La chaleur de ses doigts sur ma peau m'a fait frissonner. J'ai cherché son regard.

— On est déjà amis. Rien n'a changé.

Un large sourire avait remplacé la déception. Il semblait sincère.

— D'accord ?

Que s'était-il passé pendant les vingt minutes où il avait disparu ? Il n'était pas le même qu'au moment où il avait quitté la pièce.

— D'accord, ai-je dit doucement.

Au prix d'un grand effort, j'ai réussi à lui sourire à mon tour.

⁂

L'idée de le voir au lycée m'angoissait un peu. Je craignais qu'une certaine gêne ne se soit installée entre nous. Mais, heureusement, ça n'a pas été le cas. Ni tension, ni difficulté. Tout était comme avant. Ou presque.

En réalité, j'étais devenue beaucoup plus sensible à sa présence. Lorsqu'il me prenait par le bras en marchant dans le couloir ou qu'il se penchait pour me chuchoter à l'oreille pendant le cours de bio, j'avais l'impression que des centaines d'infimes piqûres me traversaient le corps. Je me suis surprise à sourire plus souvent, et à garder plus longtemps mes yeux dans les siens. Je posais sur lui un regard neuf, comme si je le remarquais pour la première fois.

Son attitude aussi s'était modifiée. Il s'asseyait plus près de moi, m'observait plus longuement. Il s'est mis à ranger ses livres dans mon casier entre deux cours et, lorsqu'il les récupérait, il posait sa main sur mon dos en se penchant sur moi. Tous ces petits gestes déclenchaient des réactions dans différentes parties de mon corps – une sensation de brûlure dans la poitrine, des picotements sur la nuque… Il ne me prenait pas la main dans l'enceinte du lycée mais se débrouillait pour l'effleurer dès que nous étions proches l'un de l'autre.

Rien n'avait changé mais tout était différent. On aurait dit une sorte de parade. Nous nous effleurions sans nous toucher, nous savions sans dire, nous sentions sans exprimer. Nous étions amis. Mais nous marchions le long d'un précipice. Un précipice vraiment profond. Et j'étais tellement absorbée par sa présence que je ne me rendais pas compte que le terrain était terriblement glissant.

— Qu'est-ce qui t'arrive ? m'a demandé Sara, le mercredi matin, sur le trajet de l'école.

Lorsque j'étais revenue de chez Evan, je ne lui avais pas tout raconté. J'avais évoqué notre expédition à moto et le coup de téléphone de Jake, mais je n'avais rien dit pour la photo. J'avais peur, en mettant des mots dessus, que tout cela devienne trop réel. Et comme Evan et moi avions ensuite scellé une fois de plus un pacte d'amitié, je ne voyais pas la nécessité de revenir sur le sujet.

— Comment ça ? ai-je dit, étonnée.

— Toi et Evan, vous vous comportez vraiment différemment depuis quelques jours. Est-ce qu'il s'est passé quelque chose dont tu ne m'as pas parlé ?

Elle a cherché à capter mon regard fuyant et a ajouté :

— Ah oui ! Il s'est visiblement passé quelque chose. Il t'a embrassée ? Et tu ne m'as rien dit !

— Non, Sara. Il ne m'a pas embrassée, ai-je aussitôt protesté sur un ton véhément.

— Alors quoi ? Vous avez l'air plus… proches. Je ne sais pas quoi, mais un truc a changé entre vous. Qu'est-ce qu'il y a ?

— On est juste amis.

— Il t'a parlé ? a-t-elle insisté, tout excitée.

Le rouge a envahi mes joues.

— Nooon ! a-t-elle enchaîné. Ça y est ? Il t'a enfin dit ce qu'il éprouvait pour toi ? Qu'est-ce qu'il t'a dit exactement ? Raconte !

— Mais on s'en fout, Sara ! ai-je répliqué en rougissant encore plus au souvenir des mots d'Evan. On est juste amis, c'est tout. Donc ça n'est pas un sujet.

Sara n'a pas poursuivi son interrogatoire, mais un léger sourire est apparu sur ses lèvres.

— Carol rentre tôt du travail, aujourd'hui ? a-t-elle demandé, quelques minutes plus tard, tandis que nous arrivions sur le parking du lycée.

— Elle a pris sa journée. Elle fait des courses avec sa mère et prépare le dîner de Thanksgiving, demain. Je crois que sa sœur et ses enfants seront en ville ce soir, et elle voudra probablement y aller aussi.

— Alors tu pourras venir à la maison après l'école ?

— Je pense que je vais aller chez Evan, ai-je lâché du ton le plus dégagé possible.

— D'ac ! Je viendrai avec toi.

Inutile de discuter avec Sara quand elle avait une idée en tête.

— OK, ai-je répondu avec un sourire forcé pour cacher ma déception.

À ma grande surprise, Evan n'a pas semblé contrarié lorsque je lui ai annoncé la nouvelle. En arrivant chez lui, j'ai compris pourquoi. À côté de la BMW de sa mère était garée une Volvo noire immatriculée à New York.

— C'est ton frère ?

— Il est arrivé hier soir tard.

La porte s'est ouverte au même instant et Vivian est apparue, un tablier blanc autour de la taille. Même dans cette tenue, elle gardait son élégance naturelle. Ses cheveux attachés révélaient l'ovale de son visage et la délicatesse de ses traits. Elle portait une jupe noire et une chemise blanche cintrée qui soulignait sa taille fine.

Derrière elle se tenait un grand jeune homme. Son fils aîné. Tout le contraire d'Evan. Blond, bouclé, il avait les traits doux de sa mère – lèvres fines et grands yeux bleus. Légèrement plus grand qu'Evan, il était également plus costaud.

— C'est qui ? m'a chuchoté Sara en les voyant s'approcher.

— La mère et le frère d'Evan.

— Emily, comment vas-tu ma chérie ? a demandé Vivian en m'embrassant chaleureusement.

J'étais tellement sidérée que je n'ai pu que bredouiller :

— Ravie de vous revoir, madame Mathews.

— Appelle-moi Vivian, s'il te plaît. On se connaît déjà suffisamment !

— Jared, je te présente Emma, a déclaré Evan.

— Salut ! J'ai beaucoup entendu parler de toi, a-t-il lancé en me tendant la main.

J'ai jeté un coup d'œil interrogateur à Evan.

— Voici mon amie Sara, ai-je dit.

— Je suis heureuse de faire ta connaissance, Sara, a dit Vivian en lui serrant la main. J'ai rencontré tes parents. Ce sont des gens formidables.

Avant que Jared ait eu le temps de se présenter à Sara, Vivian s'est tournée vers moi :

— Tu restes dîner ?

— Maman, demain c'est Thanksgiving, est intervenu Evan. Je pense qu'Emma va dîner chez elle, avec sa famille.

— Une autre fois, alors ?

— Avec plaisir, ai-je promis.

— On monte jouer au billard, a annoncé Evan avant que sa mère ne décide de lancer une autre invitation.

Il m'a prise par la main et m'a emmenée vers le garage. Sara et Jared nous ont suivis.

Pendant qu'Evan choisissait la musique et que Jared cherchait les boules de billard, Sara m'a entraînée à l'écart.

— C'est quoi le délire ? Sa mère en a fait des tonnes avec toi ! Et il te tient la main comme si c'était la chose la plus naturelle au monde. Tu as oublié de m'inviter au mariage, ou quoi ?

— Sara ! me suis-je exclamée, choquée.

Elle a froncé les sourcils et nous avons jeté un rapide coup d'œil autour de nous pour vérifier que les garçons ne nous avaient pas entendues.

— Arrête de dire n'importe quoi. J'ai rencontré sa mère au dîner, au cas où tu aurais oublié. Et il m'a pris la main pour m'emmener avant qu'elle ne dise autre chose de gênant.

— Si tu le dis, a-t-elle lâché d'un ton peu convaincu.

— Vous êtes prêtes ? a lancé Evan à l'autre bout de la pièce.

Nous avons joué en équipe : lui et moi contre Jared et Sara. Pendant la partie, nous avons discuté de la saison de basket, du foot, de l'université de Cornell et des projets pour les vacances. Chaque fois qu'Evan m'aidait à ajuster mon tir, il posait sa main sur ma taille. Je sentais les yeux de Sara qui suivaient son geste. Une légère chaleur envahissait mes joues et le rythme de mon cœur s'intensifiait.

— Dis donc, qu'est-ce qui se passe avec maman ? a interrogé Jared tandis que son frère se penchait pour viser.

Avant de répondre, Evan a attendu que sa boule roule jusqu'au trou et tombe dedans.

— Je t'ai raconté qu'Emma était venue avec nous au dîner chez les Jacobs, le week-end dernier ?

— Oui. Et je suis désolé que tu aies dû endurer ça, a dit Jared en me regardant.

J'ai grimacé un vague sourire, inquiète de ce qu'Evan s'apprêtait à annoncer.

— Eh bien, il semblerait que le Dr Eckel aime bien les ragots, a-t-il expliqué en me regardant furtivement.

Mon ventre s'est crispé.

— Emma était assise à côté de lui, a poursuivi Evan. Et il a dû entendre Catherine, et ses…

— Tentatives de séduction, ai-je complété.

Evan a souri devant le choix de mon mot.

— Bref. Il semblerait qu'il ait également entendu quelques réactions un peu vives d'Emma.

— Ah oui ? ai-je bafouillé en rougissant.

— Je pense que la moitié des invités ont entendu aussi. Mais lui, il savait de quoi il s'agissait. Et quand on a filé à l'anglaise, il sortait justement des toilettes. Et il a assisté à ta splendide sortie.

— Sérieux ? ai-je demandé, les yeux écarquillés et les joues écarlates.

— Ne t'en fais pas, il a trouvé ça plutôt drôle ! Comme lui et ma mère sont les rois du ragot, il lui a évidemment raconté. Ma mère ne supporte pas les

Jacobs, y compris Catherine, et elle a été impressionnée par la manière dont tu l'avais remise à sa place.

— Elle est impressionnée parce que je me suis moquée d'elle ? C'était pourtant pas très subtil…

— Tu ne connais pas Catherine ! Elle doit encore être en train de se demander pourquoi tu as réagi comme ça, a-t-il dit en riant. Ma mère, elle, pense que tu as fait preuve de beaucoup de retenue et de diplomatie.

— C'est excellent ! s'est exclamé Jared.

— Vous allez skier tous les deux, ce week-end ? ai-je interrogé, pour changer de sujet de conversation.

— C'est vrai, qu'est-ce qu'on fait ce week-end, finalement ? a répété Jared en regardant Evan. J'aimerais bien sortir le snowboard. On peut partir samedi matin et passer la nuit là-bas.

— On a quelque chose de prévu dimanche ? a dit Evan en se tournant vers moi.

— On peut sortir vendredi soir si on veut, a suggéré Sara.

J'avais presque oublié sa présence.

— Em, tu peux dire qu'on doit travailler toutes les deux sur le devoir de journalisme, a continué Sara. Tu n'as qu'à raconter que c'est pour lundi et que le seul moment où je suis libre c'est vendredi soir. Comme ça, on peut aller au cinéma avec Evan. Jared, tu es le bienvenu si tu veux.

— Tu m'as l'air de bien te débrouiller, côté bobards aux parents, a observé Jared.

— Quatre années de pratique !

J'ai éclaté de rire.

— Et Jason ? a demandé Evan.

— Ben… En fait, je pense qu'on ne le verra plus beaucoup, a avoué Sara.

— Qu'est-ce qui s'est passé ? s'est étonné Evan.

— Euh… Il était un peu trop… calme.

J'ai eu un petit sourire. La formulation était bien trouvée.

— Il est vraiment cool, mais j'ai envie de quelqu'un d'un peu plus… spontané, a-t-elle précisé en me faisant un clin d'œil discret.

— Oh, c'est dommage que ça n'ait pas collé, a conclu Evan.

— Bah…, a-t-elle simplement répondu, avec un haussement d'épaules.

Après quelques parties de billard supplémentaires et trois de fléchettes, j'ai regardé l'heure. Il était temps pour moi de partir si je voulais être rentrée avant George.

— T'es vraiment gonflée ! s'est écriée Sara après avoir claqué la portière de la voiture.

Je me suis tournée vers elle, interloquée.

— Je crois que je n'ai jamais senti une telle tension sexuelle dans une pièce…

— Quoi ? ai-je éclaté de rire. Tu t'imagines vraiment de ces trucs !

— Ah bon ?

J'ai affiché un large sourire en guise de réponse.

— Je ne suis pas si sûre, a-t-elle conclu devant mon absence d'argumentation. Emma, fais attention. OK ?

— Je ne te comprends pas. L'autre jour tu me dis qu'on est super mignons ensemble et tu veux absolument me faire avouer qu'on s'est embrassés, et maintenant… Je ne m'attendais pas que tu réagisses comme ça.

— J'ai été idiote de te taquiner à propos du baiser, la dernière fois. Désolée. Mais maintenant que je vois à quoi ressemble votre nouvelle « amitié », je m'inquiète pour toi. Je pense que Carol va te démolir si elle le découvre.

— Ne t'inquiète pas, Sara. Il ne se passera rien.

Assise sur les marches, devant la maison, je n'ai pas attendu très longtemps le retour de mon oncle. En l'absence de Carol, il m'était plus facile de lui demander la permission de rester chez Sara le vendredi soir. Il me l'a donnée, en me rappelant que je devais rentrer tôt le samedi matin pour faire le ménage et que, comme lui serait en ville, je devais faire attention à ne pas contrarier ma tante quand je serais seule avec elle. J'ai promis, en sachant pertinemment que le simple fait que je respire le même air qu'elle lui était insupportable. Et ça, je n'y pouvais rien.

J'ai survécu au dîner de Thanksgiving chez Janet en me faisant la plus discrète possible. À la fin du repas, Carol m'a jeté un regard agressif, m'ordonnant de débarrasser la table et de laver la vaisselle. Mais Janet ne voulait pas en entendre parler. Carol s'est retenue pour ne pas exploser. J'ai filé dans le salon afin de ne pas me trouver sur son chemin. Je suis restée avec les enfants, dessinant avec eux tout en regardant un film à la télévision.

Le lendemain, Sara est venue me chercher le matin pour passer la journée ensemble avant d'aller au cinéma dans la soirée. Elle voulait faire les boutiques. Je l'ai suppliée de ne pas m'infliger ses interminables séances d'essayage un des jours fériés les plus fréquentés de l'année. Elle a capitulé et je l'ai simplement accompagnée dans quelques magasins où elle devait faire des courses avant le déjeuner. D'abord le bijoutier, où elle a acheté une paire de boucles d'oreilles ; puis la couturière, pour récupérer des vêtements sur mesure ; et nous avons terminé la tournée par une visite chez la pédicure pour nous deux. Journée presque parfaite, selon Sara ! Il manquait juste la virée shopping... Mais j'ai eu un aperçu de la vie ordinaire de Sara McKinley.

De retour chez elle, nous nous sommes installées dans le salon avec sa mère. Anna nous a félicitées pour le choix de nos vernis à ongles – rose pâle pour moi, rouge éclatant pour Sara. Elle était en train de noter la liste des personnes à qui elle enverrait une carte de vœux de Noël la semaine suivante et Sara s'est jointe à elle. Mère et fille parlant et riant ensemble en évoquant les différents oncles, tantes et cousins. Je les ai observées. Si leur belle complicité m'a fait sourire, je n'ai pu m'empêcher d'avoir un pincement au cœur devant cette image de famille idéale si loin de la mienne.

— À quelle heure vous retrouvez les garçons ? a demandé Anna.

— On va à la séance de six heures, a dit Sara. Ensuite, on va probablement manger quelque chose. Puis on reviendra traîner à la maison.

Je découvrais moi aussi le programme de la soirée.

— Tu viens ? m'a lancé Sara. On va dans ma chambre pour choisir ce qu'on va se mettre.

Une fois en haut, je me suis assise sur son lit pendant qu'elle sortait des vêtements du dressing.

— Sara…, ai-je lâché d'une voix tendue.

En m'entendant, elle est aussitôt sortie.

— Je ne vais pas pouvoir à la fois aller au cinéma et dîner au resto. J'ai un peu d'argent de côté, mais pas assez pour les deux.

Je détestais cette situation : elle avait décidé de ce que nous allions faire, et je ne pouvais pas suivre. Et elle savait très bien que je ne supportais pas non plus l'idée qu'elle paie pour moi.

— Ne t'en fais pas pour ça, a-t-elle simplement répondu. J'ai des pass pour le cinéma, boissons et pop-corn inclus, donc tu peux garder ton argent pour le resto. J'en ai quatre, je vais aussi inviter les garçons. Et je pense que si j'offre le ciné, ils voudront payer le dîner…

— Tu es sûre ?

— Certaine. J'ai ces pass, autant en profiter.

Sans même attendre ma réaction, elle est repartie dans le dressing.

— Tu as un autre pull rose ? ai-je crié en l'entendant râler devant ses étagères.

— Malheureusement pas !

Elle a passé la tête dans l'embrasure de la porte et m'a tendu quelque chose avec un sourire :

— Et puis, fini les pulls roses, c'est trop risqué. Je t'ai à l'œil ! Mais j'ai cette très jolie chemise noire qui ira très bien avec un jean foncé et des talons.

— Non, pas de talons ! ai-je protesté en attrapant la chemise, qui paraissait un peu petite.

— Attends… Et des bottes ? Elles ont un talon plus large donc c'est plus simple pour marcher.

J'ai haussé les épaules en signe de capitulation.

— Je te ferai une jolie queue-de-cheval, et tu seras superbe pour aller au cinéma avec tes « amis »… !

Je lui ai tiré la langue.

Vêtue d'une blouse en soie blanche qui mettait en valeur le bleu de ses yeux, Sara semblait habillée plus pour un rendez-vous amoureux que pour une sortie entre copains.

Evan nous attendait en bas de l'escalier. Avec un grand sourire.

Jared était dehors, dans sa Volvo. Alors que Sara s'apprêtait à monter à l'arrière avec moi, il lui a ouvert la portière avant.

— Ah, merci, a-t-elle dit en s'installant à côté de lui.

Evan s'est assis à l'arrière avec moi. Avant même que nous soyons sortis de la propriété, il avait pris ma main dans la sienne. La chaleur de sa peau a déclenché un doux frisson sur ma nuque. Au cours du trajet, sans nous en rendre compte, nous nous rapprochions sur la banquette. Comme si une attraction particulière et indépendante de notre volonté agissait. Nos cuisses se touchaient. Et mon cœur ronronnait de plaisir.

Comme pour se rattraper de son silence chez Evan, Sara n'a pas cessé de parler. Si Jared l'écoutait avec attention, elle se tournait régulièrement vers nous. Je savais qu'elle le faisait surtout pour nous empêcher de profiter de l'obscurité de la voiture… Jared, lui, était sous le charme de Sara. Il buvait littéralement ses paroles, riait à la moindre de ses plaisanteries et les ponctuait de remarques intelligentes. J'étais contente de l'avoir avec nous, plutôt que Jason.

— C'est fini les pulls roses ? m'a susurré Evan pendant que Sara était occupée à raconter ses derniers repas dans son restaurant préféré à New York – qui était également celui de Jared.

— Elle trouve ça trop dangereux, ai-je chuchoté en montrant Sara du menton.

Il m'a lancé un coup d'œil étonné.

— Laisse tomber.

— OK, a-t-il cédé avec un haussement d'épaules.

Puis il s'est penché vers moi et m'a glissé :

— Mais tu es très bien comme ça aussi.

Son souffle a caressé mon oreille. Il est resté quelques secondes. Si je tournais la tête, nos visages se touchaient. J'ai respiré profondément. Attendu que l'air imprègne mes poumons. Puis, lentement, j'ai décalé ma tête.

— Ça vous va ? a demandé Sara en se retournant.

Je l'ai regardée tandis qu'Evan se reculait sur la banquette. Elle m'a jeté un coup d'œil accusateur.

— Qu'est-ce que vous avez dit ? ai-je demandé.

Evan m'a pressé légèrement la main.

— Un italien, pour le dîner, ça vous va ? a-t-elle répété.

— Parfait, a acquiescé Evan.

Nous nous sommes garés devant le cinéma. Dès que je suis sortie de la voiture, Sara m'a attrapée par le bras pour me garder près d'elle, laissant les garçons suivre derrière.

— Tu es en train de te mettre dans un sacré pétrin, m'a-t-elle glissé à voix basse.

J'ai hoché la tête – c'était la vérité, et je le savais.

Quand les garçons ont vu que Sara s'occupait des billets, ils ont insisté pour payer ensuite le dîner. Comme elle l'avait prévu ! Me doutant que Sara voudrait s'asseoir entre Evan et moi, je me suis rapidement faufilée derrière lui avant qu'elle ne pénètre dans la rangée. Dès que les lumières se sont éteintes, Evan m'a pris la main. Pendant tout le film, ses doigts ont doucement caressé l'intérieur de ma paume. J'étais électrisée. Et incapable de suivre les scènes d'action qui se déroulaient sur l'écran. À côté de moi, Sara essayait régulièrement de me distraire en faisant des bonds de terreur sur son siège, ou en me glissant des commentaires sur le scénario. Lorsque j'ai posé ma tête sur l'épaule d'Evan, elle a lâché l'affaire non sans avoir soupiré pour manifester sa désapprobation.

Plus rien n'existait pour moi que le souffle d'Evan sur mon front et sa joue contre mes cheveux. Les héros du film pouvaient mourir sous mes yeux, je m'en fichais éperdument.

À la fin, lorsque nous nous sommes levés, mes jambes tremblaient et la tête me tournait. Evan a gardé sa main sur ma taille jusqu'à la sortie, et j'ai mis ma main sur la sienne. À peine arrivés dans le hall, Sara m'a prise par le coude.

— On revient tout de suite, a-t-elle lancé avant de m'entraîner vers les toilettes.

Dès que nous sommes entrées, elle s'est plantée en face de moi.

— Mais qu'est-ce que tu fabriques, Em ?

Sans même me laisser le temps de répondre, elle a enchaîné :

— Si tu me répètes encore une fois que vous êtes juste amis, je t'étrangle. Dis-moi simplement : c'est vraiment ce que tu veux ? Si c'est le cas, je te laisse tranquille. Mais c'est toi qui m'as dit et répété qu'il ne fallait surtout pas que ça arrive. Et maintenant, regarde-toi : tu ne vois même pas ce qui est en train de se passer. S'il te plaît, concentre-toi. Est-ce que tu veux plus qu'une amitié avec Evan ? Oublie tes sentiments. Réfléchis. Et pense à Carol.

Entendre son nom m'a fait sursauter.

Je suis restée silencieuse pendant une minute. Bouleversée. Incapable de réfléchir. Mon corps était si perturbé par le contact avec Evan que mon cerveau ne fonctionnait pas. Je ne pouvais pas répondre.

— Je ne sais pas quoi faire, ai-je avoué. Mais ne t'inquiète pas pour moi. Ça va aller. Je te promets.

— Tu sais très bien que tu ne peux pas me promettre ça.

J'ai haussé les épaules.

— Tu veux que je me mette un peu entre vous, comme ça tu auras l'esprit plus clair pour réfléchir ?

— Peut-être…

Ce qu'elle proposait était raisonnable, mais ma tête n'était pas disposée à entendre des pensées raisonnables pour l'instant.

— Mais pas trop quand même, s'il te plaît, ai-je ajouté. On peut s'asseoir toutes les deux à l'arrière dans la voiture, mais laisse-moi me mettre à côté de lui au restaurant. D'accord ?

— D'accord.

Les garçons nous attendaient patiemment dans le hall. J'ai pris la main d'Evan et nous avons regagné le parking.

— Je vais m'asseoir derrière avec Sara, OK ?

— Bien sûr. Tout va bien ?

— Ouais ! Juste un truc de filles, ai-je dit en souriant pour le rassurer.

D'un petit hochement de tête, il a indiqué qu'il avait compris.

Après un dîner animé, nous sommes retournés chez Sara. Tandis que j'étais assise à l'arrière avec elle, je me suis rendu compte que je ne pouvais détacher mes yeux de la nuque d'Evan, de la ligne parfaite de ses épaules, des muscles qui étaient visibles sous son sweat-shirt. J'avais cessé de lutter contre mon attirance et je trouvais cela incroyablement vivifiant. Pourquoi continuer à nier que les battements de mon cœur s'accéléraient chaque fois que je me trouvais près de lui ? Désormais, je voulais sentir cette intensité, l'éprouver dans toutes les fibres de mon être. Ne l'avais-je pas mérité ?

— Tu veux bien qu'Evan et moi on te laisse avec Jared et qu'on regarde un film dans ta chambre ? ai-je murmuré à l'oreille de Sara.

Elle m'a dévisagée un moment, bouche bée, les yeux écarquillés.

— Tu es sûre ? a-t-elle fini par demander, tout doucement.

— Sûre ! ai-je affirmé avec un grand sourire, les joues légèrement enflammées.

Elle m'a souri à son tour avant de chuchoter :

— OK. Mais je veux les détails...

J'ai éclaté de rire. Evan s'est retourné pour voir ce qu'il y avait de drôle. Je lui ai lancé un regard amusé en me mordant la lèvre.

— Tout va bien, l'ai-je assuré.

Au même instant, j'ai entendu Sara faire un drôle de bruit. J'ai suivi son regard.

Et j'ai vu la Jeep garée le long de la route. *Sa* Jeep.

En une seconde, le sol s'est désintégré sous mes pieds.

# 22

# Découverte

— Allonge-toi ! m'a ordonné Sara en me poussant sur la banquette.

— Qu'est-ce qui se passe ? a demandé Evan en nous regardant d'un air inquiet.

— Retourne-toi, a répliqué Sara. Regarde devant.

En voyant mon visage terrifié, il s'est aussitôt exécuté.

— Mais qu'est-ce qu'il y a ? a-t-il murmuré.

Avant que Sara n'ait eu le temps de lui répondre, Jared, au volant, est entré dans l'allée. D'un geste rapide, elle a détaché ma ceinture et la sienne pour que nous puissions nous glisser sur le sol, derrière les sièges. Puis elle a sorti son téléphone de sa poche.

— Jared, coupe le moteur, a-t-elle dit.

Puis, au téléphone :

— Salut, maman. Écoute-moi. Jared va sonner à la porte d'entrée, et tu vas lui ouvrir. Il va te demander si Emma et moi sommes là et tu vas faire non de la tête et lui expliquer que nous sommes déjà au lit en montrant la chambre. Jared, vas-y.

Perplexe, il est sorti et a suivi les consignes.

Au téléphone, Anna a dit quelque chose à Sara.

J'avais du mal à respirer, je tremblais comme une feuille.

— Promis, maman, je t'explique dès que je rentre. Laisse la porte arrière ouverte.

Elle a raccroché et, cachée derrière le siège, a observé l'échange entre Jared et sa mère. De ma cachette, je ne pouvais rien voir. Ça n'a pas duré longtemps. À peine une minute plus tard, il était de retour dans la voiture et attendait les instructions.

— Sors de l'allée et conduis jusqu'à la route principale, au bout de ma rue, a indiqué Sara. Dis-moi si la Jeep qui est là te suit.

Au bout de ce qui m'a paru durer une éternité, Jared a répondu :

— Non, elle est toujours garée devant chez toi.

Sara a poussé un gros soupir de soulagement. Moi, j'étais tellement tétanisée que je ne savais même plus si je respirais encore.

— Bon, vous me dites ce qui se passe, maintenant ? a lâché Evan.

Impossible de parler. Je ne pouvais rien faire d'autre que regarder Sara en secouant la tête.

— Qui est dans la Jeep ? a interrogé Evan.

— Ma tante, ai-je finalement murmuré.

Que faisait-elle là ?

— On est sur la route principale ? a demandé Sara.

— Oui, a répondu Jared.

Sara s'est assise sur la banquette. J'étais incapable de faire le moindre mouvement.

— Ça va aller, m'a-t-elle dit doucement en m'aidant à me relever.

Je me suis écroulée sur le siège en cuir, la tête dans les mains. Je tremblais de tous mes membres.

— Elle n'a pas pu nous voir. On l'a remarquée de tout en haut de la colline, avant qu'elle n'ait pu voir qui se trouvait dans la voiture.

Evan s'est tourné vers moi :

— Tu n'es pas censée sortir ?

— Je ne suis jamais censée sortir, ai-je grommelé d'une voix sourde.

Les yeux baissés, je ne parvenais pas à affronter son regard.

— Arrête-toi devant la maison bleue en construction, a lancé Sara en se penchant vers Jared. Est-ce que tu as une torche à me prêter ?

— Oui, dans le coffre.

Ils sont descendus de la voiture, me laissant seule avec Evan.

— Qu'est-ce qui va se passer ?

— Je ne sais pas, ai-je murmuré en secouant la tête.

— Ça va aller ?

Avant que je n'aie eu le temps de répondre, Sara a ouvert ma portière et m'a pris la main pour m'aider à sortir. Evan a aussitôt suivi le mouvement. J'ai fait quelques pas avec difficulté, soutenue par mon amie.

— Sara, qu'est-ce qui va se passer ? a répété Evan.

— On doit y aller, je t'appelle plus tard, a-t-elle répondu sans tourner la tête en avançant le long du chemin poussiéreux.

— Emma ! a crié Evan.

Je ne me suis pas retournée, suivant Sara d'un pas mécanique dans l'obscurité.

Je ne me souviens plus très bien de la suite. La peur avait fait disparaître toute notion de temps et d'espace. Il ne me reste que des images, des flashes. Je me rappelle une route à travers bois, le jardin à l'arrière de la maison de Sara, le soupir d'Anna et son air préoccupé, Sara qui m'allonge dans un lit.

Je suis restée un long moment immobile, le regard perdu dans le noir de la nuit, l'esprit vide, incapable de fermer les yeux. Puis la peur a cédé la place aux questions. Comment savait-elle ? Est-ce qu'elle nous avait suivis toute la soirée ? Assise à côté de moi, Sara me regardait. Je sentais sa nervosité, son inquiétude.

— Elle est partie ? ai-je murmuré.

— Juste avant qu'on rentre, d'après ma mère.

— Tu crois qu'elle sait ?

— Je ne vois pas comment elle pourrait. Ma mère a dit qu'elle avait appelé vers dix-neuf heures et qu'elle avait demandé à me parler. Maman lui a répondu qu'on était sorties acheter quelque chose à manger et elle lui a demandé si tu devais la rappeler en revenant. Ta tante a dit non. Ma mère ne sait pas à quel moment exactement la voiture s'est garée devant, mais elle l'a remarquée environ quinze minutes avant mon coup de fil.

— Ta mère, elle dit quoi ?

— Elle ne sait pas tout, mais elle sait à quel point ta tante et ton oncle sont invivables. Mais elle ne dira rien, je te le jure.

Je l'ai crue.

— Et Evan ?

— Il a appelé plusieurs fois. Tout ce qu'il sait, c'est que tu es terrorisée. Je n'ai pas voulu lui dire pourquoi et il s'est fâché contre moi. Il voulait venir immédiatement, mais je lui ai dit que ça n'était pas possible. Il a insisté pour venir demain matin. J'ai réussi à le convaincre que ce serait trop juste puisque je dois te ramener chez toi pour huit heures.

Elle s'est tue un instant avant d'ajouter :

— Elle ne va rien te faire, n'est-ce pas ?

Pour la première fois depuis que nous avions vu la voiture de Carol, Sara avait peur.

— Non. Elle va juste me traiter de menteuse, m'insulter autant qu'elle pourra et m'envoyer dans ma chambre.

En levant les yeux vers le visage de mon amie, j'ai compris que j'étais incapable de lui dire qu'en fait j'étais terrifiée à l'idée de rentrer à la maison. Du mieux que j'ai pu, j'ai chassé ce sentiment de peur pour adopter un air rassurant qui apaiserait Sara.

Je me suis adossée contre la tête de lit.

— J'ai eu une sacrée trouille, hein ! ai-je lâché avec un rire forcé.

Ça n'a pas sonné très juste.

— Tu étais tellement pâle, Em, j'ai cru que tu allais tomber dans les pommes.

— J'étais persuadée qu'elle nous avait vues, c'est pour ça. Je m'imaginais devant elle et me demandais si j'arriverais à l'affronter.

J'espérais que mon explication était convaincante.

— Ma mère a proposé d'essayer de lui parler, a tenté Sara.

— Tu sais bien que ça ne marchera pas, ai-je lâché en m'efforçant de contrôler la panique qui vibrait dans ma voix.

— Je sais, a reconnu Sara avec un soupir.

— Je n'arrive pas à croire que j'aie réagi comme ça, me suis-je exclamée en me repassant la scène dans ma tête. Evan doit se demander ce qui cloche chez moi…

— Non, il s'inquiète, je te promets.

J'ai pris une profonde inspiration pour calmer les frissons qui parcouraient mon corps avant que Sara ne les remarque. Je ne pouvais pas lui dire que si sa mère appelait, ça ne ferait qu'empirer les choses. Ni lui montrer combien j'étais terrorisée, au point de me demander si je parviendrais à retourner chez moi le lendemain matin.

Je savais que Carol n'avait pas besoin de preuve de ma désobéissance. Il lui suffisait de s'en convaincre.

⁂

Je me suis redressée d'un coup, en nage, le souffle court. D'un rapide coup d'œil, j'ai balayé la pièce pour comprendre où j'étais. En voyant Sara dans le lit à côté du mien, je me suis détendue. J'ai desserré l'étreinte de mes mains sur la couverture.

— On aurait dit que tu n'arrivais plus à respirer.

— C'était juste un cauchemar, ai-je lâché en m'efforçant de me calmer. Quelle heure est-il ?

— Six heures et demie, a répondu Sara, l'air préoccupé. Tu veux me le raconter ?

— Je ne m'en souviens pas, ai-je menti. Rendors-toi. Je vais prendre une douche.

L'odeur de la terre flottait encore dans mes narines, tout comme cette sensation que les poumons me brûlaient, oppressés par le poids de la boue sur mon corps, qui rendait ma respiration difficile. J'ai frissonné et chassé le cauchemar de mon cerveau.

Sara ne s'est pas rendormie. Quand je suis sortie de la douche, elle m'attendait sur son lit, une boîte argentée posée sur ses genoux.

— C'était censé être un cadeau de Noël, mais je n'ai pas la patience d'attendre un mois de plus.

Son visage était particulièrement sérieux.

— Ça n'est pas grand-chose, mais je préfère vraiment que tu l'aies avant de rentrer chez toi.

Sa remarque m'a étonnée. J'ai jeté un coup d'œil inquiet sur le paquet que Sara me tendait avec un sourire crispé.

— Merci, ai-je articulé en me forçant à sourire à mon tour.

Après avoir défait le papier cadeau, j'ai ouvert la boîte. Un téléphone portable. Mais pourquoi Sara était-elle si mal à l'aise ?

— Merci ! Je ne sais pas si je pourrai m'en servir souvent, mais je suis vraiment hyper contente !

Son air grave me troublait. L'explication n'a pas tardé à venir.

— Promets-moi de m'appeler dès que tu arrives chez toi et dis-moi si tout va bien, a-t-elle demandé d'un ton hésitant. Si je n'ai pas de tes nouvelles à la fin de la journée, j'appelle la police.

— Pas ça, Sara, ai-je supplié. Je te promets que tout ira bien.

— Alors appelle-moi, a-t-elle insisté.

Elle m'a montré les raccourcis vers son numéro de portable et celui de chez elle. Il y avait deux autres numéros enregistrés.

— Le 17 ? Tu crois que je ne peux pas faire le numéro de Police secours toute seule ?

— C'est plus rapide, s'est-elle justifiée avec une grimace. J'ai réglé la sonnerie sur vibreur, comme ça personne ne peut l'entendre quand il est dans ta chambre. Et le chargeur est dans la boîte.

— Sara, je ne vais pas avoir ça chez moi, ai-je déclaré.

— Si, je veux que tu l'aies. Je te jure que je ne vais pas t'appeler. Et personne d'autre n'a ce numéro. Promets-moi que tu vas le garder allumé.

Son inquiétude semblait tellement grande que je ne pouvais pas discuter.

— C'est promis.

Si je le rangeais dans la poche intérieure de mon manteau, il y avait peu de risques qu'il soit découvert.

— On doit y aller, ai-je ajouté.

Je ne sais par quel miracle j'ai réussi à faire obéir mon corps et à descendre l'escalier. Lorsque j'ai ouvert la porte de la maison, cependant, mes jambes se sont immobilisées. La Jeep était garée de l'autre côté de la rue.

— Aïe, a soufflé Sara, derrière moi.

— Coucou, Sara, a lancé Carol d'une voix insupportablement mielleuse. Je reviens de chez ma mère et je me suis dit que je pouvais passer prendre Emily. Merci mille fois de l'avoir accueillie.

La main de mon amie s'est crispée sur mon bras. J'ai senti sa panique. Les yeux rivés sur ma tante et son horrible sourire, je respirais difficilement.

— Viens Emily, ne reste pas plantée là.

J'ai descendu lentement les marches, incapable de me retourner pour adresser un dernier regard à Sara. Dans ma poche, je sentais le poids du portable. En claquant la portière de la voiture, j'ai eu l'impression de refermer mon propre cercueil. Le regard fixé droit devant moi, le corps tendu à l'extrême, prisonnière de l'espace confiné de l'habitacle, je me tenais le plus loin possible d'elle.

Le silence bourdonnait dans mes oreilles. J'attendais ses accusations et ses injures. Mais rien. Elle n'avait pas besoin des mots. D'un coup de la main droite, elle a envoyé ma tête cogner contre la vitre. Une douleur aiguë m'a lancée dans la tempe.

— Ne tente même pas de bouger. J'ai comme l'impression que t'as oublié que tu vis sous mon toit ? Tu es allée trop loin cette fois. Je te conseille de pas recommencer à faire des trucs dans mon dos comme ça.

Avant même que j'aie eu le temps de digérer ses paroles, nous étions arrivées devant la maison. Lorsque nous sommes entrées dans la cuisine, Amanda – la fille de la voisine – nous a dit que les enfants étaient en train de jouer en haut, puis elle est partie. Je me suis dirigée vers ma chambre et j'ai vu avec stupéfaction que la porte était close. Contrairement à une des nombreuses règles absurdes de Carol qui disait qu'en mon absence elle ne devait pas l'être. J'ai ouvert avec précaution. Et je me suis arrêtée sur le seuil, effondrée. Horrifiée par le spectacle. La porte du placard était entrouverte et la petite cachette en bas n'était plus qu'un trou béant. Ses trésors gisaient sur le sol, éparpillés à mes pieds.

— Tu te crois si maligne ? m'a lancé Carol, dans mon dos.

Tout mon corps a frémi. Je me suis retournée. Elle était appuyée contre le montant de la porte, les bras croisés sur la poitrine. Instinctivement, j'ai reculé d'un pas. Mon sac a glissé le long de mon épaule et est tombé par terre.

— J'ai bien vu ton petit jeu. Mais je te garantis que tu ne vas pas réussir à mettre la pagaille entre nous.

Je lui ai adressé un regard étonné. De quoi parlait-elle ?

— Il sera toujours de mon côté. Je voulais que tu te souviennes de ça.

— Carol ? a crié George de la porte arrière de la maison.

J'ai senti une forte inquiétude dans sa voix.

— Je suis là, a répondu Carol sur un ton soudain bouleversé.

Elle s'est jetée à son cou et l'a serré dans ses bras dans un élan dramatique. J'ai assisté au spectacle, médusée.

— Je ne sais pas quelle mouche l'a piquée, George, a-t-elle soupiré en essuyant ses larmes et en se blottissant contre son épaule.

Les bras autour de Carol, il s'est penché pour voir l'intérieur de ma chambre.

— Elle s'est mise à hurler qu'elle en avait marre d'être ici et qu'on était atroces avec elle. Puis elle s'est enfermée dans sa chambre. C'est à ce moment-là que je t'ai appelé. Elle me faisait vraiment peur, et aux enfants aussi.

*Quoi ! ? Qu'est-ce qu'elle racontait ?*

— J'ai finalement réussi à la convaincre d'ouvrir la porte et… Eh bien, regarde…

Carol a desserré son étreinte pour laisser George entrer dans ma chambre. Son inquiétude s'est transformée en colère lorsqu'il a découvert les dégâts causés par ma « crise ».

Son regard est passé des objets répandus sur le sol à mon visage stupéfait. J'ai vu sa grimace lorsqu'il a remarqué le cadre brisé et les morceaux de la photo de lui et son frère qui jonchaient le sol. Je sentais sa fureur monter, et j'étais incapable de bouger.

— Qu'est-ce qui t'a pris ? a-t-il crié. Comment as-tu pu faire ça ?

Je suis restée muette, choquée par sa réaction. Comment pouvait-il croire une seule seconde que j'aie fait une chose pareille ?

Quand ses yeux sont tombés sur une photo déchirée où on voyait des mains dodues et des sourires de bébés, son visage est devenu tout rouge. Avant que j'aie le temps de réagir, il est venu vers moi, m'a attrapée par le bras et a commencé à me secouer dans tous les sens. Les mots sifflaient à travers ses dents serrées et sa main faisait comme un étau autour de mon bras. Les larmes ont coulé sur mes joues. J'ai essayé de parler.

— Je n'ai pas…, ai-je bafouillé.

Une douleur cinglante à la joue m'a stoppée net et j'ai été projetée à terre. Sonnée, j'ai touché l'endroit où sa main avait frappé.

— Si tu n'étais pas la fille de mon frère, je…

Il hochait frénétiquement la tête, écarlate. Dans ses yeux, j'ai cru lire de la tristesse derrière sa colère.

— La semaine prochaine, tu n'iras nulle part. Pas de sport, pas de journal – rien. Je ne peux pas croire que tu aies fait ça !

Sa voix s'est brisée, et il a murmuré :

— C'était mon frère…

Carol l'a regardé partir, presque déçue. Elle espérait probablement une réaction plus sévère. À peine avait-il disparu au bout du couloir qu'elle s'est penchée sur moi et m'a glissé sur un ton vengeur :

— Ça n'est que le début… Maintenant, nettoie tout ça. Et je veux que tu aies fini tout le ménage avant mon retour.

Elle a refermé la porte derrière elle, me laissant au milieu de son carnage. Les ravages de sa haine destructrice. Les rares objets qui m'appartenaient gisaient désormais sur le sol, brisés. J'ai ramassé les photos de mes parents et celles de moi bébé et j'ai essayé de les reconstituer. Au bout de quelques instants, j'ai tout lâché et j'ai fondu en larmes. Cette souffrance-là était bien plus violente que tous les coups et gifles que j'avais pu recevoir jusqu'à ce jour. Elle avait volé et détruit les seules preuves de mon bonheur passé et ne m'avait laissé que les souvenirs.

Quelqu'un a frappé. Je me suis relevée en vitesse et j'ai regardé fixement la porte. Mais le bruit n'était pas habituel. J'ai jeté un œil autour de moi pour me rendre compte que cela venait de la fenêtre.

*Non. Pas ça.*

J'ai fermé les yeux. Le bruit a résonné une nouvelle fois. Rapidement, je me suis essuyé les yeux et me suis précipitée à la fenêtre avant que ça ne recommence. Et qu'ils l'entendent.

— Tu ne dois pas venir ici, ai-je chuchoté, paniquée.

— Qu'est-ce qui s'est passé ? Je voulais être sûr que tu allais bien.

— Va-t'en, Evan, ai-je supplié.

— C'est quoi, cette marque sur ta joue ? Ils t'ont frappée ?

— Ne reste pas ici ! S'il te plaît, va-t'en !

Les larmes ont redoublé alors que je regardais tour à tour Evan puis la porte, craignant qu'elle ne s'ouvre d'une seconde à l'autre.

Il m'a dévisagée avant de se hisser sur la pointe des pieds pour voir l'intérieur de la pièce. Pour atteindre la fenêtre, il avait dû grimper sur une poubelle.

— Je viens te chercher lundi et tu me diras ce qui se passe, a-t-il dit d'un ton ferme.

— D'accord. Maintenant, va-t'en, ai-je répété, de plus en plus terrifiée.

Il s'est finalement résolu à s'éloigner. Avant qu'il ne change d'avis, j'ai refermé la fenêtre et baissé le store.

Puis je suis retournée vers le paysage désolé de mon monde brisé et me suis agenouillée parmi les décombres. Carol m'avait prévenue qu'elle reviendrait bientôt, je n'avais donc pas le temps de me lamenter. Attrapant un de mes sacs à dos, j'y ai rangé les fragments de photos et de lettres de ma mère. Je ne pouvais me décider à les jeter.

Une fois le ménage terminé, j'ai regagné ma chambre dans un état d'hébétude totale. Je me suis laissée glisser sur le sol et, adossée contre mon lit, j'ai regardé fixement le mur vide en face de moi. La douleur dans ma poitrine était comme engourdie.

Si j'avais parfois pu en douter, je savais désormais à quel point je haïssais Carol. Les mâchoires crispées, je me suis efforcée de chasser le désir de vengeance qui hurlait au fond de moi. Les ongles enfoncés dans mes paumes de main, je luttais pour ne pas être submergée par les émotions. Mais j'ai fini par céder devant la puissance de mon désespoir. Des sanglots muets ont secoué ma poitrine.

Sa méchanceté menaçait de détruire le fragile équilibre que j'étais parvenue préserver. Elle était à deux doigts de m'anéantir. Serais-je suffisamment forte pour résister ? Les six cent neuf jours qui restaient avant mon départ de cette maison ressemblaient désormais à une condamnation à mort. Le jour de ma libération, serais-je encore debout ?

Je me suis installée dans mon placard pour composer le numéro de Sara.

— Em, ça va ? a demandé Sara d'une voix inquiète.

— Ça va.

— Ça n'a pas l'air… Qu'est-ce qu'elle a fait ?

— Je ne peux pas te parler maintenant. C'est juste que j'avais promis que je t'appellerai.

— Evan est passé ce matin.

Je n'ai rien dit.

— Il était vraiment pas bien. Il voulait savoir ce qui se passait et si on te faisait du mal. Il hurlait presque. Je te jure que je n'ai rien dit. Mais il a insisté pour venir te chercher lundi. Je voulais te prévenir. Je peux aussi passer, comme ça, si tu préfères, tu peux venir avec moi plutôt qu'avec lui.

— Non, c'est bon, ai-je marmonné.

Je savais que je devrais l'affronter à un moment ou à un autre.

— Emma, je suis toujours avec toi. J'espère que ça va aller.

— À lundi, ai-je chuchoté avant de raccrocher.

Je ne suis sortie de ma chambre que pour me faufiler quelques instants dans la salle de bains. En bas, le bruit des voix et les rires des enfants résonnaient dans la salle à manger. Au bout d'un moment, j'ai entendu son pas traverser le salon et ma porte s'est ouverte.

— Ton oncle et moi, nous voulons te parler, a-t-elle déclaré.

Puis elle a fait demi-tour.

Assise à mon bureau, le livre de chimie ouvert devant moi, je l'ai regardée s'éloigner avant de me lever pour me rendre à la cuisine.

Ils m'attendaient debout, côte à côte. Dans les yeux de George, je pouvais lire la tristesse, tandis que dans ceux de Carol brillait l'étincelle de la victoire.

— Ton oncle et moi avons été extrêmement blessés par ton comportement. Nous sommes désolés si tu ne te sens pas heureuse ici. Nous faisons pourtant tout ce que nous pouvons pour toi en te donnant tout ce que tu souhaites. Mais tu ne reconnais pas nos efforts. J'avais pensé te priver de toutes tes activités jusqu'à la fin de l'année, plus de sport ni d'activités extrascolaires.

Ma gorge s'est serrée et, pendant une fraction de seconde, mon cœur s'est arrêté de battre.

— Mais ton oncle a décidé de se montrer généreux et de t'autoriser à les poursuivre dans l'espoir qu'elles te rendraient meilleure. En revanche, la semaine prochaine, tu es privée de toute activité. À charge pour toi d'en expliquer les raisons à ton entraîneur et aux professeurs concernés. Et ne t'avise pas de nous en faire porter la responsabilité. Tout cela est de ta faute, tu dois en assumer les conséquences.

Elle s'est interrompue un instant.

— Par ailleurs, comme nous ne pouvons pas te faire confiance pour rester seule à la maison, tu iras désormais à la bibliothèque après les cours. Tu te trouveras quelqu'un pour te raccompagner ensuite à la maison. Tu peux aussi prendre ton vélo. J'ai parlé cet après-midi avec la responsable de la bibliothèque, Marcia Pendle, pour organiser tout ça. Elle te fera signer chaque jour le registre des entrées et des sorties. Elle a un bureau pour toi où elle pourra te surveiller en permanence. N'espère pas pouvoir y échapper, et je te déconseille de tenter quoi que ce soit. Si on apprend que tu n'étais pas là, ou que tu n'as pas coopéré, tu pourras dire adieu au basket et au foot pour le reste de la saison. C'est compris ?

— Oui, ai-je murmuré.

— Le fait que tu aies détruit ces objets a profondément blessé ton oncle. Pour l'aider à te pardonner, pendant les deux prochaines semaines il vaut mieux que tu restes hors de sa vue quand tu es dans la maison. Je te préviendrai quand nous aurons fini de dîner pour que tu puisses débarrasser et faire la vaisselle. Nous te garderons une assiette, tu pourras manger avant. En dehors de ce moment-là, tu resteras dans ta chambre. Compris ?

— Oui.

— Est-ce que tu as quelque chose à dire à ton oncle ? a-t-elle ajouté, les lèvres pincées pour cacher son air triomphant.

J'ai serré les poings derrière mon dos pour contenir mon dégoût et conserver un visage impassible.

— Oui ? a-t-elle insisté.

— Je suis désolée que tu aies été blessé.

C'était vrai. Mais, pour autant, je ne m'excusais pas pour quelque chose que je n'avais pas fait.

Il a simplement hoché la tête.

J'ai dû passer le reste du week-end dans ma chambre. Certes, ça n'était pas palpitant, mais je préférais cela plutôt que de sentir Carol dans les parages. En plus, j'ai eu le temps de réfléchir à ce que je dirais à mon entraîneur et aux professeurs. Finalement, j'ai décidé de leur raconter une vague obligation familiale. En espérant qu'ils ne poseraient pas trop de questions.

Impossible, en revanche, de penser à Evan et à ce que je lui dirais le lundi. Chaque fois que je songeais à ce qu'il avait vu le vendredi soir, puis le samedi matin, je me sentais misérable. Il avait aperçu mon monde, et je n'aimais pas la manière dont ce monde se reflétait dans ses yeux.

# 23

## SILENCE

Enfoncée dans le siège du passager, je ne disais pas un mot. J'étais même incapable de le regarder.

Evan a attendu d'être arrivé au bout de ma rue pour me demander :

— Comment tu te sens ?

— Humiliée, ai-je répondu, le regard perdu.

Nouveau silence.

— Tu m'en veux parce que je suis venu voir si tu allais bien ?

— Tu n'aurais pas dû.

— Donc, tu n'as pas l'intention de me raconter ce qui s'est passé ?

— Je ne peux pas. Tu en as vu plus que tu n'aurais dû.

Il s'est garé sur le parking d'un magasin et a coupé le moteur.

— Evan, je ne veux vraiment pas parler de ça, ai-je insisté en le regardant enfin dans les yeux.

— C'est bien le problème. Tu n'as pas confiance en moi ?

Ses yeux captaient les miens, guettant une explication.

— Ça n'a rien à voir.

— Si, justement, a-t-il répliqué avec force. Je croyais qu'on était au-dessus de ça.

— Désolée que tu l'aies cru.

Il a sursauté vivement, comme brûlé par mes paroles.

— Donc tu ne me fais pas suffisamment confiance pour que je sache ce qui se passe chez toi ?

Après une seconde d'hésitation, il a ajouté :

— Et tu n'as même jamais pensé le faire un jour, c'est ça ?

Sa voix devenait de plus en plus forte. La colère montait.

Je ne savais pas quoi dire. Tout ce que je pouvais répondre ne ferait qu'augmenter sa colère.

— Qu'est-ce que je me suis imaginé ? s'est-il demandé dans un murmure. Je pensais que tu étais plus forte que ça.

Ses mots m'ont blessée. J'ai senti mon cœur flancher.

— Je ne peux pas croire que tu les laisses te traiter comme ça, a-t-il poursuivi.

Voyant que je ne réagissais toujours pas, il a lâché, déçu :

— Je te croyais différente.

— Je sais.

— Je ne te connais pas vraiment, en fait. C'est ça ?

J'ai haussé les épaules. Devant mon refus de répondre à ses questions, il a poussé un soupir agacé.

— Et Sara ? Elle sait ? Tu lui fais plus confiance qu'à moi ?

— Laisse-la en dehors de tout ça.

— Je ne comprends pas… Il t'a fait mal ?

— George ? ai-je protesté, choquée par le ton accusateur. Non, il ne ferait jamais ça.

— C'est elle qui ne t'aime pas ?

— Evan, je ne peux ni ne veux parler de ce qui se passe chez moi. Tu as raison, je ne suis pas celle que tu croyais. Je suis désolée de te décevoir, mais je n'ai pas arrêté de te le répéter. Ni maintenant ni jamais, je ne pourrai te dire ce que tu veux savoir.

Je me suis tue un instant avant d'ajouter :

— J'aimerais bien qu'on aille au lycée, maintenant.

Une fois sortis du parking, nous avons roulé en silence.

Un silence interminable.

Sara a essayé de me faire raconter ce qui s'était passé mais il m'a fallu une semaine avant de pouvoir répéter les mots que nous avions prononcés ce matin-là. Par la suite, elle n'en a plus reparlé, et a évité de faire la moindre allusion à Evan.

À partir de ce jour, lui et moi avons cohabité entre les murs du lycée, dans les salles de classe, sans échanger un mot. Même en cours d'anatomie, alors que nous étions côte à côte. Cela ne voulait pas dire que je ne le remarquais pas. Au contraire, je ne cessais pas de le regarder. Jusqu'au moment où je me suis convaincue d'arrêter. Je devais accepter la vérité : ça ne marcherait jamais. Ça ne pouvait pas marcher. Abandonner tout espoir m'a coûté, mais j'ai réussi à enfouir ma douleur, et, exactement comme avant qu'Evan Mathews ne franchisse les portes de Weslyn High, j'ai tout fait pour me rendre invisible. Sans y parvenir complètement.

Le mercredi qui a suivi Thanksgiving, alors que je déjeunais à la cantine avec Sara, la réalité m'a rattrapée.

— Je sais ce que tu penses de moi, a déclaré Drew Carson, en se plantant devant moi.

Je l'ai regardé sans comprendre.

— À la soirée de Jake, a-t-il continué. J'ai vu le regard que tu m'as lancé avant de partir. Je ne suis pas comme ça.

— Vraiment ? Alors qu'est-ce que tu faisais là ? Tu es bien un ami de Jake, non ? Vous êtes tous venus à cette soirée pour la même raison.

Malgré ma colère, il n'a pas renoncé.

— C'est vrai, a-t-il admis, je savais ce qui se tramait dans ces soirées. Mais, crois-moi ou pas, c'était la première fois que je venais.

J'ai lâché un rire sceptique, et Sara nous regardait comme si elle comptait les points.

— Jake n'a pas arrêté de m'inviter, a-t-il poursuivi. Mais c'était la première fois que j'acceptais, et je l'ai fait uniquement parce j'avais entendu dire que tu y serais.

Devant ma grimace de dégoût, il s'est empressé d'ajouter :

— Je voulais seulement te *parler*, franchement. J'aurais dû le faire plus tôt.

Je n'ai rien dit.

— J'espère te convaincre de me donner une seconde chance, c'est tout. Je ne veux pas que tu croies que je suis ce genre-là.

Sans me laisser le temps de réagir, il a tourné le dos et s'est éloigné. Sara m'a dévisagée sans rien dire. Devinant ce qu'elle pensait, j'ai poussé un soupir agacé et suis partie à mon tour. Inutile de discuter.

Comme j'étais punie, j'ai loupé la soirée de remise des prix d'automne. Sara m'a appris que Jill, elle et moi étions nommées capitaines de l'équipe de foot pour la prochaine saison. Elle m'a également annoncé que j'avais été élue meilleure joueuse de la saison de toutes les équipes féminines de football de l'État ! Un dîner en l'honneur des champions était prévu en janvier. Mais je savais que je ne serais pas autorisée à y assister.

J'ai commencé à recevoir du courrier de la part des universités. Chaque matin, j'ouvrais des lettres d'entraîneurs ou de directeurs sportifs qui m'invitaient à visiter leur campus au printemps. Jusqu'à maintenant, je n'avais pas imaginé une seconde que j'intéressais tous ces gens. Cette avalanche de propositions m'a aidée à me projeter dans l'avenir. L'espoir de m'échapper de Weslyn me permettait de mieux supporter les regards et les mots de Carol, et le silence d'Evan. J'avais un but auquel me raccrocher.

Ma semaine d'absence ne m'a pas valu trop de reproches de la part des professeurs. J'étais censée faire un essai avant d'intégrer l'équipe de basket, et l'entraîneur m'a fait jouer une ou deux fois avant de me mettre au poste de meneuse de jeu.

Comme Sara jouait au volley pendant l'hiver, c'était Jill qui me ramenait chez moi après mes entraînements de basket. Ça ne m'enchantait qu'à moitié : Jill est toujours à fond sur les ragots et ne parle que de ça.

— Tu sais qu'Evan est sorti avec Haley Spencer, samedi soir ? m'a-t-elle demandé le lundi, après mon premier entraînement.

Exactement le genre d'histoires que je n'avais pas envie d'entendre.

— Je croyais vraiment qu'Evan et toi sortiriez ensemble. Qu'est-ce qui s'est passé ?

J'ai haussé les épaules, incapable de répondre. Haley Spencer, vraiment ? Un éclair de colère et de jalousie m'a traversée. Je l'ai chassé, aussi vite qu'il était apparu.

⁂

Quand Sara est venue me chercher, le lendemain matin, j'y suis allée sans détour :

— Tu savais pour Evan et Haley, n'est-ce pas ?

Elle a froncé les sourcils en soupirant.

— J'ai pensé que ça ne valait pas le coup de te le dire pour que tu t'énerves, s'est-elle défendue. C'est Jill qui te l'a dit ?

— J'aurais fini par le savoir, Sara. Et j'aurais préféré l'apprendre par toi.

— Tu as raison… Désolée.

Après m'avoir sondée du regard, elle a ajouté :

— Je suis sûre qu'il a fait ça pour t'énerver.

— Il fait ce qu'il veut. Ça m'est vraiment égal.

— Bien sûr, et je vais te croire ! Em, même moi ça m'énerve. Haley Spencer, quoi ! Il aurait pas pu trouver encore plus superficielle ? Elle est tout le contraire de toi.

À peine avait-elle fini sa phrase qu'elle s'est mordu la lèvre. Agacée, je me suis tournée vivement vers elle et j'ai lu, dans ses yeux, des excuses. Mais je savais qu'elle n'avait dit que la stricte vérité. Et cette vérité m'a étreint le cœur durant tout le trajet.

C'est ce jour-là que j'ai accepté la proposition de paix de Drew Carson. Depuis la fois où il m'avait parlé à la cantine, il avait fait plusieurs tentatives. Il se débrouillait pour croiser mon chemin au moins une fois par jour, me dévisageait et me lançait un « Salut, Emma ». Je continuais ma route en l'ignorant.

Lorsque je lui ai finalement répondu « Salut, Drew » en le croisant à la cantine, il s'est arrêté si brusquement que le type qui le suivait dans la queue lui est rentré dedans. Ça m'a fait rire. J'ai continué à marcher. Je ne l'ai pas revu jusqu'au moment où je quittais les vestiaires pour aller au gymnase.

— Bonne chance pour ton match tout à l'heure.

Plongée dans mes pensées, je ne l'avais pas remarqué. Sa voix m'a ramenée à la réalité – le bruit des semelles crissant dans le couloir et du ballon rebondissant dans le gymnase. Je l'ai aperçu, à l'entrée de la salle.

— Merci, ai-je répondu. Vous, les garçons, vous vous entraînez quand ?

— Ce soir, après votre match. Je vais me pointer tôt, comme ça je pourrai voir votre rencontre.

Venait-il pour soutenir notre équipe, ou pour me voir jouer ?

— Comment tu vas te débrouiller ? J'ai appris que tu avais raté quelques entraînements.

J'ai rougi en entendant sa remarque.

— J'ai pu aller à ceux de M. Stanley, donc je pense que ça ira.

— J'en suis sûr, a-t-il affirmé avec un sourire. Je te retrouve après le match.

À mon tour, je lui ai souri.

Impossible de le nier : Drew était super mignon, avec ses charmantes fossettes et ses yeux verts à couper le souffle dans lesquels on plongeait avec délice. Ses cheveux bruns bouclés accentuaient l'éclat des yeux. Ils étaient toujours en pagaille, comme s'il revenait de la plage. Connaissant sa passion du surf, c'était probablement le cas.

Je l'ai suivi du regard jusqu'à qu'il ne soit plus visible. Jill m'a sortie de mes pensées.

— Emma, tu es prête ?

— J'arrive.

Comme promis, Drew m'attendait après la rencontre, à côté du banc des joueuses.

— Beau match. Tu as un sacré tir !

— Merci, ai-je répondu en enfilant mon gilet.

— Je suis content que tu acceptes enfin de m'adresser la parole.

— Tout le monde a le droit à une seconde chance.

Il m'a lancé un grand sourire.

— Je dois aller m'entraîner, m'a-t-il informée en montrant le terrain où certains de ses coéquipiers enchaînaient tirs et dribbles. On se parle demain ?

— OK.

Drew Carson a profité au mieux de cette seconde chance. Les jours qui ont suivi, nous nous sommes croisés encore plus souvent. Lorsque je l'ai invité à s'asseoir avec nous à la cantine, j'ai cru que Sara allait tomber de sa chaise ! Nous trouvions toujours un moment pour parler avant ou après nos entraînements. Puis je me suis rendu compte que nous avions les mêmes heures d'études. Je ne l'avais pas remarqué plus tôt parce qu'il n'y venait pas, mais depuis que nous étions copains, il s'est montré plus assidu…

Sara n'a fait aucun commentaire à propos de mon intérêt soudain pour lui. En bonne camarade, elle a accepté sans rechigner sa présence pendant les moments où nous étions supposées être seules. J'espérais qu'elle appréciait sa compagnie autant que moi. Drew était charmant, et il me redonnait le sourire. Quand je le retrouvais en fin d'après-midi, c'était un rayon de soleil après avoir subi toute la journée l'ombre d'Evan qui faisait tout pour m'éviter. Avec Drew, la conversation était facile, nous parlions de tout et de rien, sans aborder de sujets trop intimes. Il ne me posait pas de questions indiscrètes et ne me forçait pas à parler de moi, ce qui était un soulagement. Avec lui, je me surprenais à rire – un rire spontané et libérateur. Après la tempête qui avait englouti mon cœur, il était comme une brise caressante.

Quand il était là, je ne pensais pas à Evan. Je ne pouvais pas faire cohabiter les deux dans ma tête, donc je chassais son image. Petit à petit, j'ai commencé à moins remarquer sa présence et à ne plus trembler au son de sa voix. Il occupait de moins en moins d'espace en moi.

À la place, je me suis de plus en plus concentrée sur Drew, qui se montrait très attentionné. Je n'espérais pas la même relation, et c'était exactement le cas. Lorsque Drew était assis à côté de moi, je ne sentais pas de frisson et mon cœur continuait à battre tranquillement. Je n'en éprouvais aucune déception. Au contraire : j'étais soulagée.

Je n'ai pas parlé de Drew à Sara, et elle ne m'a pas posé de questions. C'est pourquoi, lorsque je lui ai demandé si nous pouvions le rejoindre à un feu de camp sur une plage privée, le vendredi soir après mon match de basket, je m'attendais à tout sauf à cette réaction de sa part :

— Je ne crois pas que ça soit une bonne idée, Em, a-t-elle dit. On devrait plutôt rester à la maison et regarder des films. Cela fait seulement quelques semaines qu'il y a eu le problème avec Carol, c'est déjà bien qu'elle te laisse de nouveau sortir.

J'ai senti qu'il y avait une autre raison à sa réticence.

— Est-ce que ça n'est pas plutôt toi qui ne veux pas y aller ? ai-je insisté.

— C'est vrai, je n'ai pas très envie, a-t-elle reconnu à contrecœur. Em, tu m'as promis que tu ne ferais pas de choses stupides.

— De quoi tu parles ?

— Je ne t'ai rien dit jusqu'à présent parce que je pense que tu l'apprécies vraiment, mais je m'inquiète de voir la tournure que ça prend avec Drew.

— Je ne vois pas ce que tu veux dire, ai-je répliqué, même si, au fond de moi, je comprenais confusément.

— Ne fais pas quelque chose de regrettable juste pour essayer d'oublier Evan.

Je n'ai pas répondu. Elle savait que j'avais reçu le message.

Elle a finalement accepté qu'on aille au feu de camp. J'étais persuadée de n'avoir rien fait, ce week-end-là, que j'aurais pu regretter.

⁂

— Tu as *embrassé* Drew Carson ? ! a crié Evan.

Il m'a fallu une bonne seconde pour me rendre compte qu'il était à côté de moi et qu'il me parlait – me hurlait dessus, plutôt. Les joues rouges et la mâchoire crispée, il tenait la porte de mon casier et me regardait fixement. J'ai jeté un rapide coup d'œil alentour pour m'assurer que personne ne l'avait entendu.

— Comment tu le sais ? ai-je demandé.

Non seulement j'étais stupéfaite de le voir devant moi, mais également choquée que Drew ait pu raconter ce qui s'était passé entre nous.

— Ne t'en fais pas, je ne l'ai pas appris par Drew. C'est pas son genre de se vanter. Mais ses amis ne se gênent pas.

Il était hors de lui. Sa réaction n'a fait qu'augmenter ma colère. De quel droit pouvait-il m'en vouloir ?

— Je suis étonnée que tu aies réussi à les entendre, avec la langue de Haley Spencer coincée dans ton oreille, ai-je riposté.

Il a écarquillé les yeux, le visage cramoisi.

— Eh oui, à moi aussi, on dit des choses, ai-je ajouté.

— Ça n'est pas ce que tu crois, a-t-il protesté, toujours aussi furieux, mais légèrement moins agressif. On est sortis juste une fois.

— Ah ? C'est pour ça que je vous ai vus ensemble au feu de camp ? !

À présent, c'était moi qui sentais la fureur monter en flèche ; j'avais des flashes : Evan serrant Haley, collée dans ses bras.

— Tu étais là ? a-t-il demandé en blêmissant.

— Je suis partie peu de temps après vous avoir vus tous les deux. Donc je te déconseille de chercher à me culpabiliser parce que j'ai embrassé Drew.

J'ai claqué la porte de mon casier, j'avais les joues qui me brûlaient.

— Mais tu le connais à peine ! Tu discutes avec lui pendant… quoi, une semaine ?… Et tu l'embrasses dès la première sortie ?

Il avait de nouveau haussé la voix.

— Ah ? parce que toi c'est mieux ? Est-ce que tu avais déjà parlé une seule fois avec Haley avant de faire ce que tu as fait avec elle à la fête de Jake ?

La bouche ouverte, il a reculé d'un pas. Sa réaction confirmait ce que m'avait dit Haley un peu plus tôt dans la journée.

— C'était vraiment super d'apprendre ça de sa bouche, ai-je dit en essayant de cacher mon amertume.

Je me suis souvenue de la manière sournoise dont elle m'avait fait remarquer qu'elle et moi sortions toutes les deux avec les types que nous avions rencontrés à la fête de Jake. Lorsqu'elle avait lâché ça, j'ai cru que j'allais tomber dans les pommes. Puis elle était partie, le sourire aux lèvres.

Evan avait du mal à trouver ses mots.

— Je n'ai pas..., a-t-il bredouillé, le regard suppliant. Ça n'est pas ça... Je peux t'expliquer ?

— Non, ai-je rétorqué d'un ton tranchant.

D'un coup, ma colère s'est envolée. Je suis devenue froide, vide de toute émotion. J'ai chassé la souffrance et la tristesse qui menaçaient de sortir de la cachette où je les avais soigneusement enfermées.

— Je ne veux pas savoir.

Je suis passée devant lui et me suis dirigée vers l'escalier.

— J'avais confiance en toi ! s'est écrié Evan dans mon dos.

Je me suis retournée. Il s'est avancé jusqu'à moi. Un mètre à peine nous séparait.

— J'avais confiance en toi, et toi non, a-t-il poursuivi.

À mon tour, je l'ai regardé droit dans les yeux. Et j'ai perçu sa souffrance. Mon cœur s'est mis à battre très vite.

— Pour la première fois de ma vie, j'ai défait mes valises. Pour toi. J'ai été totalement sincère, y compris sur mes sentiments. Jamais je n'avais été si honnête. J'avais confiance en toi.

Sa voix s'est transformée en un murmure et il s'est penché tout près de moi.

— Pourquoi tu ne m'as pas fait confiance ?

La gorge nouée, les yeux gonflés de larmes, j'ai essayé de respirer. Je lisais la douleur dans ses beaux yeux gris et mon cœur me suppliait de lui tendre la main, de le toucher. Les secondes ont duré une éternité. Puis je me suis remise à marcher.

J'ai poussé les portes et ai commencé à dévaler l'escalier.

— Je t'aime toujours ! a-t-il hurlé du haut des marches.

Une larme a coulé sur mes joues.

— S'il te plaît, ne t'en va pas.

D'autres larmes ont coulé. Mon cœur battait comme un forcené dans ma poitrine. Appelait à l'aide. L'espace d'une seconde, j'ai failli faire demi-tour. Mais l'image d'Evan et Haley enlacés devant le feu a traversé mon cerveau et j'ai continué à fuir.

Cet après-midi-là, je me suis donnée à fond à l'entraînement. Pour ne pas réfléchir. Dribbler, passer le ballon, tirer : tout cela m'évitait de me repasser en boucle la scène avec Evan. À la fin, j'étais tellement épuisée que je ne pouvais plus penser à quoi que ce soit.

Les joueurs de l'équipe junior commençaient l'échauffement ; je me suis dirigée vers les vestiaires. Drew m'attendait au bout des gradins, devant l'entrée des garçons.

— Tu peux rester pour mon match ? m'a-t-il demandé.

— Je ne crois pas, désolée..., ai-je répondu avec un froncement de sourcils. Bonne chance !

— On se voit demain soir alors ?

— Ouais, avec plaisir ! Il faut juste que je vérifie si Sara n'a rien prévu.

— Un des joueurs de mon équipe a invité quelques personnes et j'aimerais bien que vous veniez.

— Je vais voir et je te dis, ai-je promis, sachant qu'il me serait probablement impossible d'y aller car je devais être à la maison à vingt-deux heures.

Avant que j'aie le temps de réagir, il s'est penché vers moi et a posé un léger baiser sur mes lèvres. Mon corps s'est instantanément crispé et je suis restée quelques secondes sidérée. Drew a levé les yeux et a lancé :

— Salut, Mathews !

— Salut, Drew, a répondu Evan d'un ton bref.

J'ai tout juste eu le temps d'apercevoir son sac et sa main passer à côté de nous et se diriger vers le vestiaire. Mon cœur s'est arrêté de battre. Avait-il vu le baiser ?

— À demain, m'a murmuré Drew en me caressant la joue.

Avec un sourire contraint, j'ai hoché la tête, et il a rejoint les vestiaires à son tour.

Après ce qui s'était passé devant mon casier, le spectacle auquel Evan venait d'assister était dix fois pire que tout ce que j'avais pu voir entre Haley et lui. Contre toute attente, j'ai réussi à dominer le sentiment de culpabilité qui menaçait de me dévorer. Ça n'est que seule dans ma chambre, cette nuit-là, que je l'ai laissé jaillir au milieu des larmes.

# 24

# Tombée

— Emily ! a hurlé Carol de la cuisine.

Ma main a plané au-dessus de mon sac et j'ai serré le sweat-shirt que je m'apprêtais à mettre dedans. La panique est montée en flèche pendant que j'essayais de réfléchir à ce que j'avais bien pu faire. Je suis entrée dans la cuisine l'estomac noué.

— Oui ? ai-je demandé prudemment d'une voix étranglée.

— Tu sais avec qui je viens de parler au téléphone ? a-t-elle rugi, faisant gonfler la veine qui courait le long de sa tempe.

J'ai lancé un rapide coup d'œil autour de moi. Personne. George et les enfants étaient partis. Un frisson a parcouru mon dos et j'ai senti un bloc de peur écraser ma poitrine. J'ai secoué la tête.

— Bien sûr, tu ne sais pas. Parce que tu es l'innocence incarnée, c'est ça ?

J'ai essayé de comprendre la logique et le sens de sa question et de me préparer à la colère qui allait me tomber dessus.

— C'était quelqu'un de Stanford...

Non ! En entendant le nom de l'université, j'ai écarquillés les yeux.

— Ah... Donc tu sais de quoi il s'agit ! a-t-elle aussitôt accusé. Tu t'imagines à quel point je me suis sentie bête quand ce type m'a parlé de la visite que tu devais faire au printemps et que je n'avais pas la moindre idée de quoi il s'agissait ! Comment a-t-il eu notre numéro de téléphone ?

Je n'ai rien répondu.

— Tu n'as quand même pas cru qu'on allait te laisser aller en Californie, si ? Comment tu as fait ton coup pour le convaincre de t'inviter là-bas ? Tu as couché avec lui ?

J'ai ouvert la bouche, choquée.

— Tu te crois plus intelligente que moi, hein ? Tu penses que tu peux faire tout ce que tu veux ? ! Pas dans ma maison ! À cause de toi, ta mère est devenue alcoolique, et maintenant c'est juste une vieille pute impotente. Je peux te dire que je ne te laisserai pas démolir ma famille aussi. Tu n'es qu'une bonne à rien, une erreur de la nature ! Quelle université pourrait bien vouloir de toi ?

Plus sa voix enflait, plus son visage devenait rouge.

— Et comment tu comptes te payer ces universités ? Tu crois que tu es tellement exceptionnelle qu'ils vont te prendre gratuitement, peut-être !

Elle s'est tue un instant, attendant ma réponse.

— Donc ?

— Il y a des bourses, ai-je soufflé d'une voix tendue. Et j'ai pensé que je pourrais utiliser l'argent de mon père.

— Ah ouais ! s'est-elle esclaffée. Et tu crois que je t'ai laissée vivre sous mon toit sans rien en retour ?

Elle a eu un rire méchant. J'ai levé les yeux sur elle. Lentement, la haine a envahi mon cœur. Cet argent me revenait parce que mon père était mort trop tôt. Elle s'apprêtait à m'enlever la dernière chose qui me restait de lui ? La colère m'a aveuglée. J'ai tourné les talons en serrant les poings.

J'ai alors entendu le raclement du métal, et sa voix a fusé :

— Et ne me tourne pas le dos comme ça !

Une décharge électrique m'a traversé la tête au moment où j'ai senti quelque chose frapper durement le bas de mon crâne. J'ai vacillé et tendu les mains pour m'agripper au mur. Mais je n'ai pas eu le temps. Mes jambes ont flanché et je me suis effondrée sur le sol.

— Tu me pourris la vie, a-t-elle sifflé entre ses dents serrées. Je vais te faire regretter d'avoir mis le pied dans cette maison.

Tout en me concentrant pour retrouver une vision nette, j'ai pris appui sur mes mains tremblantes pour me redresser. Mes bras ont soudain ployé et ma poitrine a été projetée sur le carrelage lorsqu'elle a cogné une nouvelle fois. Une vive douleur m'a traversé l'épaule et, le souffle coupé, j'ai poussé un gémissement imperceptible.

Les murs et le sol tanguaient, tout était flou. J'ai réussi à repérer la direction de ma chambre. Pour échapper à Carol, je devais l'atteindre. Rassemblant les quelques forces qui me restaient, je me suis mise à ramper.

Elle grognait comme une enragée, marmonnant des choses incompréhensibles. Soudain, j'ai entendu :

— Tu vas apprendre à me respecter. Tu me dois la vie, après ce que je t'ai donné. Et pour tout ce que tu as détruit.

Son poing puissant a atterri dans le bas de mon dos. J'ai poussé un hurlement. J'ai eu l'impression qu'on me plantait des dizaines de couteaux le long de la colonne vertébrale, jusqu'au sommet du crâne. Avec un gémissement, je me suis affalée par terre. D'un coup, la pièce est devenue toute sombre, et j'ai perdu conscience.

Je ne sais pas combien de temps je suis restée étendue sur le sol. Lorsque je suis revenue à moi, j'ai entendu ses pas au-dessus. J'ai battu des paupières. Sous mon corps, j'avais l'impression que le carrelage ondulait. J'ai cligné des yeux deux ou trois fois pour chasser le vertige avant de prendre appui sur mes mains. Tandis que j'essayais de me mettre à genoux, la tension des muscles entre mes omoplates a déclenché une vive sensation de brûlure. Les yeux plissés, je me suis avancée lentement jusqu'au mur pour m'y adosser. Ma tête ballottait, mon corps vacillait, j'avais du mal à accommoder ma vue, les contours étaient flous. Je l'entendais bouger. À cause d'un léger mouvement de mon bras, une violente douleur a de nouveau irradié dans les vertèbres, me coupant le souffle.

J'ai inspiré profondément pour combattre la nausée qui me gagnait. Il fallait que j'arrive à sortir de la maison avant qu'elle ne redescende. Les yeux fermés, je me suis concentrée sur mon centre de gravité. Une fois mon équilibre à peu près assuré, j'ai avancé lentement jusqu'à ma chambre et refermé la porte. L'instinct de survie a pris le dessus sur la douleur et, le cœur battant, j'ai mis quelques affaires dans mon sac à dos. Puis j'ai ouvert doucement la porte pour écouter. Aucun bruit. Seul mon pouls rapide semblait résonner. Décidée à tenter ma chance, j'ai quitté ma chambre et parcouru les quelques mètres jusqu'à la porte de derrière, l'oreille tendue, guettant le moindre bruit.

J'ai tourné la poignée en retenant mon souffle, je ne l'ai relâchée qu'après avoir refermé la porte derrière moi. J'ai longé le mur de la maison pour qu'elle ne puisse pas me voir de sa fenêtre. Dès que j'ai atteint le portail, je me suis mise à courir. Mes pieds foulaient la route à un rythme soutenu, je ne sentais plus la douleur dans mon dos et dans ma tête. J'ai couru jusqu'au café, à trois cents mètres de la maison.

Le sac à la main, en nage et à bout de souffle, j'ai dû faire un drôle d'effet au patron et au garçon quand ils m'ont vue arriver. Je me suis affalée sur une chaise dans un coin de la salle et j'ai sorti mon portable. J'ai appelé Sara. J'écoutais la sonnerie avec angoisse. Pourvu qu'elle réponde.

— Emma ? Qu'est-ce qu'il y a ?

— Viens me chercher, ai-je gémi d'une voix épuisée.

— Mon Dieu ! Tu es blessée ?

— Je t'en supplie, Sara, viens le plus vite possible.

Ma voix tremblait ; je retenais mes larmes.

— Où es-tu ? a-t-elle demandé vivement.

— Au café près de chez moi.

— J'arrive.

J'ai raccroché.

Mes mains tremblaient, ma respiration était haletante. N'osant pas regarder dans la salle, j'ai guetté l'arrivée de Sara par la fenêtre. Lorsque je l'ai vue, je me suis précipitée dehors et j'ai foncé vers sa voiture. J'ai fait une grimace en m'asseyant : mon dos entier n'était qu'une vaste souffrance. J'ai fermé les yeux, la gorge nouée. J'ai fondu en larmes.

— Où es-tu blessée ? m'a demandé Sara d'une voix verrouillée par l'angoisse.

— Mon dos, ai-je soufflé, les yeux toujours fermés.

— Il faut que tu ailles à l'hôpital ?

— Non, ai-je répondu aussitôt.

J'ai ouvert les yeux et essuyé mes larmes.

— Pas l'hôpital, OK ? ai-je insisté. Juste... Est-ce que tu as de l'aspirine ou quelque chose du même genre ?

Sara a fouillé dans la boîte à gants et m'a tendu un tube de comprimés ainsi qu'une bouteille d'eau. J'ai avalé deux cachets. Elle a froncé les sourcils.

— Tu veux qu'on aille chez moi ?

— Est-ce qu'on peut simplement y passer pour prendre une poche de glace, si tu en as ? Ensuite, on ira quelque part où je peux marcher.

— Tu veux marcher ?

— Si je reste immobile, mes muscles vont se raidir. Il faut que le sang les irrigue pour que je puisse jouer ce soir.

— Tu t'imagines que tu vas jouer au basket ? Em, tu es blanche comme un linge et tu as tellement mal que tu n'arrives même pas à le cacher. Et si toi, tu ne peux pas le cacher, c'est que tu es dans un sale état.

— C'est parce que mon corps est encore sous le choc. Ça va passer, je te promets.

Je mentais, évidemment. À chaque seconde, la douleur ne faisait qu'augmenter.

Nous sommes allées jusque chez elle. J'ai attendu dans la voiture et elle est revenue avec de la glace, quelques sacs en plastique et des bouteilles d'eau. Elle m'en a tendu une en s'asseyant.

— On n'a qu'à aller au lycée, et on marchera sur le chemin, ai-je suggéré avant d'avaler de longues gorgées d'eau. Il faut juste que j'attende une ou deux heures, avant le match de l'équipe junior.

— Tu es sûre ? a-t-elle insisté, pas vraiment convaincue.

— Je t'assure que ça va, Sara.

Je me suis calée dans le siège de façon à atténuer la douleur profonde qui courait le long de la colonne vertébrale. La douleur aiguë avait disparu – tant que je restais immobile.

Une fois au lycée, nous nous sommes garées près du terrain de foot. Il n'y avait encore que quelques voitures sur le parking. La glace à la main, je suis sortie lentement de la voiture, serrant les dents pour lutter contre la douleur qui me retournait l'estomac. Nous avons marché jusqu'au terrain. J'ai rempli des sacs de glaçons et je me suis allongée sur le ventre. Sara les a placés sur mon dos, et s'est assise dans l'herbe à côté de moi. Nous sommes restées silencieuses, moi, les yeux fermés et le front sur mes bras croisés, elle arrachant des brins d'herbes.

— Tu trembles, a remarqué Sara.

— J'ai de la glace sur le dos et on est en décembre.

— Tu veux garder la glace combien de temps ?

— Quinze ou vingt minutes, on marchera un peu et on recommencera.

— Tu vas me raconter ce qui s'est passé, cette fois ? a-t-elle repris après un long silence. Je te jure de ne rien répéter.

— Je ne sais pas… Je n'ai pas envie que tu sois obligée de mentir à ta mère à cause de moi.

— T'inquiète, je me débrouillerai.

— Stanford a appelé, ai-je commencé.

— Oh, non ! s'est-elle exclamée.

— Et Carol m'a dit que je n'aurais pas un sou de l'argent de mon père pour payer l'université. Que cet argent était pour elle, compte tenu de ce que je lui coûtais en vivant chez elle. J'étais tellement furieuse que j'ai voulu quitter la pièce. C'est là qu'elle m'a frappée.

Sa mâchoire s'est crispée et elle m'a demandé, d'une voix blanche :

— Avec quoi ?

— Je ne sais pas, sans doute le premier truc qui lui est tombé sous la main.

Avec un frisson, je me suis souvenu du choc violent de l'objet contre mon crâne puis contre mon dos.

— Tu ne peux pas y retourner, a-t-elle insisté.

— Je ne veux pas penser à ça maintenant. La seule chose qui m'intéresse, c'est d'être capable de jouer ce soir.

— Je ne suis pas sûre que tu devrais, Em.

— Je n'ai pas le choix, ai-je déclaré. Elle m'a tout pris, même ce qui me restait de mon père. Hors de question que je ne joue pas.

Sara n'a pas discuté.

Nous avons marché rapidement, puis je me suis allongée pour une nouvelle séance de glaçons. Je devais à tout prix vaincre la douleur et disputer ce match.

Quand les premières voitures sont arrivées pour le match de l'équipe junior, Sara m'a suivie dans les gradins. Nous y sommes restées pendant la première mi-temps. Les écouteurs dans les oreilles, j'avais mis la musique à fond pour ne penser à rien. De temps en temps, je me levais et faisais quelques aller-retours le long des travées pour activer ma circulation, et aussi parce que rester immobile me faisait trop souffrir et que j'avais besoin d'oublier la douleur. Pour empêcher ma nuque de se raidir, je m'étirais du mieux que je pouvais en levant les bras au-dessus de moi et en inclinant la tête de chaque côté.

À la mi-temps, je suis allée me changer. Quand Sara m'a suivie dans les vestiaires, aucune fille n'a bronché. Nous nous sommes glissées dans une douche et, derrière le rideau, elle m'a aidée à enlever mon tee-shirt. Au moment de lever les bras, j'ai serré les dents. Mon dos me faisait souffrir depuis le bas de la colonne jusqu'aux omoplates. Une nouvelle fois, Sara m'a demandé si je voulais vraiment faire ce match. Je n'ai même pas répondu. Je comptais sur l'adrénaline pour me faire oublier la douleur.

Lorsque je me suis enfin élancée sur le terrain, c'est bien l'adrénaline qui m'a sauvée. Tandis que j'avançais en dribblant, passant le ballon ou le réclamant, je refusais de céder à la sensation de brûlure dans les muscles, aux éclairs éblouissants qui faisaient rage dans mon crâne. Passer les joueuses adverses, trouver la faille dans la défense, prévoir le prochain rebond, contrer, récupérer le ballon, pousser l'avantage – je ne pensais qu'à ça, je ne voyais que ça, pendant que l'heure tournait.

Je survivais grâce à l'adrénaline. Je devais tenir jusqu'à la fin du match. Mais, au bout d'un moment, j'ai commencé à avoir plus de mal à me concentrer. Je ne réagissais pas aussi vite pour les passes ou les attaques, le ballon m'échappait davantage et je réussissais de moins en moins de tirs. Lors d'une pause, le coach Stanley m'a demandé si j'allais bien. Je lui ai dit que j'avais glissé sur du verglas un peu plus tôt et que ça me gênait un peu. Il m'a proposé de quitter le jeu. J'ai refusé, en lui assurant que j'allais bien et que je pouvais continuer.

Le score était serré, probablement plus qu'il n'aurait dû, et je m'en sentais responsable. Vu mon état, je n'aurais jamais dû être sur le terrain. Il restait moins d'une minute de jeu, et la victoire était à la portée de chaque équipe. Après une pause, et à moins de trente secondes de la fin du match, nous avons repris possession du ballon. Nous étions menées d'un point. J'ai dribblé à travers le terrain, et toutes nos joueuses se sont aussitôt mises en position offensive. J'ai passé à Jill dans la zone restrictive, elle a dribblé au centre et fait une passe à Maggie sur la ligne de fond. Maggie, notant ma position idéale derrière la ligne des trois points, m'a fait la passe. J'ai reçu et ai aussitôt lancé, bras tendus vers le panier. Au même instant, la défenseuse adverse a surgi à côté de moi. J'ai vu le ballon voler juste au-dessus de ses doigts, et son bras qui retombait durement sur mon épaule, me faisant vaciller en arrière.

Je me suis effondrée sur le dos. Ma tête a heurté le sol. Les acclamations se sont étouffées, et ma vue s'est brouillée. J'ai cligné des yeux plusieurs fois et tout est devenu noir.

— Emily, tu m'entends ? a murmuré une voix d'homme.

Quelque chose de froid a effleuré mes paupières.

— Emily, a repris la voix, tu peux ouvrir les yeux ?

J'ai cligné des paupières et, malgré la lumière aveuglante, je me suis efforcée de garder les yeux ouverts. Plusieurs visages étaient penchés sur moi, quelque chose bipait derrière ma tête et j'entendais des murmures.

— Emily, je suis le docteur Chan, a continué la voix douce.

Je me suis concentré sur le visage rond et aimable de l'homme qui était tout près de moi.

— Tu es à l'hôpital. Tu as fait une chute pendant ton match de basket, ta tête a cogné le sol.

J'ai grogné, j'avais mal.

— Mon dos, ai-je gémi.

— Tu as mal au dos ?

— Mon dos, ai-je répété en sentant les larmes rouler sur mes tempes.

Je ne pouvais pas bouger la tête, à cause de la minerve.

— Nous allons te faire passer des radios, m'a-t-il dit.

— Sara ? ai-je interrogé en cherchant son visage parmi tous ceux qui étaient là.

— Qui est Sara, ma puce ? m'a demandé une infirmière en entrant dans mon champ de vision.

— Mon amie, Sara McKinley, ai-je réussi à articuler. Je veux Sara.

— Ton oncle et ta tante arrivent, m'a-t-elle répondu pour me rassurer.

J'ai grogné plus fort.

— Sara, s'il vous plaît.

— Je vais voir si je peux la trouver, m'a-t-elle dit d'un ton réconfortant.

D'autres voix. J'ai senti que je bougeais. La lumière blafarde des néons défilait au-dessus de moi. Je roulais le long des couloirs. Au bout de mon lit, il y avait quelqu'un. Dont je ne voyais pas le visage. Les larmes continuaient de couler sur mes tempes. Pénétraient dans mes oreilles. J'essayais de retenir mes gémissements mais ils s'échappaient malgré moi.

Des silhouettes bleu et blanc m'ont transportée sur une surface dure. J'ai hurlé de douleur. Impossible de me contrôler. Une infirmière m'a tournée doucement sur le côté pour m'examiner.

— Elle a le dos couvert d'hématomes, a-t-elle annoncé avec un soupir.

— Calez-la bien sur le côté, a ordonné le Dr Chan du bout de mon lit.

Fermant les yeux, je me suis concentrée sur ma respiration pour essayer d'évacuer la souffrance. Je ne sais pas combien de temps je suis restée à cet endroit, entourée de bruits que je ne parvenais pas à identifier – roulements, claquements, grincements, portes s'ouvrant ou se fermant... De temps en temps, des mains changeaient de place l'oreiller ou tapotaient le matelas pour tenter d'apaiser les élancements aigus que je subissais dans le dos. J'ouvrais puis refermais les yeux, épuisée.

— Nous attendons les résultats de la radio pour savoir s'il y a quelque chose de cassé, a expliqué le Dr Chan à quelqu'un. Vous pouvez rester avec elle. Dès que j'ai les résultats, je reviens.

— Sara ? ai-je murmuré.

J'ai ouvert les yeux. Un rideau m'entourait. Des gens étaient de l'autre côté. Le visage de l'infirmière s'est approché de moi et sa voix douce a résonné :

— Coucou, ma belle ! Ton oncle et ta tante sont ici.

J'ai détourné le regard. Elle ne devait pas s'attendre à cette réaction.

— Et Sara ? Vous avez pu la joindre ? ai-je demandé d'un ton angoissé.

— Elle est dehors, m'a-t-elle dit. Je vais la chercher.

— Vous ne pouvez pas m'empêcher de la voir, a lancé une voix furieuse. C'est ma fille.

Mon pouls s'est immédiatement accéléré, déclenchant une série de bips rapides à côté de moi.

— Calme-toi, Rachel, a ordonné George fermement.

— Qu'est-ce qu'elle a ? a-t-elle marmonné.

J'ai serré les mâchoires en reconnaissant sa voix pâteuse. Que faisait-elle ici ? Comment avait-elle su ?

Elle a commencé à reprocher à George et Carol de ne pas m'aimer en les insultant de sa voix alcoolisée.

— Madame, je dois vous demander de venir avec moi, est intervenue une voix grave d'homme.

— Vous n'avez pas le droit de me toucher. Je dois rester ici avec ma fille. Laissez-moi.

La voix rocailleuse de ma mère s'est éloignée avant de disparaître complètement lorsqu'une porte a claqué au bout du couloir.

— Emma, a chuchoté Sara en écartant le rideau.

Mes yeux ont discerné tant bien que mal son visage pâle et ses paupières rougies.

— Sara ! ai-je lâché en soulevant la tête.

J'ai aussitôt poussé un gémissement.

— Oups ! a réagi Sara en chuchotant. Ne bouge pas.

Elle a approché une chaise pour s'asseoir à côté de moi et m'a pris la main. Tandis qu'elle me dévisageait, la ride entre ses sourcils s'est creusée.

— Je suis tellement désolée.

Ses yeux se sont remplis de larmes qu'elle a rapidement essuyées.

— Ils ont finalement bien voulu me laisser te voir. J'ai l'impression d'avoir attendu des heures.

Sa voix s'est brisée.

— Tu m'as fait tellement peur.

Les larmes ont coulé sur ses joues. Cette fois, elle n'a même pas essayé de les retenir.

— Ça va aller, lui ai-je dit.

Mais je savais que me voir ainsi sur un lit d'hôpital n'était pas convaincant.

— Ça n'avait pas du tout l'air d'aller quand tu t'es évanouie sur le sol du terrain de basket. Je n'ai jamais eu aussi peur de ma vie.

— J'ai glissé sur du verglas et suis tombée dans l'escalier, devant la maison, ai-je soufflé.

— Quoi ? a-t-elle demandé en plissant le front.

— Ma chute, ai-je expliqué. Du verglas et je suis tombée sur les marches.

— Mais tout le monde t'a vue tomber pendant le match de basket !

— Mon dos, regarde.

Elle a fait le tour de mon lit et a soulevé délicatement mon maillot de basket. Je l'ai entendu étouffer un cri.

— Oh ! Je savais que tu n'aurais pas dû jouer. Ils t'ont donné quelque chose pour te soulager ?

Elle est revenue s'asseoir à côté de moi, plus pâle encore que lorsqu'elle était entrée.

— Non, ai-je lâché, les lèvres serrées, m'efforçant de ne pas gémir.

— OK, Emily, a déclaré le Dr Chan en ouvrant le rideau.

Il s'est présenté à Sara :

— Bonjour, je suis le Dr Chan.

— Sara McKinley, a-t-elle répondu.

— Tu veux qu'elle reste là pendant que je te donne mon compte-rendu ? m'a-t-il demandé.

— Oui.

— La bonne nouvelle, c'est qu'il n'y a rien de grave. Tu as eu une commotion cérébrale, mais il n'y a pas eu d'hémorragie. La radio de la colonne vertébrale n'a montré aucune lésion. En revanche, tu t'es fêlé le coccyx. Malheureusement, il n'y a pas grand-chose à faire, sauf attendre qu'il se répare tout seul. On va t'enlever la minerve et te donner quelque chose pour ne pas avoir mal. Tu devras rester tranquille pendant au moins deux semaines.

J'ai froncé les sourcils : je ne m'attendais pas à ça.

— Désolé, mais ça veut dire pas de basket. De toute manière, tu ne pourrais pas. Tu vas avoir une prescription pour la douleur, mais tu dois programmer un rendez-vous avec ton médecin pour dans deux semaines pour un suivi. Tu as des questions ?

— Non, ai-je soufflé.

— OK. Maintenant, tu veux bien me parler un peu de ces bleus dans ton dos ?

Pourvu que la machine ne commence pas à biper à cause de mon mensonge, ai-je pensé avant de me lancer.

— J'ai glissé sur du verglas et suis tombée dans l'escalier qui est derrière la maison.

— Tu es tombée sur le dos ?

— Oui.

— Combien de marches ?

— Quatre ou cinq.

— OK.

Il a soupiré.

— Sara, peux-tu me laisser un moment seul avec Emily, s'il te plaît ?

J'ai paniqué en la voyant sortir de la pièce.

Le Dr Chan s'est assis à côté de moi pour être à la hauteur de mes yeux.

— Tes bleus m'inquiètent, a-t-il dit d'un ton grave. La radio a également montré une ancienne contusion sur le devant de ta tête.

Il s'est tu un instant avant de poursuivre :

— Emily, je voudrais que tu me dises la vérité. Sache que je ne dirai rien à personne, je suis tenu au secret professionnel. D'où viennent ces bleus ?

— Je suis tombée dans l'escalier, ai-je répété en m'efforçant de me montrer le plus convaincante possible.

Je ne sais pas si cela a marché, mais il a hoché la tête et s'est levé.

— C'est tout à fait possible que tu te les sois fait en tombant. Mais si ça n'est pas le cas, j'espère que tu parviendras à le confier à quelqu'un. On va te garder ici cette nuit pour s'assurer que tout va bien et pour que tu puisses te reposer. Si tu as besoin de quoi que ce soit, ou envie de parler, dis-le à l'infirmière, elle me préviendra.

Sara est arrivée juste après qu'on m'avait retiré la minerve et coupé le maillot pour pouvoir m'enfiler le pyjama de l'hôpital. J'avais essayé de l'enlever par la tête pour éviter ça, mais le moindre mouvement était tellement douloureux que j'ai renoncé. J'ai remarqué que Sara était tendue. Je l'ai observée un moment, en silence, avant de glisser :

— Qu'est-ce que tu veux me dire ?

Les lèvres serrées, elle a regardé autour d'elle, cherchant visiblement ses mots.

— Hum… Evan est dehors. Je ne savais pas si je devais te le dire maintenant ou attendre que tu sois complètement shootée par les médicaments.

Je suis restée silencieuse.

— Il veut te voir.

— Non, ai-je répliqué aussi sec. Impossible.

— Je savais que tu répondrais ça, mais je lui ai promis de te demander. Je vais le lui dire. Pareil pour Drew, j'imagine ?

— Il est là aussi ?

— Beaucoup de gens sont là, en fait. Mais plus ton oncle et ta tante. Ils sont partis après que le médecin leur a dit que tu resterais à l'hôpital pour la nuit.

— Pas de visite, ai-je supplié. Personne, d'accord ?

— Compris.

— Sara… Qu'est-ce qui s'est passé quand je suis tombée ?

Je n'étais pas certaine de vouloir entendre sa réponse, mais j'étais étonnée d'avoir autant de visiteurs.

Sara a regardé le plafond, au bord des larmes.

— Euh… Après ton panier à trois points…

— Il était bon ?

Plissant les yeux, j'essayais de me rappeler ce moment mais je ne me souvenais que du score où nous étions menées.

— Carrément ! Tout le monde hurlait, c'était du délire. Et, d'un coup, silence de mort. Tu étais allongée par terre et tu ne bougeais plus. L'entraîneur est venu sur le terrain pour te ranimer mais il n'a pas réussi.

Sara s'est tue un instant. Elle a fermé les yeux et pris une profonde inspiration pour maîtriser le tremblement de sa voix.

— Ils ont appelé une ambulance. Il n'y avait pas un bruit dans le gymnase, tout le monde attendait que tu te réveilles. J'ai voulu descendre mais les entraîneurs et les profs empêchaient les gens d'approcher. Quand ils t'ont mise sur la civière, tu ne bougeais toujours pas. Em, j'étais terrifiée… Je suis allée directement à l'hôpital mais personne ne voulait rien me dire. Avec Evan, je pense qu'on a interrogé tous ceux qui entraient dans la salle d'attente avec une blouse blanche. Ensuite, d'autres personnes ont commencé à arriver et à attendre avec nous. D'abord Drew, avec des amis à lui. Puis ton entraîneur et d'autres joueuses de l'équipe de foot et de basket. Et encore d'autres gens, mais je ne sais plus vraiment qui… Finalement, ton oncle et ta tante sont arrivés et eux, ils ont tout de suite pu te voir. Ça m'a rendue dingue ! Et, enfin, l'infirmière est venue me dire que tu me demandais.

Je l'écoutais, incapable de me rappeler un seul moment de son récit. C'était très étrange de m'imaginer étendue sur le sol du gymnase avec tout le monde qui me regardait. L'angoisse qui résonnait dans la voix de Sara m'a déchiré le cœur. Sa main, sur son genou, tremblait.

— Je suis désolée de t'avoir fait peur à ce point, ai-je murmuré.

— Je suis surtout soulagée de te voir réveillée et capable de bouger, a-t-elle répondu en esquissant un sourire.

Malgré ses efforts, j'ai aperçu dans ses yeux un voile de tristesse.

— Je vais donner de tes nouvelles à tout le monde et leur dire que tu restes là pour la nuit. Comme ça ils vont pouvoir partir. Je serai de retour avant qu'ils ne viennent pour te changer de chambre.

L'infirmière est entrée à ce moment-là avec une seringue. Peu de temps après la piqûre, la douleur s'est atténuée et j'ai sombré dans un profond sommeil.

## 25

## Inévitable

Les deux semaines qui ont suivi, je ne suis pas retournée à la maison.

Je n'y étais pas non plus pour Noël. Mon seul regret a été de ne pas voir le sourire des enfants. J'avais l'habitude d'écrire avec eux leur lettre au Père Noël et j'adorais être là quand ils ouvraient leurs cadeaux. Je me suis demandé comment Carol et George avait justifié mon absence.

Pendant ma convalescence, je suis restée chez Janet. C'était… calme. Elle ne m'a posé aucune question sur ce qui m'était arrivé. Ni sur quoi que ce soit d'autre, d'ailleurs. Elle m'a installée dans la chambre d'amis et venait régulièrement me voir pour s'assurer que je ne manquais de rien.

La première semaine a été atroce. Le moindre mouvement me faisait un mal de chien. J'ai pris les comprimés qu'on m'avait prescrits pour me soulager, je dormais beaucoup. La seconde semaine, la douleur était moins vive, même si, chaque fois que je m'asseyais dans mon lit, mon coccyx me rappelait à quel point le choc avait été violent. Je passais mes journées à lire, à dormir et à échanger des SMS avec Sara.

Pendant les vacances, elle m'a envoyé chaque jour des mails pour me donner des nouvelles, prendre des miennes et me raconter toutes sortes de choses. Mais ne pas la voir me manquait. J'ai fini par prendre mon courage à deux mains et demander à Janet si Sara pouvait venir me rendre visite le dimanche avant la rentrée. Elle a immédiatement accepté et j'ai regretté de ne pas lui avoir demandé plus tôt. Elle avait beau être la mère de Carol, elle lui ressemblait si peu, c'était déconcertant.

Lorsque Sara est arrivée dans la petite maison, j'ai senti qu'elle réfrénait son humeur déchaînée et exubérante habituelle. Prétextant une course à faire, Janet est partie en ville. Je savais que c'était pour nous laisser tranquilles.

— Je suis trop contente de te voir ! s'est exclamée Sara dès le départ de Janet. Ça a l'air d'aller. Tu te sens mieux ?

— Ça va bien ! Je commence juste à m'ennuyer ferme. Raconte un peu ce qui se passe, j'ai dû rater tellement de trucs !

Sara a éclaté de rire.

— OK ! Tu es à jour pour le basket, non ?

— Oui. J'ai lu les infos dans le journal. On a perdu deux matchs, mais on en a aussi gagné deux.

— Ils attendent ton retour avec impatience. Surtout M. Stanley. Sinon, je suis allée faire du ski avec mes parents, Jill et Casey, mais ça tu savais. Quoi d'autre ?

Sara a regardé le plafond pour réfléchir aux autres infos qu'elle devait me donner.

— Ah oui… Drew m'a donné des fleurs pour toi, mais… je les ai oubliées. Pense quand même à le remercier.

— D'ac.

Pendant ces longues journées de solitude, j'avais largement eu le temps de penser à ce qui se passait entre Drew et moi. En fin de compte, je ne me souvenais même pas comment la relation avait basculé. Et maintenant, il m'offrait des fleurs… En ce qui me concerne, j'aurais pu dire que nous étions simplement amis. Sauf qu'il m'avait embrassée, évidemment. Ce que je ne pouvais pas ignorer.

— Il m'a demandé de tes nouvelles chaque fois que je l'ai vu à l'entraînement. Quand je ne l'y croisais pas, il m'attendait.

— C'est vraiment gentil, ai-je répondu sincèrement. J'ai un peu honte de ne pas lui avoir fait signe.

— Tu es toujours à fond sur lui ? a-t-elle insisté.

Évitant son regard, j'ai poussé un soupir coupable.

— Quoi ?

— Il s'est passé quelque chose que je n'ai pas eu le temps de te raconter, ai-je avoué. C'était juste avant que je sois blessée.

Elle a haussé les sourcils pour m'encourager à continuer. J'ai réfléchi une seconde : par où commencer ?

Depuis deux semaines, je me repassais la scène en boucle, nuit et jour. J'en faisais des cauchemars.

— Evan a appris que Drew et moi nous étions embrassés.

— Ça ne m'étonne pas. Tout le lycée est au courant.

— Sérieux ?

— Les amis de Drew sont des pipelettes. Jusqu'à maintenant, tu n'as jamais eu à gérer ce genre de trucs, hein ?

— C'est-à-dire ?

— Les ragots. Tout le monde sait ce que tu as fait avant même que ça ne soit arrivé. Ça fait des années que j'entends dire toutes sortes de choses débiles sur moi. Le plus drôle, c'est que personne ne sait rien en réalité. Bref, il y a eu des rumeurs sur toi et Evan avant, mais comme il ne s'est rien passé pour entretenir le bruit, ça a fini par disparaître. Toi et Drew, en revanche, c'est « l'Affaire » du moment. Pour plein de raisons.

J'ai senti un nœud se former dans mon estomac. Ce que me racontait Sara ne faisait que renforcer ma culpabilité.

— Je n'avais pas vraiment besoin de ça, ai-je lâché avant de lui raconter la suite.

— Waouh ! J'ai raté tout ça ?

Sara a hoché la tête d'un air incrédule.

— Je comprends mieux pourquoi c'était tendu dans la salle d'attente.

— Qu'est-ce que tu veux dire ?

— Quand on était à l'hôpital et qu'on attendait de tes nouvelles, Evan et Drew se tenaient chacun à un bout de la pièce. Evan défiait Drew du regard, ce qui a fini par l'énerver.

— Pas devant tout le monde, quand même ? ai-je gémi.

Je me suis laissée tomber sur mon matelas, les yeux au plafond.

— Désolée… (Sara a grimacé.) Mais ils n'ont pas parlé de toi. Drew a pété un câble parce qu'il en avait marre qu'Evan le dévisage de façon aussi hostile et, du coup, Evan l'a menacé.

J'ai fermé les yeux avec un grand soupir. J'avais du mal à imaginer la scène. Aucun des deux n'était du genre à chercher la bagarre.

— À quoi tu penses ? a demandé Sara en voyant mon air préoccupé.

— Je me sens mal qu'Evan ait vu Drew m'embrasser, surtout après la scène qu'il m'avait faite. Mais j'étais tellement en colère qu'il essaie de me cacher ce qui s'était passé avec Haley.

— Comment ça ? Tu veux dire qu'Evan et elle sont ensemble ?

Ces mots m'ont fait frémir.

— Mais oui ! Je les ai vus au feu de camp, Sara. Evan avait son bras autour d'elle. C'est au moment où j'étais avec Drew, tu te souviens ?

— Em, tu étais de l'autre côté du feu ! J'étais à côté d'Evan et je peux te garantir qu'il n'avait pas son bras autour de Haley. Elle est venue le voir, lui a dit un truc idiot, comme d'habitude, et l'a serré dans ses bras. Il lui a donné une petite tape dans le dos, l'a charriée et s'est éloigné. Ensuite, elle est partie flirter avec Mitch. Je pense que tu n'as pas vu toute la scène.

Comment était-ce possible ? Si c'était vrai, quelle cata… Après les avoir vus ensemble, j'étais partie me promener avec Drew sur la plage, l'esprit tellement préoccupé, que je l'avais laissé m'embrasser. Toute cette pagaille à cause de moi.

Pourtant, quelque chose clochait.

— Mais Haley m'a dit elle-même qu'elle était avec Evan, ai-je insisté. Ça m'a tellement énervée.

— À ta place, je ne l'aurais pas crue. Tu sais qu'elle te déteste ?

— Mais pourquoi ?

— Devine !

J'ai poussé un soupir.

— Sara, est-ce que j'ai vraiment tout gâché ?

La douleur était revenue. Sauf qu'elle était maintenant dans ma poitrine.

— Comment ça ? Tu sais très bien qu'Evan et toi avez arrêté de vous parler avant que Drew et Haley n'arrivent dans l'histoire. Ça n'a rien à voir avec eux.

— Mais ça n'a pas vraiment aidé, ai-je lâché d'une voix morne.

— Et Drew ?

— Je ne sais pas, Sara.

J'étais complètement perdue entre ce que je voulais vraiment et ce qui était le plus raisonnable. Incapable d'avoir les idées claires.

— Il est tellement gentil. Et tellement beau…

Sara a confirmé d'un sourire.

— Mais ?

Pendant une bonne minute, je n'ai rien dit. L'idée de ne plus jamais parler avec Evan me tordait le cœur, et ce serait forcément le cas si je ne lui disais pas la vérité sur ce qui se passait chez moi. Ce que je ne ferais jamais.

— Être avec Drew est plus logique, ai-je fini par conclure.

— Jamais entendu un motif aussi absurde pour sortir avec un garçon, a réagi Sara.

— On ne sort pas ensemble ! ai-je protesté.

— Em, enfin ! Il t'embrasse devant tout le monde, il t'offre des fleurs et il m'appelle tous les jours pour demander de tes nouvelles… Moi, j'appelle ça sortir avec quelqu'un.

— Il t'a appelée tous les jours ? !

— Ah oui, désolée, j'avais oublié de te le dire. Tu as raison : il est gentil, beau et attentionné.

Elle s'est tue.

— Mais… ? ai-je ajouté, attendant la suite.

— Mais… ça n'est pas Evan.

À la seconde où elle a prononcé cette phrase, j'ai compris. C'était la vérité.

Mais une vérité dont je ne pouvais tenir compte.

— OK. On peut parler d'autre chose ?

— Tu ne vas pas pouvoir éviter le sujet éternellement, m'a-t-elle mise en garde. Lundi, on retourne au lycée, et ils seront là tous les deux.

— Evan ne veut pas me parler, Sara.

— Je ne sais pas, Em…, a-t-elle lâché d'un ton hésitant.

— Il y a quelque chose que tu ne m'as pas dit ?

Elle s'est tue un instant avant de se lancer :

— Quand on était à l'hôpital, Evan était vraiment mal. J'ai discuté un bon moment avec lui. Il était blessé que tu refuses de le voir. Il est persuadé d'être plus attaché à toi que toi à lui. Il n'était pas à l'aise, je pense qu'il avait vraiment besoin d'en parler à quelqu'un. À défaut de pouvoir en parler avec toi… Il espérait que les choses redeviennent comme elles étaient le week-end où on est allés au cinéma.

Moi aussi.

— Il n'est pas idiot, Emma. Il a plus ou moins capté ce qui se passait chez toi. Tu aurais dû voir la manière dont il a regardé Carol et George quand il a compris qui ils étaient. Il tient toujours à toi. Je crois que si tu lui parlais…

— Je ne peux pas, Sara, ai-je murmuré.

Elle n'a pas bronché, mais à la manière dont elle a baissé les yeux, j'ai compris qu'elle n'approuvait pas ma décision. Nous sommes restées un moment silencieuses.

— En parlant de ça, a glissé finalement Sara, le regard toujours baissé. Tu dois retourner chez eux ?

— Eh oui.

— Il faut qu'on la neutralise. Il doit bien y avoir un moyen d'y arriver sans que ça nuise aux enfants.

— Je ne sais pas…

Au même instant, Janet a ouvert la porte d'entrée, suffisamment lentement pour nous signaler sa présence.

— Quelles sont les autres nouvelles ? ai-je lancé soudain en prenant un ton enjoué.

Sara a haussé les épaules. Elle a souri timidement et j'ai vu ses joues se colorer.

— Raconte, ai-je insisté.

— Je suis sortie deux fois avec Jared, cette semaine.

Elle a guetté ma réaction, craignant le pire.

— Ah ! C'est une bonne chose, non ?

— C'était vraiment super ! s'est-elle exclamée, le visage rayonnant.

— Comment c'est arrivé ?

J'ai essayé de ne pas penser au moment où ils avaient fait connaissance. Pour ne pas me souvenir de cette soirée magique avec Evan. Qui ne se reproduirait plus jamais.

— Je l'ai appelé pour lui rendre sa torche. On a discuté un peu. Puis il m'a rappelée plus tard dans la soirée et on a encore parlé. Il m'a proposé de sortir un soir, j'ai accepté. Et voilà.

— C'est tout ?

Ça n'était pas le genre de Sara de faire court et sans détails.

— Comme c'est le frère d'Evan, je pensais que ça te ferait peut-être bizarre d'entendre ça. Mais j'avais absolument besoin de te le dire, sinon j'allais exploser ! Si tu préfères, je m'arrête là.

— Non, je veux tout savoir, ai-je répondu avec sincérité.

Sans se faire prier davantage, elle m'a raconté dans le détail les deux dîners, un à Boston et l'autre à New York. Un sourire radieux illuminait son visage tandis qu'elle évoquait ces moments. J'avais beau me réjouir pour elle, une sensation de vide m'habitait. Était-ce de la jalousie ? Chassant ce sentiment égoïste, j'ai souri.

— Le second soir, il m'a embrassée. Le baiser le plus génial que j'aie connu ! J'ai cru que j'allais tomber dans les pommes.

À ce souvenir, un éclat merveilleux a dansé dans ses yeux.

— Et maintenant, qu'est-ce que tu vas faire ? Il est retourné à l'université, non ?

— Oui, il est parti ce matin. (Elle a soupiré.) J'ai vécu les meilleurs moments de ma vie. Mais il est à Cornell, et pas à Weslyn.

Elle a haussé les épaules, sans cesser de sourire.

— C'est fini ?

— Ouaip, c'est fini. Franchement, je n'espérais pas autre chose. Quand je suis sortie avec lui, je savais que ça se passerait comme ça.

— Alors pourquoi tu l'as fait ? l'ai-je interrogée, troublée.

— Pourquoi pas ? a-t-elle répondu d'un ton gai. Je préfère avoir le souvenir de ces deux soirées géniales, alors que je sais que ça n'arrivera plus, plutôt que de ne rien avoir du tout.

— Ah…, ai-je commenté, étonnée par cette vision des choses.

Ses paroles ont continué de résonner en moi bien après son départ.

En me couchant ce soir-là, je pensais encore à ses mots. Était-ce mieux de tirer profit au maximum de l'instant présent, sachant qu'il pouvait disparaître d'une seconde à l'autre ? Forcément, je pensais à mon expérience récente. En ce qui me concernait, cela se posait d'une drôle de manière : mieux valait un os cassé ou un cœur brisé ?

Cette nuit-là, je n'ai pas très bien dormi. Dans mes rêves s'entremêlaient toutes sortes d'images étranges. J'étais convaincue que la conversation avec Sara était la cause de mon insomnie. Jusqu'à ce que je me souvienne que George venait me chercher le lendemain.

⁂

Pendant la première partie du trajet, nous sommes restés silencieux. Je regardais par la fenêtre et il avait les yeux rivés sur la route.

— Ça serait mieux que tu laisses Carol tranquille, a-t-il fini par dire.

Le ton de sa voix en disait long. Je n'ai pas été surprise qu'il ne me regarde pas dans les yeux en me parlant.

— Elle a eu beaucoup de stress ces derniers temps et le nouveau traitement qu'elle prend n'arrange pas les choses. Tu peux rester dans ta chambre et dîner après nous, comme tu le faisais, mais c'est moi qui m'occuperai de la vaisselle. Tu continueras à faire le ménage le samedi quand elle sera dehors. J'ai aussi parlé avec les McKinley. Ils proposent gentiment de t'accueillir le samedi après ton ménage et les vendredis soir quand tu as un match de basket. Ils sont vraiment très attentionnés vis-à-vis de Carol et de son stress, et je compte sur toi pour ne pas tout compliquer. Le dimanche, tu continueras à aller à la bibliothèque.

Il a fait une pause avant d'ajouter :

— Inutile de te rappeler que ce qui se passe à la maison ne doit pas sortir de la maison.

Je n'ai pas réagi à sa menace, discrète mais bien réelle. En quelques phrases, il venait d'anéantir tout ce qui me restait comme famille – aussi dysfonctionnelle fût-elle. Je ne pourrais plus passer de temps avec les enfants, et George me parlerait encore moins qu'avant.

J'étais seule, définitivement seule.

# 26

# CASSÉE

— Sale poufiasse, a sifflé Haley Spencer à côté de moi. Qu'est-ce que tu lui as dit ?

— Je ne vois pas de quoi tu parles.

Bien sûr, je savais qu'elle parlait d'Evan, mais je n'avais pas la moindre idée de ce à quoi elle faisait allusion.

— Je suis sûre que tu lui as dit quelque chose pour qu'il parte comme ça.

Les mots sont entrés par une oreille et sortis par l'autre sans que j'imprime. Je l'ai dévisagée, étonnée.

— Il est parti, a-t-elle répété. Il est retourné à San Francisco, et c'est à cause de toi.

Elle a fait demi-tour avant que j'aie eu le temps de réagir et je suis restée plantée là, incapable de bouger. Mes livres m'ont échappé des mains et sont tombés par terre. Qu'est-ce qu'elle avait dit ? Parti ?

— Te voilà ! a lancé une voix tandis qu'une main me tendait mes livres.

— Merci, ai-je murmuré, en les prenant d'un geste mécanique.

Impossible qu'elle ait dit vrai. Il ne pouvait pas ne pas être là. Juste absent aujourd'hui, voilà tout. C'est pour cette raison que sa chaise était vide en cours d'anglais. Il ne pouvait pas avoir déménagé. Non.

— Em, je viens d'apprendre, a dit Sara dans mon dos. Je ne savais pas. Je suis désolée.

— Quoi ? C'est vrai ? ai-je demandé en faisant volte-face.

— Oui. C'est un des types de l'équipe de basket qui me l'a dit.

Sara se tenait devant son casier et me dévisageait, guettant ma réaction. Mais je restais immobile. Je ne pouvais pas le croire. Comment imaginer qu'il soit parti ?

Soudain, quelque chose a lâché. Sara l'a compris instantanément, elle m'a aussitôt prise par la main et m'a emmenée dans les toilettes des filles. Heureusement, les couloirs étaient presque déserts et il n'y avait pas de témoins pour assister à cette scène dramatique.

La tristesse a désintégré mon cœur. Glissant le long du mur, je me suis effondrée, sans même sentir la douleur dans mon dos. Je n'ai pas pleuré, aucune larme. Pourtant, à l'intérieur, j'étais noyée. Je regardais droit devant moi, sans voir le mur en face. Nous sommes restées silencieuses un moment. J'entendais Sara respirer à côté de moi. Elle m'a observée pendant que, lentement, je prenais conscience de la vérité.

— Il est vraiment parti ?

Ma voix n'était qu'un murmure désolé. Les mots avaient eu du mal à sortir. Sans rien dire, Sara a pressé doucement ma main. La vérité a creusé son sillon jusqu'à mon cœur. Et j'ai craqué. La tête dans le creux du bras, j'ai laissé parler ma tristesse et couler les larmes. Sara m'a caressé les cheveux pour m'apaiser tandis que les sanglots soulevaient ma poitrine.

— Il n'a pas pu partir…

J'avais les yeux brûlants et la gorge douloureuse tant elle était serrée. Au bout d'un moment, les pensées ont commencé à tourner dans ma tête. Pourquoi était-il parti ? Et pourquoi si soudainement ? Plus je réfléchissais, et plus ma tristesse se transformait en colère.

— Je ne peux pas croire qu'il soit parti sans rien dire, ai-je finalement lâché en me redressant. Il pouvait au moins dire au revoir. Au moins ça.

Sara était déconcertée par mon changement subit de comportement. Je me suis levée et mise à marcher de long en large en serrant les poings, de plus en plus irritée par cette fuite lâche et égoïste.

— Il n'a pas supporté l'idée que je revienne au lycée, c'est ça ? Il a préféré fuir à l'autre bout du pays pour ne pas me croiser ? Mais c'est *lui* qui a décidé de ne plus me parler, pas moi ! Qu'est-ce qu'il espérait ? Que j'attende qu'il veuille bien me pardonner pour quelque chose que je n'ai pas fait ? Je suis désolée s'il n'a pas apprécié de me voir avec un autre… Mais de là à déménager !

Je continuais mes allées et venues, les poings serrés, fulminant, tandis que les pensées jaillissaient dans mon cerveau. J'ai fini par m'arrêter, respirer profondément et reprendre mes esprits. Ma colère s'est apaisée et a laissé sa place à la résignation.

— Si c'est comme ça qu'il le prend, alors il a bien fait de filer. De toute manière, il ne pouvait pas supporter de me voir, donc qu'est-ce que ça peut me faire qu'il soit parti ? Au moins, il ne va plus me hurler dessus ou chercher à tout prix à me culpabiliser. Et tant pis si je ne le revois plus jamais, je m'en fiche.

C'était presque convaincant. Sauf que mon cœur a tout à coup paniqué à l'idée que je n'apercevrais plus son visage dans les couloirs du lycée.

— Tu crois vraiment ? a tenté Sara.

J'ai jeté un coup d'œil vers elle, me rappelant soudain qu'elle était là.

— Il n'avait pas l'air de te haïr, Em.

— Tu n'en sais rien. Je l'ai blessé. Je ne lui ai pas fait suffisamment confiance pour le laisser entrer dans ma vie. Puis je l'ai accusé d'avoir fait des choses qu'il n'a pas faites. Et, pour couronner le tout, j'ai embrassé un autre garçon sous son nez. Bien sûr qu'il me déteste ! Et il a probablement raison. Il ne supporte même pas de me voir. C'est évident, qu'il me déteste !

Sara assistait à mon monologue sans rien dire. Petit à petit, ma colère est passée d'Evan à moi-même. J'ai levé les yeux sur le miroir au-dessus du lavabo. Tandis que la colère et le chagrin valsaient dans mon regard, je me suis rendu compte que j'étais la seule responsable. J'avais le cœur brisé, et c'était de mon fait. Face à mon reflet, j'ai secoué la tête de dégoût. C'était moi qui avais repoussé Evan. Il avait toutes les raisons de me détester, exactement comme je me haïssais maintenant. L'estomac noué, je me suis détournée de mes yeux accusateurs.

J'ai ravalé ma souffrance, mais pas la culpabilité ni le dégoût qui m'étouffaient ; ils pouvaient m'engloutir, je l'avais bien mérité. Après un long soupir, je me suis tournée vers Sara. Elle continuait à me regarder, les yeux pleins d'inquiétude, témoin silencieux de ma déconfiture. J'étais tellement épuisée que je ne ressentais plus rien.

— Je l'ai repoussé, alors il est parti, ai-je avoué. Tout est ma faute. Et maintenant, il n'est plus là…

J'ai rentré la tête dans les épaules.

— Ne t'inquiète pas, ai-je ajouté en voyant la tristesse poindre dans le regard de Sara. Je vais bien.

— Tu parles, a-t-elle murmuré en secouant la tête.

Après un bref silence, elle a repris :

— Le cours est quasiment fini. Tu vas au suivant ?

— Évidemment, ai-je lâché.

Nous sommes retournées à nos casiers. Le mien était ouvert, j'ai pris les livres dont j'avais besoin. La cloche sonnait.

— On se retrouve ici avant d'aller à la cantine ? m'a demandé Sara.

J'ai hoché la tête.

Après son départ, j'ai traîné quelques instants. Je savais ce qui m'attendait, mais j'avais beau me répéter que j'étais prête, je n'étais pas dupe. Quand je me suis enfin décidée, j'avais une boule d'angoisse dans la gorge.

Arrivée en cours de bio, je me suis laissée tomber sur ma chaise. La place vide à côté de moi ne cessait pas de me narguer. J'étais incapable de me concentrer, je n'arrivais pas à détacher les yeux du rappel obsédant de son absence.

À la fin de l'heure, je n'en pouvais plus de mon chagrin. Je n'avais aucune raison de souffrir pour Evan, j'étais responsable de son départ. Mais quels que soient les reproches que je pouvais me faire, ou mes efforts pour ne pas y penser, j'étais dévastée.

— Tu as encore mal ? m'a demandé Drew en venant s'asseoir avec nous à la cafétéria.

J'avais oublié qu'il déjeunait avec nous. Sa question n'a fait que raviver ma culpabilité. J'avais visiblement du mal à cacher mon désespoir.

— Non, ça va, ai-je répondu en me forçant à sourire. C'est bizarre d'être dévisagée par tout le monde, c'est tout.

Ce n'était pas tout à fait faux. Tout le monde m'observait depuis que j'avais remis les pieds au lycée. Je m'étais attendue à des regards et des murmures, surtout après le compte-rendu de Sara sur la fin du match de basket. Mais autant de mines ébahies… J'avais l'impression de revenir du royaume des morts. C'était flippant.

Le soulagement de Drew, quand je l'avais aperçu sur le parking en arrivant le matin, était évident. Trop occupée à chercher la voiture d'Evan, je ne l'avais pas remarqué. Quand je l'ai vu venir, son immense sourire était trop contagieux pour ne pas l'attraper. Il m'a surprise en me prenant dans ses bras pour me serrer contre lui. J'ai hésité une seconde avant de lui rendre son étreinte. Sara, sachant combien j'étais terrorisée, nous a regardés avec amusement.

J'avais plus peur qu'Evan nous voie que du regard des autres. J'avais toujours du mal à croire que je comptais vraiment pour Drew. Surtout, j'essayais de saisir ce que j'éprouvais pour lui.

Alors qu'il s'asseyait à notre table et prenait de mes nouvelles, j'ai décidé que je n'allais plus y penser.

Je me suis penchée et, après l'avoir embrassé sur la bouche, je lui ai dit :

— Je me sens beaucoup mieux, merci.

Un sourire s'est dessiné sur ses lèvres et le rose lui est monté aux joues. Derrière moi, Sara s'est mise à tousser. Je me suis tournée vers elle.

— Désolée, a-t-elle lâché, un truc s'est coincé dans ma gorge.

J'ai froncé les sourcils, en espérant que Drew ne l'avait pas entendue.

— Tu joues, mercredi ? m'a-t-il demandé.

— Tout dépend de l'entraînement aujourd'hui et demain.

Il a tiré sa chaise et posé le bras sur le dossier de la mienne. Je sentais sa chaleur, mais pas les frissons que j'attendais.

— Je jouerai certainement vendredi, ai-je continué en me penchant jusqu'à lui toucher l'épaule.

J'espérais que mon cœur réagisse, mais il était trop occupé à se morfondre et pas vraiment prêt à s'emballer pour un baiser.

— Tu veux venir après le match, voir un film ? m'a-t-il demandé.

Comprenant tout à coup que Sara serait là, elle aussi, il l'a invitée du regard avant d'ajouter :

— Ou on peut juste traîner, ou faire autre chose.

— Il y a une soirée à la plage, chez Kelli Mulligan, a dit Sara.

— Ah… Et vous avez prévu d'y aller ? a-t-il répliqué, déçu.

J'ai haussé les épaules d'un air d'excuse. C'était Sara qui gérait nos projets pour le vendredi soir ; moi, j'essayais déjà de m'habituer à l'idée d'avoir un vendredi soir. Quand elle avait appris que je passerais désormais mes week-ends chez elle, toutes ses inquiétudes concernant mon retour chez moi s'étaient envolées. Non seulement ça, mais, en plus, elle pourrait enfin me faire découvrir tout ce que pouvait vivre une fille de mon âge et que je ne connaissais pas. Mon emploi du temps était donc entièrement calé sur le sien durant le week-end – et bien rempli.

— Ce matin, j'étais en informatique avec Kelli et elle nous a invitées, a-t-elle expliqué. On va sûrement rester dormir là-bas.

J'ai haussé les sourcils, stupéfaite. Non seulement il y avait une fête le vendredi soir, mais en plus on passait la nuit sur place ? À cette pensée, un frisson familier a parcouru mon corps. Panique.

— Elle m'en a vaguement parlé la semaine dernière, a enchaîné Drew. Sur le coup, je n'y ai pas vraiment réfléchi. Est-ce qu'on peut tous dormir sur place ?

— Je ne sais pas, a répondu Sara d'un air contrarié.

— Tu veux venir ? ai-je proposé.

Sara m'a donné un coup de pied sous la table.

— Je vais demander à Kelli si c'est possible, a-t-il dit. J'ai justement cours avec elle.

— Super, a commenté Sara.

Son enthousiasme était forcé, mais Drew n'a pas semblé le remarquer. La sonnerie a retenti. Drew nous a raccompagnées dans le hall.

— Je te vois avant de partir pour mon match ? a-t-il demandé.

— Oui.

Il m'a prise par la taille et m'a attirée contre lui. Malgré la présence de nombreux élèves autour de nous, le bruit de leurs voix et de leurs pas, je n'ai pas résisté. Ses lèvres douces et chaudes se sont attardées un long moment sur les miennes. Si mon cœur ne s'est pas emballé, j'ai frémi à la fois dans mon ventre et dans ma tête. Finalement, je pouvais tout aussi bien vivre sans tempête sous mon crâne et dans mon corps.

— À tout à l'heure, a-t-il murmuré avant de s'en aller.

Je l'ai regardé s'éloigner.

— Ohé ? m'a lancé Sara pour me ramener à la réalité.

L'éclat de ses yeux m'a transpercée.

— Ne me regarde pas comme ça !

— Mais qu'est-ce que tu fabriques ?

— De quoi tu parles ? Je ne suis pas censée sortir avec lui ?

— Je te rappelle que je viens de passer une heure à te consoler dans les toilettes…

— Ça n'a rien à voir avec lui. J'aime bien Drew, c'est tout.

Elle a haussé les sourcils d'un air sceptique.

— Vraiment. Je l'aime bien, ai-je insisté en me dirigeant vers mon casier.

— OK, peut-être que tu l'aimes bien. Mais ça ne me va toujours pas. Peu m'importe que tu trouves Drew génial, ça n'est pas…

— Tais-toi ! Arrête de parler de *lui*. Il a décidé de partir, et moi je dois avancer.

— Juste comme ça ?

J'ai haussé les épaules.

— Fais attention à ce que tu fais, OK ? m'a prévenue Sara.

Je l'ai plantée devant son casier pour filer en classe. Le cours d'arts plastiques s'est révélé plus éprouvant que celui de bio. Mme Mier nous a fait travailler sur l'émotion pour créer une œuvre. Elle nous a demandé de nous laisser envahir par un sentiment pour pouvoir l'exprimer à travers notre création. Mille émotions différentes ont jailli dans ma tête. J'étais terrifiée à l'idée d'en explorer une en particulier. Tandis que je prenais une toile et des couleurs, l'anxiété m'a gagnée.

— Tu as du mal à te décider ? m'a dit Mme Mier. Ou bien tu as peur de plonger dans ce que tu ressens ?

Comme toujours, elle avait vu juste.

— Je pense que si tu parviens à explorer cette émotion, tu peux produire quelque chose de très intéressant, a-t-elle poursuivi. Cela ne l'évacuera pas, mais cela te permettra de mieux la gérer.

Elle a posé ses mains sur mes épaules.

— C'est normal qu'il te manque, a-t-elle murmuré avant de rejoindre une autre table.

La gorge serrée, j'ai choisi des nuances de rouge et d'orange puis je suis retournée à mon chevalet, décidée à m'investir.

Pendant les deux semaines qu'a duré ce travail, j'ai joué le jeu. Je me suis enfoncée dans la souffrance qui m'étreignait et l'ai exprimée sur la toile. Chaque coup de pinceau était vrai et franc. C'était un processus douloureux mais bénéfique. À plusieurs reprises, tandis que j'ajoutais des taches de couleur, j'ai dû batailler contre les larmes qui embuaient mes yeux.

Petit à petit, j'ai récupéré. J'ai repris le basket : après avoir passé la moitié d'un match sur le banc, je suis retournée sur le terrain. Depuis que je pouvais rester dans ma chambre, j'échappais à la tension des repas. C'était plus facile de faire mes devoirs et de me concentrer sur mes résultats. J'avais la chance d'avoir dans ma vie un garçon vraiment super qui faisait attention à moi et me distrayait. Et je passais beaucoup de temps avec Sara.

J'avais décidé de survivre.

# 27

# Chaleur

Au milieu de la marée humaine, j'ai reconnu ses boucles dorées. En me faufilant dans la foule, je l'ai suivi. J'ai essayé d'aller plus vite pour le rattraper, mais il était toujours loin devant moi. Puis les corps sont devenus solides, durs. Je passais à travers des branchages qui me griffaient la peau. Je le voyais toujours, au loin. Lui ne se retournait pas. Mes jambes ont fini par ralentir. Chaque pas était lourd, douloureux. Pourtant, je ne pouvais pas le laisser partir. Je ne devais pas. L'idée de le perdre de vue a fait manquer un battement à mon cœur.

Soudain, il a disparu, et le sol s'est ouvert sous mes pieds. J'ai voulu m'arrêter. Trop tard. Un trou béant s'est formé dans le rocher et m'a avalée. J'ai essayé de me retenir mais mes mains glissaient sur la terre sèche sans rien accrocher, tandis que mes genoux s'écorchaient contre la roche. Mes doigts ont finalement agrippé le bord. Mes jambes pendaient au-dessus de l'obscurité du vide. J'ai essayé de remonter, paniquée. La pierre à laquelle j'étais suspendue a commencé à céder. C'est à ce moment-là que je l'ai vu, debout, au-dessus de moi. Alors que je tendais une main vers lui, l'autre main a lâché. Je suis tombée sans voir son visage. Juste avant de toucher le sol, je me suis réveillée en sursaut dans mon lit.

Les manifestations familières de ce sommeil agité m'ont aussitôt cueillie : le pouls à deux cents à l'heure, le souffle haletant, le corps trempé de sueur. Avec, cette fois, les larmes qui baignaient mes joues. J'ai enfoui ma tête dans l'oreiller et j'ai pleuré jusqu'à ne plus sentir la douleur qui brûlait ma poitrine. Épuisée, j'ai fini par sombrer dans un sommeil sans cauchemars. Ni rêves.

— Tu as l'air fatiguée, m'a fait remarquer Sara lorsqu'elle est passée me prendre le lendemain matin.

— Je n'ai pas très bien dormi, ai-je reconnu en m'efforçant de chasser les images qui me hantaient encore.

— Tu vas tenir le coup pour la fête ce soir ?

— Ça ira, ne t'en fais pas.

À vrai dire, ce qui me préoccupait le plus à la perspective de cette soirée chez Kelli Mulligan, c'était d'aller à ma première fête avec Drew depuis le feu de camp.

— Tu es prête pour ce soir ? m'a demandé Drew sur le parking.

En le voyant, je n'ai pas pu m'empêcher de sourire. Comme chaque matin, lorsqu'il venait me retrouver près de la voiture de Sara. Même si cela ne lui ressemblait pas, Sara, elle, ne faisait pas beaucoup d'efforts pour accepter Drew. Juste la politesse de base.

Ignorant son attitude, je me suis laissée aller contre Drew lorsqu'il a passé son bras autour de me épaules.

— Yep ! ai-je répondu d'un ton exagérément enjoué.

Pourquoi stressais-je à ce point à l'idée de cette fête ?

— Ça va être super ! a dit Drew.

Avant de nous séparer, il a pressé ses lèvres contre les miennes en murmurant :

— Je te vois au déjeuner.

Sa douceur m'a attendrie.

— C'est peut-être à cause de ta commotion cérébrale, a dit Sara tandis que nous nous dirigions vers nos casiers.

— De quoi tu parles ?

— Du fait que tu continues à considérer Drew comme LE mec génial.

— C'est quoi ton problème ?

Je ne comprenais pas son amertume.

— C'est juste que je n'aime pas quand tu es avec lui.

— Pourquoi ? Qu'est-ce que j'ai fait de mal ?

— Tu n'as rien fait de mal. C'est juste que tu n'es pas la même. Comme s'il te manquait quelque chose.

Hochant la tête, elle a ajouté :

— Je ne sais pas comment dire.

— Pourquoi tu compliques les choses, Sara ? Si je fais quelque chose de mal sans m'en rendre compte, s'il te plaît dis-le-moi pour que je puisse arranger ça. Mais si je ne fais rien de mal, alors je ne comprends pas pourquoi c'est si difficile pour toi de me voir avec Drew. J'essaie d'aller mieux, et il me rend heureuse. Et je le serais encore plus si tu ne me critiquais pas comme ça. Ce week-end, j'ai envie de m'amuser. On va enfin passer notre temps libre ensemble sans avoir peur ni besoin de mentir. Ça ne te fait pas plaisir ?

— Si, bien sûr. Désolée… Il s'est passé beaucoup de choses ces derniers temps et il faut que je m'y habitue. Je vais faire un effort.

Elle a cherché un instant ses mots avant d'ajouter :

— Je vais arrêter de penser à ta place. Tout ce que je veux, c'est que tu sois bien, et je suis avec toi quoi qu'il arrive. Promis, ce soir je serai de super bonne humeur !

— Merci !

Pendant le déjeuner, Sara n'a pas manifesté la moindre réserve à l'égard de Drew. Elle avait retrouvé sa gaieté et son exubérance et a passé la moitié du repas à parler de la fête de Kelli, listant les invités et s'interrogeant sur qui resterait dormir ou non. Comme la maison n'était qu'à vingt minutes de Weslyn, seules quelques personnes dormiraient sur place. Essentiellement des filles.

Durant le reste de la journée, elle a gardé sa bonne humeur. Elle a même discuté avec Drew, parlant avec lui le plus naturellement du monde, comme avec un vieux copain. J'étais contente qu'elle accepte enfin le fait que je sois avec lui.

Avec Drew, je ne risquais rien. Mes émotions étaient maîtrisées. Aucune chance que mon cœur se brise à nouveau, rien qui vienne chambouler notre confortable routine. J'ai donc été surprise quand, avant que je ne parte pour le match, il m'a attirée dans le bureau vide de l'entraîneur.

— On se retrouve chez Kelli vers vingt heures ?

J'ai acquiescé :

— Parfait.

Il s'est penché vers moi et m'a embrassée, posant ses mains sur ma taille pour m'attirer à lui. Son souffle chaud a caressé ma bouche tandis qu'il suivait le contour de mes lèvres avec sa langue. Un frémissement m'a chatouillé le ventre et j'ai laissé échapper un gémissement d'excitation. Nos deux corps se sont serrés l'un contre l'autre pendant que nos lèvres se cherchaient.

Lorsqu'il m'a relâchée, j'ai poussé un léger soupir, le souffle court.

— Waouh, a-t-il lâché.

— Comme tu dis…

Tout mon corps vibrait. C'était une sensation que je n'avais jamais éprouvée jusque-là. Je devais absolument calmer ma respiration et le tourbillon dans ma tête avant d'envisager le moindre mouvement.

— Je dois y aller, ai-je murmuré.

— OK.

En guise d'au revoir, il a déposé un doux baiser sur mes lèvres. À l'instant où il m'a effleurée, nous avons plongé dans la même intensité que la minute précédente. Avant de perdre tout contrôle, j'ai réussi à me détacher.

— Il faut vraiment que j'y aille.

Il m'a suivie des yeux tandis que je franchissais la porte.

— Tu es toute rouge, quelque chose ne va pas ? m'a demandé Jill quand nous sommes montées dans le bus.

J'ai touché mon visage pour sentir la chaleur.

— J'ai dû courir pour ne pas être en retard, ai-je menti. Je parlais de l'article avec Mme Holt.

Les joues brûlantes et le pouls à mille à l'heure, je me suis assise dans le fond du bus. J'ai appuyé ma tête sur la vitre et, le regard perdu à l'horizon, je me suis repassé en boucle le baiser avec Drew. Absorbée par mes images et mes sensations, j'entendais à peine la musique de mon iPod.

— Qu'est-ce qui t'arrive ? a insisté Jill d'un air curieux.

J'ai enlevé un de mes écouteurs.

— Tu n'as pas l'air aussi concentrée que d'habitude avant un match. Tu vas bien ?

— Ça va. J'étais juste ailleurs.

— Je crois que je sais avec qui…

Sans un mot, j'ai remis mon écouteur dans l'oreille et je me suis abstraite.

— Est-ce que je dois m'inquiéter de ton choix ?

— À mon avis, oui.

J'ai poussé un soupir. Mais quand j'ai vu le choix en question, j'ai carrément flippé.

— Une robe !

Les yeux rivés sur la robe bustier bleu vif et le gilet vert, j'ai ouvert la bouche sans pouvoir articuler un son.

— Pas de talons, cette fois, a-t-elle souligné pour atténuer le choc.

Je n'ai même pas réagi.

— Va prendre ta douche et laisse-moi m'occuper du reste, m'a-t-elle ordonné.

Sans broncher, j'ai obéi.

Pour compenser le déshabillé de la robe, j'ai commencé à boutonner le cardigan. Sara a interrompu mon geste en secouant la tête. Une fois devant le miroir, j'ai détaillé ma tenue. Moulant ma poitrine et ma taille, la robe s'arrêtait très au-dessus du genou. J'ai lancé à Sara un regard inquiet.

— C'est super beau ! T'inquiète pas, il n'y a aucun risque qu'elle tombe, elle te va parfaitement.

— Je ne comprends pas comment ça se fait. Tu as beaucoup plus de poitrine que moi.

— C'est justement pour ça que je ne la mets jamais, a-t-elle avoué. Je t'assure que c'est pas toujours facile d'avoir une grosse poitrine.

J'ai pouffé de rire, pas vraiment convaincue.

La maison des Mulligan était sublime. Moderne et élégante, construite en haut d'un rocher, elle surgissait au bout de l'allée comme une apparition. La façade qui donnait sur l'océan était toute en baies vitrées. L'étage supérieur brillait dans la nuit.

Nous avons sorti nos sacs du coffre et suivi le chemin de pierre qui menait à la grande porte blanche. Nos talons sonnaient sur le sol dur. Au moment où Sara a appuyé sur la sonnette, j'ai senti mon estomac se contracter.

— Sara ! Emma ! s'est exclamée Kelli, surexcitée, qui nous ouvrait la porte. Entrez !

À la suite de Kelli, nous sommes passées devant la cuisine et avons emprunté un long couloir. Elle a ouvert la dernière porte et nous sommes entrées dans une grande chambre blanche dont la baie vitrée donnait elle aussi sur l'océan. Deux lits doubles *king size* habillés d'un dessus-de-lit bleu et blanc étaient disposés de part et d'autre d'une cheminée. Au fond de la pièce, une porte menait à une salle de bains privée.

— C'est là que vous dormirez cette nuit, a dit Kelli en tendant une clé à Sara. Comme ça, vous serez tranquilles. Venez vous servir quand vous êtes prêtes.

— Pas mal, non ? a lancé Sara quand la porte s'est refermée.

Hypnotisée par le spectacle des vagues se brisant sur les rochers en contrebas, j'ai hoché la tête.

— Dingue !

Après avoir laissé nos sacs dans la chambre, nous sommes allées dans le salon. Cette fête était différente des deux précédentes. Les invités étaient habillés comme s'ils étaient dans un restaurant chic ou une boîte de nuit. Les filles portaient toutes des robes décolletées et des bijoux, tandis que les garçons avaient visiblement fait de gros efforts – pantalon et chemise au lieu des habituels jean et tee-shirt. Même si je comprenais mieux pourquoi Sara avait choisi cette robe pour moi, je n'étais pas près d'enlever le cardigan qui couvrait mes épaules.

— Comment s'est passé ton match ? m'a questionnée Drew en déposant un baiser sur mes lèvres après avoir passé son bras autour de ma taille.

Dès que j'ai senti sa bouche sur la mienne, une forte chaleur a envahi mon corps.

— On a gagné.

J'ai souri, les joues empourprées.

Il m'a prise par la main et m'a emmenée vers la cuisine. Sara était déjà là, en train de faire la bise à ceux qu'elle connaissait. Elle s'est versé une coupe de champagne et Drew a attrapé une bière. Une inquiétude a étreint ma poitrine.

— Qu'est-ce que tu veux boire ? m'a-t-il murmuré dans le creux de l'oreille.

— Rien pour l'instant, merci, ai-je répondu d'une voix tendue.

Après un coup d'œil autour de moi, j'ai vu que la plupart des gens avaient un verre à la main. Vraisemblablement de l'alcool.

— Tu es sûre ? a insisté Drew. Si ça ne te plaît pas que je boive, dis-le-moi. Je n'y tiens pas particulièrement…

Je ne savais pas quoi répondre. Cela me stressait, bien sûr. J'avais trop souvent vu ma mère ivre et incapable de se tenir. Mais pouvais-je pour autant demander à Drew de ne pas boire ?

— Tu vas conduire ?

— Non, je dors dans la chambre d'amis avec d'autres types.

Il restait dormir ici ? L'espace de quelques secondes, j'ai eu le souffle coupé à l'idée qu'il serait tout près de moi pendant la nuit. Après le baiser intense que nous avions échangé dans l'après-midi, cette perspective me perturbait.

— Je ne bois pas.

— Pas de problème, a-t-il dit en reposant la bière. Moi non plus, dans ce cas.

S'approchant de nouveau de mon oreille, il m'a murmuré :

— Je n'ai pas besoin de ça pour avoir la tête qui tourne.

Je suis devenue carrément écarlate.

Nous avons rejoint des copains à lui sur le canapé et ils ont commencé à parler surf. Tout en discutant avec eux, Drew a passé sa main autour de ma taille. J'ai écouté leurs histoires avec plus de plaisir que je ne l'aurais imaginé. Au bout d'un moment, j'ai rejoint Sara et d'autres filles dans la cuisine.

— Où est Drew ? a demandé Sara.

— En train de parler avec des copains.

— Vous êtes officiellement ensemble, tous les deux ? a interrogé Lauren.

— Ça veut dire quoi « officiellement » ?

— Est-ce que tu sors avec d'autres types ?

— Non.

J'ai jeté un coup d'œil vers Drew qui rigolait, assis sur le canapé. Et lui ? Avait-il envie de sortir avec d'autres filles ? Et si c'était le cas, comment réagirais-je ? Une crampe inattendue m'a étreint le ventre.

— Nous n'avons pas abordé le sujet, ai-je avoué.

— Tu dois lui demander ce qu'il attend de votre histoire, a conseillé Sara.

Les autres filles ont confirmé d'un hochement de tête.

— Autant prendre ses précautions avant de commencer une relation plutôt que de se prendre une baffe après, a ajouté Jill.

— C'est vrai. On ne sait pas forcément tout de la vie de l'autre…

J'ai lancé un regard sidéré à Katie, qui a baissé les yeux en rougissant légèrement.

— Quand même, c'est vrai que j'ai été étonnée quand j'ai appris qu'il t'avait embrassée, a remarqué Lauren. Drew n'est pas du genre à le dire à tout le monde quand il sort avec une fille.

— Je pense que c'est parce que c'est Em, a conclu Sara. C'était important pour lui et il a eu besoin d'en parler.

Cette discussion commençait à me mettre sérieusement mal à l'aise.

— Vous passez la nuit ici ? ai-je demandé aux filles, pour changer de sujet.

Mais elles étaient tellement absorbées par leur discussion qu'elles ne m'ont même pas entendue.

— Je sais comment sont ses amis, a commenté Katie. Ne croyez pas qu'il soit si innocent que ça.

Elle ne m'avait pas parlé directement, mais j'ai bien perçu le ton de sa voix. Je l'ai dévisagée d'un air méfiant. Elle a continué à fuir mon regard.

— Qu'est-ce que tu sais exactement ? a interrogé Sara, qui avait elle aussi senti la mise en garde de Katie.

— Rien de spécial. J'ai juste traîné avec eux quand ils sont allés surfer à Jersey et qu'ils ont passé leur temps à draguer les filles. J'ai aussi accompagné Michaela une fois où Jay l'avait invitée, juste après qu'ils ont commencé à sortir ensemble. Eh bien, il n'a pratiquement pas fait attention à elle, tellement il était occupé avec une autre fille. Et après, quand il l'a rejointe, plus tard dans la soirée, il n'a même pas compris pourquoi elle était énervée.

— Ça ne veut pas dire qu'ils sont tous pareils, a commenté Jill.

Katie a haussé les épaules. J'ai compris qu'elle ne nous disait pas tout.

— Em, tu m'accompagnes ? m'a dit Sara. J'ai envie d'un autre verre.

Pendant qu'elle se resservait, j'ai sorti une bouteille d'eau gazeuse du frigidaire. J'attendais qu'elle m'explique pourquoi elle m'avait demandé de la suivre.

— Je pense qu'il s'est passé un truc entre Katie et Drew.

— Tu crois ?

Elle a fait une moue.

— Peut-être. En tout cas il se passe quelque chose. Je sais qu'il est sorti avec au moins deux filles.

— Stop, je n'ai pas envie de savoir ! ai-je supplié.

Entendre parler des histoires de Drew était plus que je ne pouvais supporter. J'ai lancé un coup d'œil dans sa direction mais lui et ses copains n'étaient plus là. J'ai balayé la pièce du regard et l'ai aperçu en train de discuter avec Kelli et une autre fille que je ne connaissais pas. Un éclair de jalousie m'a transpercé le cœur. Je me suis aussitôt efforcée de chasser ce poison. La discussion avec les filles m'avait sûrement perturbée en semant le doute dans mon esprit mais je ne devais pas me laisser envahir par un sentiment d'insécurité.

— Il faut que tu discutes avec lui pour être sûre que vous êtes sur la même longueur d'onde, a poursuivi Sara. Ça te dérangerait s'il sortait avec d'autres filles en même temps ?

Je n'avais jamais réfléchi à la question et je ne savais pas quoi en penser. L'idée qu'il puisse s'intéresser à quelqu'un d'autre ne m'avait pas traversé l'esprit, mais, maintenant que je regardais autour de moi, je comprenais que les tentations étaient nombreuses. Et cela m'amenait à me poser des questions sur ce qu'il y avait entre nous.

— Je ne sais pas, ai-je répondu en toute sincérité.

— Salut, Sara ! a lancé Jay en s'approchant de nous. C'est cool de te voir ici.

— Salut, Jay, a répondu Sara.

— Prête à venir surfer avec nous, au printemps ? m'a-t-il interrogée.

Cette soudaine invitation à participer aux projets de Drew m'a plombée. J'avais toujours eu l'habitude de ne vivre qu'au présent. D'abord une conversation sur mon avenir avec Drew, et maintenant un plan surf pour dans des mois – c'était plus que je ne pouvais digérer en une fois.

— On verra.

— Allez ! Tu vas adorer.

— Beaucoup de choses peuvent arriver d'ici là, est intervenue Sara pour me porter secours.

— C'est sûr, a reconnu Jay. Quoi qu'il arrive, j'adorerais te voir sur une planche. Ou juste en bikini.

Il a éclaté de rire. Je lui ai lancé un regard noir, tandis que Sara fronçait les sourcils.

— C'était une blague, s'est-il défendu.

— Coucou, a dit Drew en arrivant par-derrière et en glissant ses bras autour de ma taille.

— J'étais justement en train de lui proposer de venir avec nous faire du surf aux beaux jours, lui a raconté Jay.

— Sérieux ? Tu veux que je t'apprenne à surfer ? a dit Drew en me regardant.

— Peut-être.

— Elle pense que vous ne tiendrez pas ensemble jusqu'au printemps, s'est moqué Jay.

— Jay ! s'est exclamée Sara en lui donnant une tape sur le bras.

— Aïe ! Quoi ?

— Elle n'a pas du tout dit ça !

Puis elle a regardé Drew avant d'ajouter :

— Il est débile.

Drew m'a dévisagée attentivement pour essayer de lire la vérité sur mon visage.

— Tu me largues déjà ?

— Bien sûr que non ! Je n'ai jamais dit un truc pareil. Merci beaucoup, Jay.

Drew m'a prise par la main et m'a attirée dans le couloir, loin du bruit, visiblement décidé à avoir une conversation avec moi. J'étais hyper tendue.

— Qu'est-ce qui se passe ?

— Rien, ai-je affirmé d'une voix mal assurée. Je ne préfère pas parler ici.

J'ai lancé un coup d'œil vers la pièce, qui grouillait d'oreilles attentives et de regards dans notre direction. Il a froncé les sourcils. Je ne comprenais pas vraiment ce que j'avais pu dire qui l'ait mis dans cet état. M'emmenant à sa suite, il a descendu l'escalier et a ouvert la porte d'entrée. Le froid s'est engouffré et j'ai frissonné.

— Où va-t-on ? ai-je questionné en le suivant sur le chemin.

— Quelque part où on peut parler.

Derrière les arbres, il y avait une petite bâtisse. Drew a sorti une clé de sa poche, a ouvert la porte, et nous sommes entrés dans une grande pièce qui comportait une cuisine américaine, un espace salon, deux lits doubles et une échelle qui menait à une mezzanine. La décoration, très simple, était typique des maisons de pêcheurs de la Nouvelle-Angleterre : des coquillages et des photos de voiliers. Rien à voir avec le design moderne et chic de la maison principale.

Il a refermé la porte et m'a fait face. Je ne m'attendais pas à lire une telle inquiétude sur son visage.

— C'était quoi, ça ? a-t-il lâché.

— Désolée…

L'angoisse, dans ses yeux, a cédé la place à la panique. Visiblement, j'avais encore dit ou fait quelque chose qu'il ne fallait pas.

— Les filles ont commencé à me donner des conseils, et je les ai écoutées, ai-je ajouté rapidement. C'était complètement idiot de ma part.

— Tu voulais des conseils sur quoi ?

— Mais je n'en voulais pas, ai-je aussitôt répliqué. Elles m'ont demandé si nous étions officiellement ensemble, toi et moi, et j'ai répondu que nous n'en avions pas vraiment parlé. Alors elles m'ont dit que je devrais le faire, pour être prévenue si jamais tu voyais quelqu'un d'autre. C'était absurde et je n'aurais pas dû entrer dans leur jeu.

J'ai guetté sa réaction. Il a eu l'air moins crispé, mais semblait toujours soucieux.

— Et donc ? Est-ce qu'on est ensemble ? a-t-il fini par demander.

Ah… Je ne m'attendais pas à ça.

— Ça veut dire quoi, exactement ?

Mauvaise question. Nouvel air paniqué.

— Est-ce que tu as envie de sortir avec quelqu'un d'autre ? a-t-il questionné.

Mon cœur a fait un bond. Incapable de dire qu'il n'y avait personne d'autre, je me suis contentée de secouer la tête. Le mensonge a fait battre mon cœur encore plus vite.

— Et toi ? ai-je interrogé à mon tour.

— Non, a-t-il aussitôt répliqué. Alors, pourquoi tu crois qu'on ne sera plus ensemble au printemps ?

Encore cette question ?

J'ai pris une profonde inspiration.

— Je n'ai jamais dit ça.

— Tu crois qu'on sera encore ensemble ?

Comment donner une réponse qui sonnerait juste ? En voyant ses grands yeux verts à l'affût de ma réaction, j'ai décidé de contourner le problème. J'ai avancé d'un pas et lui ai passé les bras autour du cou pour l'attirer à moi. Quand je l'ai embrassé, il s'est détendu, s'est penché, et ses lèvres chaudes ont capturé les miennes. Une vague de chaleur m'a instantanément envahie lorsqu'il a appuyé ses mains sur ma taille pour presser son corps dur contre le mien. Mon souffle s'est accéléré, et j'ai laissé échapper quelques gémissements d'excitation. Sans interrompre notre étreinte ni ce baiser, nous avons traversé la pièce, jusqu'à ce que je bute contre quelque chose. Il m'a étendue sur le lit. La tête me tournait, un tourbillon d'images se formait. Ses mains ont glissé le long de mes cuisses, il a attrapé mes jambes et les a mises autour de son dos. J'ai cru voir un éclair.

Sa langue est descendue le long de mon cou, déclenchant dans tout mon corps une nouvelle onde d'excitation. Je n'étais désormais plus capable d'écouter les signaux d'alerte que me lançait mon cerveau. Tandis qu'il écartait les pans de mon gilet et parcourait de sa langue le contour de mes épaules, j'ai poussé un gémissement de plaisir. Cherchant de nouveau ma bouche de ses lèvres, il m'a caressé la cuisse avant de glisser délicatement sa main entre mes jambes.

Un frisson a déferlé sur ma peau en même temps qu'un spasme électrisait mon cerveau.

— Waouh, a dit une voix depuis la porte.

— Jay, va-t'en ! a crié Drew en tournant la tête, le corps pressé contre le mien.

Je me suis relevée précipitamment, j'ai tiré sur ma robe et refermé mon gilet. Drew s'est assis à côté de moi.

— Désolé, mec, a lancé Jay, sourire en coin. Je ne savais pas.

— Sors, maintenant !

— À plus, a-t-il lâché dans un éclat de rire avant de refermer la porte derrière lui.

— Merde, a murmuré Drew en se laissant tomber sur le dos. Je suis désolé.

Au même instant, j'ai entendu la voix de Sara résonner au loin :

— Jay, est-ce que tu as vu Emma, par hasard ?

D'un bond, je me suis levée et j'ai rajusté mes vêtements.

— Elle est là-dedans, a répondu Jay, ricanant.

Drew s'est levé à son tour lorsque Sara a frappé à la porte.

— Entre, lui a-t-il indiqué d'un air légèrement ennuyé.

Sara a ouvert la porte tout doucement. Son regard est passé de moi à Drew, puis de lui à moi, avant de se poser sur le dessus de lit froissé. À tous les coups, j'aurais droit à un interrogatoire en règle.

— Euh… On va…, a-t-elle bafouillé. Je te cherchais…

— J'arrive, ai-je dit.

— OK. On se retrouve à l'intérieur.

Elle a refermé la porte, et j'ai poussé un soupir.

— Je pense qu'il vaut mieux qu'on y retourne avant qu'ils n'aient l'idée de venir nous chercher les uns après les autres, ai-je confié à Drew.

— Je peux fermer la porte à clé, a-t-il suggéré, en écartant mon gilet pour déposer un baiser sur mon épaule nue.

J'ai eu un petit rire nerveux et, avant d'être de nouveau vaincue par un tourbillon d'excitation, j'ai recouvert mon épaule.

— D'accord, on y retourne, a cédé Drew à contrecœur.

Des sourires et des regards lourds de sous-entendus nous ont accueillis lorsque nous sommes entrés dans la pièce. Je me suis sentie devenir de nouveau écarlate. En cherchant Sara du regard, j'ai croisé le sourire idiot de Jay. Je mourais d'envie de lui coller une gifle.

— Je vais chercher quelque chose à boire, ai-je dit à Drew en me dirigeant vers la cuisine.

Avant même que j'ai atteint le frigo, il avait emmené son pote à l'écart d'un air énervé.

— On peut dire que maintenant c'est officiel, a lancé Jill en riant.

— De quoi tu parles ?

Son petit sourire a confirmé mes craintes.

— Tu penses bien que Jay nous a tout raconté !

— Super, ai-je soupiré en secouant la tête. En plus, j'imagine que, dans sa bouche, ça devait être quelque chose.

— Tu ne crois pas si bien dire.

— Comment ça ? ai-je insisté, de plus en plus inquiète.

Après un instant de silence, elle m'a fait un léger signe de tête pour m'indiquer un coin plus tranquille. J'ai commencé à paniquer.

— Il dit que, quand il est entré dans la chambre, Drew et toi étiez en train de faire l'amour.

— Quoi ? ! On était juste en train de s'embrasser ! Quel…

Soudain, je comprenais mieux tous ces regards. J'ai eu un haut-le-cœur.

— Désolée, a dit Jill en haussant les épaules. Jay adore raconter des histoires.

J'ai secoué la tête, sidérée. Et dégoûtée.

Sara nous a rejointes tandis que j'expliquais ce que Jay avait réellement vu.

À l'autre bout de la pièce, Drew semblait avoir le même genre de discussion avec ses copains. À côté de lui, Jay secouait la tête en levant ses mains en signe de défense. Son geste préféré.

— On pourrait parler de quelque chose de plus intéressant que ce que Drew et moi n'avons pas fait ? ai-je dit.

La sensation de nausée ne faisait que s'amplifier, j'étais à deux doigts de me trouver mal.

— Euh... Eh ben, Katie a disparu quelque part avec Tim, a annoncé Jill.

— Sérieux ? a réagi Sara, tout émoustillée.

Si le seul sujet intéressant était de deviner ce que pouvaient fabriquer deux personnes seules, alors très peu pour moi. Je me suis faufilée derrière Sara et Jill qui lançaient toutes sortes d'hypothèses délirantes et je suis allée m'asseoir sur le canapé, devant la cheminée, le regard happé par la danse des flammes. Un sentiment de déjà-vu m'habitait de manière peu agréable.

— Je me le suis tapé une fois, m'a interrompue Kelli.

Elle venait vers moi, précédée d'un léger parfum d'alcool. J'ai poussé un gros soupir.

— Tu as teeeellement de chance, a-t-elle lâché d'une voix pâteuse. Drew est le plus top de tous.

— Mmmmh, ai-je acquiescé.

— J'ai baisé avec lui une fois seulement, a-t-elle avoué.

Mon dos s'est raidi d'un coup.

— On n'est jamais sortis ensemble officiellement, a-t-elle ajouté, croyant me mettre à l'aise. Mais c'est un super coup, hein ?

Impossible de réagir. J'étais abasourdie.

— Je suis vraiment contente que vous soyez venues, Sara et toi, a-t-elle murmuré en posant la tête sur mon épaule. Vous êtes les personnes les plus géniales que j'ai rencontrées dans toute ma vie !

J'ai jeté un rapide coup d'œil à ses cheveux courts, impeccablement coiffés, et au décolleté plongeant de sa robe de soirée.

Super nouvelle. Donc il est sorti avec elle. Et aussi avec Katie, on dirait. Et qui d'autre encore, dans cette pièce ? Quelle fille avait-il essayé encore ? L'image de Drew dans une position compromettante avec la fille assise à côté de moi est passée devant mes yeux. Je n'ai pas aimé du tout. J'avais beau me dire que cela ne devait pas m'atteindre, malheureusement c'était le cas.

Pour ne pas me laisser envahir par ces pensées malsaines, j'ai occupé mon esprit comme j'ai pu. J'ai parlé de choses et d'autres avec des personnes que je ne connaissais pas et j'ai regardé des types faire des parties de bras de fer. Sara est venue me voir de temps en temps, mais elle semblait surtout occupée avec un type que Kelli avait invité. Au moment où Drew est venu me retrouver, la plupart des gens étaient en train de partir ou de rejoindre leurs chambres.

— Je ne t'ai pas vue depuis une éternité.

Il s'est assis à côté de moi et a passé son bras autour de mon épaule. L'esprit encore encombré par ce qu'on m'avait raconté, j'hésitais à me laisser aller contre lui.

— Ça va ? a-t-il demandé.

— Je suis fatiguée, ai-je répondu en m'étirant.

— Trop fatiguée pour rester un peu seule avec moi ? a-t-il chuchoté dans le creux de mon oreille.

J'ai souri. La chaleur de son souffle a effacé tous mes doutes et mon sentiment d'insécurité. Tournant la tête vers lui, j'ai accueilli le doux baiser qu'il a déposé sur mes lèvres.

— Alors ? a-t-il insisté.

La sensation de chaleur a gagné chaque parcelle de mon corps. Il m'a embrassée de nouveau. Plus longuement. Et a passé sa main derrière ma taille pour m'attirer contre lui.

Derrière nous, quelqu'un a toussé discrètement. Je me suis tournée et j'ai aperçu Katie. Étonnée, je me suis redressée.

— Drew, je peux te parler un instant ? a-t-elle demandé d'un air innocent.

Debout, les mains sur les hanches et un sourire aguicheur aux lèvres, elle semblait onduler.

Drew a soupiré et m'a regardée. Il était libre de faire ce qu'il voulait.

— Bien sûr, a-t-il répondu en se levant pour la suivre dans un coin de la pièce.

Restée sur le canapé, l'estomac serré, je me suis forcée à ne pas les regarder. Quelques minutes plus tard, Drew est revenu, déconcerté.

— Tout va bien ? ai-je questionné, même si je n'avais guère envie de connaître la réponse.

— Je ne m'attendais pas à ça, a-t-il reconnu, le regard lointain.

Sa réponse étrange m'a inquiétée. J'avais maintenant envie de savoir ce que Katie lui avait dit. Voyant mon air tendu, il m'a pris la main.

— C'est une longue histoire, a-t-il lâché d'un ton évasif.

Cela ne m'a pas rassurée.

— Il y a quelques personnes dans le jacuzzi, en bas. Ça te dit d'y aller ?

— Pas trop…

Je ne rêvais que d'une chose : rejoindre mon lit pour échapper à toutes les pensées désagréables qui me hantaient.

— En fait, j'ai surtout envie de me coucher, ai-je avoué. Désolée…

— Pas de problème. C'est vrai qu'il est déjà tard.

Il a hésité un instant avant de demander :

— Est-ce que je peux dormir avec toi ?

L'air m'a manqué, j'ai cru que j'allais tomber dans les pommes.

— Je ne crois pas que ça soit une bonne idée.

— Tu as probablement raison, a-t-il concédé. Est-ce qu'au moins je peux venir te border ?

La proposition m'a fait sourire.

— Ça, je pense que c'est jouable.

Nous sommes allés voir Sara pour qu'elle me donne la clé de la chambre. Lorsqu'elle a aperçu Drew derrière moi, elle a haussé les sourcils. J'ai secoué la tête discrètement en guise de réponse à son insinuation silencieuse. Je savais pertinemment que tous ceux qui me croiseraient avec Drew auraient la même idée en tête. Mais je n'étais plus à ça près.

Pendant que je faisais ma toilette, Drew m'a attendue, installé dans un fauteuil. Lorsque je suis sortie, en short et débardeur, il était tout sourire. Je me suis glissée sous le drap et il a fermé la porte à clé.

— Comme ça, personne ne pourra entrer et raconter n'importe quoi après.

— Tu te rappelles que tu as dit que tu ne faisais que me border !

Il a ri.

— Bonne nuit, a-t-il susurré en se penchant pour m'embrasser.

Avant que ses lèvres ne touchent les miennes, j'ai senti son souffle chaud caresser mon visage. Les tourbillons électriques ont commencé à jaillir dans ma tête et, tandis que sa bouche s'attardait un instant, des frémissements m'ont parcouru le corps. J'ai fermé les yeux, ma respiration s'est accélérée et un gémissement s'est échappé. Malgré moi.

Ses lèvres, à peine détachées, sont revenues chercher les miennes. Plus puissantes. Plus gourmandes. Plus désireuses. À mon tour, j'ai laissé la vie prendre sa place. J'ai passé mes bras autour de son cou et l'ai attiré à moi. Il s'est allongé sur moi, par-dessus les couvertures, sa bouche pressante prenant la mienne avec ardeur. Puis ses lèvres humides sont descendues le long de mon cou, je me suis courbée, détachant mon dos du matelas pour tendre ma peau vers sa caresse délicieuse. Mon corps était happé par l'intensité de la chaleur, la force du désir. Je ne pouvais plus penser à rien. Je ne pouvais que répondre à cette pulsion qui vibrait dans chaque fibre de mon être.

Sans lâcher son étreinte, il s'est glissé dans les draps. La respiration coupée, j'ai senti son corps tout contre le mien, respiré son odeur et effleuré de mes lèvres la peau salée de son cou. Son souffle s'est accéléré et, se serrant plus encore contre moi, il a glissé sa main sous mon débardeur. Une espèce d'électrochoc m'a sortie de ma transe, comme un signal qui m'indiquait qu'il fallait faire baisser la pression.

Drew a descendu son autre main le long de ma cuisse jusqu'au creux de mon genou pour ensuite passer ma jambe autour de lui. L'excitation qui courait dans mes veines venait se heurter aux messages d'alerte envoyés par mon cerveau. Je me suis dégagée de son étreinte et j'ai pris une grande inspiration. Sa tête au-dessus de la mienne, il a ouvert les yeux pour saisir ce qui se passait et s'est penché pour m'embrasser de nouveau. Mais j'ai tourné la tête.

— J'ai besoin d'une pause, ai-je expliqué dans un souffle.

— OK.

Dans un soupir, il s'est redressé puis assis sur le bord du lit. Il m'a dévisagée un instant avant d'ajouter :

— Tu veux que je parte ?

Ses yeux verts cherchaient avidement mon regard. J'ai secoué la tête en souriant.

Alors qu'il s'apprêtait à soulever la couverture, j'ai interrompu son geste.

— Mais tu ferais mieux.

Il a hoché lentement la tête et dans ses yeux j'ai lu la déception.

— Bonne nuit, a-t-il murmuré en se penchant pour m'embrasser.

— Je crois que tu as déjà fait ça, l'ai-je arrêté avec un sourire. Bonne nuit !

Il s'est levé doucement et s'est dirigé vers la porte. Il s'est retourné et m'a adressé un dernier long regard avant de disparaître.

Au moment où je commençais enfin à m'endormir, j'ai entendu un bruit sourd devant la porte. Sara était en train de souhaiter bonne nuit à quelqu'un. Probablement le type qu'elle avait rencontré. Quand j'ai entendu les respirations haletantes et les gémissements, j'ai eu envie de disparaître sous les couvertures. Après quelques bruits supplémentaires, Sara est finalement entrée en promettant à l'autre de l'appeler. Tournant le dos à la porte, j'ai fait semblant de dormir. Je n'avais pas particulièrement envie d'avoir le récit de sa soirée. Ni de raconter la mienne.

⁂

Aux premières heures du matin, le même cauchemar est venu achever ma nuit. Tandis que je tombais dans le gouffre, un homme me regardait du haut du rocher. Mais, cette fois, j'ai clairement vu son visage avant de tomber. Evan. Les traits déformés par la colère. Il s'éloignait, et je l'appelais à l'aide.

— Em, a marmonné Sara, à moitié endormie. Tu pleures ?

La chambre était plongée dans l'obscurité, les épais volets occultant la clarté de l'aube. Allongée sur le dos, les yeux grands ouverts, j'essayais de deviner les contours de cette pièce peu familière. Les larmes mouillaient mes joues et, à cause de la sueur, le drap collait à ma peau. J'ai fini par me redresser, et mon cœur a alors repris son cours normal.

— Tu as crié son nom, a dit Sara en se tournant vers moi.

— Le nom de qui ?

— Evan.

Les sombres images du cauchemar m'ont aussitôt assaillie. J'ai séché mes larmes.

— Il te manque, n'est-ce pas ?

Je n'ai rien répondu.

— Tu peux toujours l'appeler, tu sais.

J'ai secoué la tête et murmuré :

— Non, je ne peux pas.

Je me suis levée pour aller dans la salle de bains. J'ai fermé la porte derrière moi.

# 28

# La vérité

La rumeur sur Drew et moi s'est répandue comme une traînée de poudre à travers le lycée. Le jour où l'une des joueuses de l'équipe de basket a demandé, en plein vestiaire, devant tout le monde, si Drew et moi avions couché ensemble chez Kelli, j'ai eu la honte de ma vie. Jill est aussitôt venue à mon secours et a réussi à convaincre la plupart des filles. Ça n'a pas marché aussi bien avec le reste du lycée. Personne n'osait m'en parler en face, mais j'entendais les murmures sur mon passage.

J'avais clairement changé de statut aux yeux des élèves. Non seulement je n'étais plus invisible, mais ils étaient de plus en plus nombreux à me parler, à me proposer de sortir ou à m'inviter à des fêtes. Pour l'organisation de nos week-ends, je continuais à m'en remettre à Sara.

Lorsque j'étais à la maison, je restais toujours sur le qui-vive, retenant mon souffle, le cœur battant dès que j'entendais la voix de Carol. Combien de temps allait-elle ainsi tolérer mes absences ? À quel moment déciderait-elle de me tomber dessus ? Cependant les mois passaient et la situation durait : je n'étais qu'une occupante de la maison qui n'avait d'autres devoirs que de faire le ménage le samedi matin.

Ne pas voir Leyla et Jack m'attristait. De temps à autre j'entendais leurs voix résonner, mais je les croisais rarement. J'ai fini par me convaincre que c'était mieux pour eux. Cela m'a aidée à supporter le manque.

Début février, Anna et Carl ont annoncé qu'ils nous emmèneraient en Californie pendant les vacances, Sara et moi, pour visiter les universités. Mon entraîneur a organisé des rendez-vous avec quelques personnes qui s'intéressaient à moi. Carl a parlé avec George. Mon oncle a accepté le projet, ce qui a dû, j'en suis sûre, mettre Carol hors d'elle. Pourvu qu'elle ne me le fasse pas payer trop cher à mon retour…

Sara était surexcitée à l'idée de notre périple dans les universités de Californie. Moi aussi, à cette différence près : je redoutais le fait de me retrouver dans le même État qu'Evan – et aussi dans la même ville.

Ses apparitions nocturnes étaient moins fréquentes, mais il m'arrivait encore de me réveiller en larmes, trempée de sueur, son visage flottant dans mon esprit. La tête sous l'oreiller, je pleurais alors pendant des heures. Je savais que je ne l'oublierais pas et qu'il continuerait de hanter mes pensées. Et mon cœur.

Si une partie de mon cœur était inaccessible pour Drew, je me laissais envahir sans réserve par les sensations de chaleur qu'il déclenchait dans mon corps et l'excitation lorsque nous étions ensemble. Se perdre dans ses baisers était facile. Le temps passant, sa demande se fit plus pressante. Et différente. Ses mains voulaient davantage, cherchant les endroits dénudés de ma peau. J'avais l'impression de brider sans cesse ses doigts et ses lèvres dans leur exploration. Il ne disait rien, mais je savais qu'il espérait que je baisse la garde. Au lieu d'en parler, j'ai commencé à éviter de me retrouver seule avec lui. Puis j'ai culpabilisé. J'ai essayé de me convaincre que je n'étais simplement pas prête et que cela n'avait rien à voir avec lui. Après la fête de Kelli, nous n'avons plus parlé de notre relation, de nos sentiments et de nos attentes.

Il n'y avait pas non plus de quoi s'inquiéter, et je prenais notre histoire pour ses bons côtés. Et ils étaient nombreux. Nous aimions être ensemble et discuter ; il me faisait rire. Quant au plaisir des moments plus intimes, il prouvait qu'il y avait une véritable attirance.

— Tu es toujours bien avec moi ? m'a-t-il demandé lorsque nous nous sommes assis sur le canapé, dans le salon de Sara.

Sara et Jill étaient allées à l'épicerie et nous attendions des copains de Drew pour une soirée films d'horreur. Nous avions décidé de rester chez elle car le lendemain matin nous prenions l'avion pour la Californie.

— Bien sûr ! Qu'est-ce qui t'arrive ?

Drew a haussé les épaules, l'air grave. J'ai poussé son pied du mien avec un petit sourire pour tenter de le dérider mais il ne m'a même pas regardée.

— Alors pourquoi tu ne veux plus être seule avec moi ?

Je me suis crispée, effrayée par la tournure que prenait la conversation.

— Je ne vois pas de quoi tu parles.

— J'ai l'impression que tu as toujours une bonne excuse. Pourquoi tu ne veux pas être avec moi si tu tiens à moi ?

Sachant à quoi il faisait allusion, je n'ai rien répondu.

D'un geste rapide, il m'a tirée par les pieds pour m'allonger sur le canapé et s'est couché sur moi après avoir placé mes jambes autour des siennes puis ses mains sous ma taille. Il est allé tellement vite que je n'ai pas eu le temps de réagir. Son visage était à quelques centimètres au-dessus du mien.

— J'ai envie de toi, a-t-il soufflé en effleurant mes lèvres. Et j'aimerais que ce soit réciproque. Que tu aies autant besoin d'être avec moi que j'ai besoin d'être avec toi…

Il a posé lentement sa bouche sur la mienne et s'y est attardé. Ses mots m'avaient tellement paniquée que je n'ai pas réagi à son baiser.

— Je sais que tu as envie de moi, a-t-il murmuré, ses lèvres tout contre les miennes, son souffle chaud sur mon visage.

Devant mon absence de réaction, il a relevé la tête et plongé son regard inquiet dans mes yeux.

— Je me trompe ? a-t-il demandé en se redressant tout à fait.

J'étais incapable de répondre. Il a froncé les sourcils en voyant mon visage et a détourné le regard.

— Coucou ! a lancé Jill en arrivant sur le palier avec Sara.

Je me suis relevée à toute allure et me suis assise à l'autre bout du canapé. Drew a eu un sourire forcé. Jill a rempli le minibar de bières et j'ai proposé à Sara de l'aider à préparer les plateaux-repas dans la cuisine. Elle a tendu la télécommande à Drew en lui confiant la mission de lancer le premier film.

— Qu'est-ce qui s'est passé ? a-t-elle demandé en voyant mon visage tendu.

— Il vient juste de me demander de coucher avec lui, ai-je répondu calmement en vidant un paquet de chips dans un bol.

— Noooon ? s'est exclamée Sara. Et qu'est-ce que tu lui as dit ?

— Je n'ai pas réussi à lui répondre, ai-je avoué d'un air coupable.

— Tu veux dire que tu n'as rien dit du tout ?

— J'étais en train de me demander ce que je pourrais bien lui répondre quand vous êtes arrivées.

— Donc maintenant il pense que tu ne l'aimes pas, c'est ça ?

— Je lui ai dit que j'étais bien avec lui, ai-je expliqué. Mais il m'a dit qu'il voulait plus.

— Tu es prête à le faire ? Avec lui ?

— Je suis attachée à lui. Mais…

J'ai haussé les épaules.

— Je sais, a commenté Sara avec une grimace.

— Qu'est-ce que je dois faire ?

— Comporte-toi comme d'habitude, mais évite de rester seule avec lui pour le moment. De toute façon, si tu continues à le repousser, il va le sentir. Mais ça n'est pas grave.

Je lui ai jeté un regard étonné.

— Qu'est-ce que tu veux dire par là ?

— Si tu ne vois pas de quoi je parle, je ne peux pas te l'expliquer, a-t-elle répliqué avec un sourire.

— Mais ça n'a aucun sens, Sara ! ai-je protesté. Qu'est-ce que tu racontes ?

— Tiens, emporte ces bols de chips en haut et embrasse-le pour que la soirée ne soit pas complètement pourrie.

Jill est entrée dans la cuisine. D'un geste distrait, j'ai pris les bols que me tendait Sara, l'esprit encore occupé à déchiffrer ses paroles. J'ai monté lentement les marches, réfléchissant à la meilleure façon d'approcher Drew. Je me suis décidée pour la méthode directe.

Après avoir posé les bols sur la table, je me suis placée devant lui de manière à lui cacher l'écran de la télé. De mauvaise grâce, il a levé les yeux sur moi. Je me suis approchée et me suis assise à califourchon sur ses jambes. Devant mon audace, il a haussé les sourcils.

— Je veux être avec toi, ai-je murmuré en baissant la tête pour le regarder droit dans les yeux.

J'ai passé mes doigts dans ses cheveux avant d'ajouter :

— C'est juste que je ne suis pas prête…

Il m'a dévisagée, déçu, et a entrepris de se lever mais j'ai très vite enchaîné :

— Pas encore… mais bientôt…

Pourquoi lui avais-je ainsi menti ? Probablement parce que c'était plus facile que d'admettre la vérité.

Je me suis penchée et j'ai posé mes lèvres sur les siennes. Avant que je n'aie le temps d'esquisser un geste, il m'a attrapée par la taille et m'a fait basculer sur le canapé. Tandis que j'étais allongée sous lui et qu'il m'embrassait de plus en plus fiévreusement, j'ai senti mon souffle s'accélérer. Il a voulu me faire rouler sur le côté mais nous étions si près du bord que nous avons dégringolé sur le sol.

J'ai éclaté de rire et il a grogné. La tension est retombée. Il m'a regardée et, enfin, m'a souri.

— Evan ? a dit une voix.

Le son de cette voix m'a fait instantanément quitter mon cauchemar pour me ramener à la réalité.

J'ai ouvert les yeux et j'ai sondé l'obscurité autour de moi. Allongée par terre, sous une couverture, j'ai essayé de comprendre où je me trouvais. Tout m'est alors revenu. Le salon télévision, chez Sara. Nous regardions un film.

Dès que je l'ai vu, assis à côté de moi, j'ai compris. J'ai essuyé mes larmes et me suis tournée vers lui. C'est bien ce que je redoutais : il avait l'air à la fois blessé et perdu. Et énervé, aussi, et ça, je ne m'y attendais pas. Je l'ai dévisagé en essayant de ralentir de mon pouls. Une confrontation silencieuse. Oppressante.

— Cauchemar ? a-t-il finalement demandé.

J'ai hoché la tête, prête à affronter la suite.

— À propos d'Evan ? a-t-il ajouté sur un ton sec.

J'ai baissé les yeux, incapable de soutenir son regard.

— Je comprends mieux.

J'ai levé les yeux. Il a hoché lentement la tête.

— Drew…, ai-je supplié.

Il s'est levé, a mis ses chaussures et a soulevé sa veste. Je ne trouvais pas les mots pour l'empêcher de partir. En réalité… je n'avais pas envie qu'il reste.

Je suis restée par terre et l'ai suivi du regard tandis qu'il disparaissait dans l'escalier. À cet instant, j'ai aperçu Sara, allongée sur le canapé, dans les bras d'un garçon qui dormait. Elle s'est redressée et m'a lancé un regard plein de tendresse. Elle avait tout entendu. J'ai détourné le regard.

⁂

— Tu as super bien géré, à San Francisco, a dit Sara dans l'avion qui nous ramenait de Californie. Je ne m'attendais pas à ce que tu tiennes le coup comme ça.

À l'entendre, j'avais bien fait illusion. Parce que, en réalité, j'ai passé mon temps à le chercher dans tous les visages que nous croisions.

— J'ai bien failli lui téléphoner, ai-je reconnu.

— Ça ne m'étonne pas. Mais il n'était pas là, de toute manière.

Je me suis tournée vers elle, stupéfaite.

— Il est à Tahoe pour la semaine, en train de faire du snowboard avec ses potes.

— Comment tu le sais ?

— J'ai demandé à Jared, a-t-elle avoué. Quand j'ai su que nous allions passer quelques jours à San Francisco, je l'ai appelé en me disant que si on croisait Evan là-bas, ça te permettrait peut-être de tourner la page. Ne t'inquiète pas, Jared m'a promis de ne rien lui dire.

En y réfléchissant, cela ne m'étonnait pas vraiment de Sara. J'avais essayé de toutes mes forces de ne pas penser à lui quand nous étions là-bas, mais c'était impossible. Dix fois, cent fois, j'avais pris mon téléphone et composé son numéro avant de finalement appuyer sur la touche « Annuler ». Et dire qu'il n'était même pas à San Francisco…

— En parlant de tourner la page, qu'est-ce que tu comptes dire à Drew ? Tu ne vas pas pouvoir l'éviter éternellement. Le lycée n'est pas immense.

Elle s'est tue un instant avant d'ajouter, pleine d'empathie :

— C'est vraiment fini pour toi, non ?

J'ai émis un rire bref.

— Ne t'inquiète pas, tu ne vas plus devoir faire semblant de l'aimer ! Oui, c'est vraiment fini.

— Je l'aimais bien, a-t-elle répliqué.

Après avoir réfléchi une seconde, elle s'est reprise :

— Tu as raison, je ne l'aimais pas vraiment. Je trouve qu'il ne te méritait pas.

— Je vois ce que tu veux dire, ai-je répondu franchement. Je suis sûre que quand il aura compris qu'il ne peut pas avoir ce qu'il veut, il rompra. On est plus ensemble.

— N'empêche que tu dois lui dire que c'est fini, a insisté Sara.

L'idée de cette conversation me pesait. Quelle raison allais-je bien pouvoir lui donner ?

Finalement, je n'ai pas eu besoin de lui parler. Avant même mon retour de Californie, tout le lycée savait que c'était fini entre Drew et moi. Dès que je suis arrivée à l'école, lundi matin, Jill m'a accueillie par un « Je ne peux pas croire que Drew t'ait quittée pour

Katie ! ». J'ai éclaté de rire. Ce à quoi elle ne s'attendait évidemment pas.

Au bout de quelques semaines, la rumeur a fini par se calmer et je suis retournée à ma vie d'avant, calme et prévisible. Cela me convenait parfaitement. Comme me convenait la solitude et le silence lorsque je m'enfermais chaque soir dans ma chambre.

Après ce voyage en Californie, je m'attendais à des représailles de la part de Carol. Mais elle ne m'a parlé que de la merveilleuse surprise que George lui avait faite en l'emmenant aux Bermudes. J'ai soupçonné mon oncle de ne lui avoir rien dit de mon séjour.

Je me suis concentrée sur le lycée, travaillant plus que jamais pour continuer à obtenir des résultats brillants. Mon passeport pour la liberté. J'ai réalisé de bonnes performances au basket, ce qui a permis à mon équipe de terminer le championnat avec seulement une défaite supplémentaire. Et je m'amusais comme une folle avec Sara, depuis que nous étions des « sœurs de week-end », comme elle aimait à le dire.

Même la tristesse qui résonnait dans ma poitrine et les cauchemars qui hantaient mes nuits étaient devenus une part prévisible de mon existence. Je faisais avec, et j'avançais. Je survivais encore.

# 29

# Palpitations

— Tu as toujours autant de mal avec les nuances, a affirmé sa voix dans mon dos.

Mon pinceau est resté figé en l'air et ma main s'est mise à trembler. Mon cœur s'est arrêté de battre. Tétanisée, j'étais incapable de me retourner. Au prix d'un grand effort, j'ai finalement réussi à bouger mes jambes.

— Comme tu n'étais pas à la cafétéria, je me suis dit que tu serais ici ou dans la salle de journalisme.

Je n'ai réussi qu'à hocher la tête. J'étais sans voix.

— Qu'est-ce que tu fais ici ? suis-je finalement parvenue à articuler.

— Je te cherchais, a-t-il répondu avec son éternel petit sourire.

Mon cœur s'est remis à battre et j'ai senti mes joues se colorer. Je ne pouvais détacher mes yeux de ses prunelles grises, persuadée que si je détournais le regard un seul instant, il disparaîtrait. Pourvu que ça ne soit pas une hallucination.

— J'ai appris que l'équipe de basket avait perdu en demi-finale. C'est dommage, a-t-il lâché d'un air détendu.

Il est en train de parler du basket, là ? J'étais clairement en train d'halluciner.

— Merci, ai-je bredouillé en esquissant un vague sourire.

Ohé, le cerveau, là-haut ! Ça n'est pas le moment de me lâcher. Dis quelque chose !

— On dirait que tu ne sais pas trop quoi dire, hein ?

Il a continué avec son petit sourire, visiblement amusé par mon incapacité à prononcer une phrase complète.

— Je suis contente de…

Oubliant que je tenais un pinceau, j'ai bougé mon bras un peu brusquement et une grande traînée verte a zébré son tee-shirt gris. Il a baissé le regard en fronçant les sourcils. J'ai retenu ma respiration, les lèvres pincées, avant d'éclater de rire, incapable de me retenir.

— Tu trouves ça drôle, hein ?

Je me suis mordu la lèvre pour essayer de me contenir.

— On va voir si tu trouves ça drôle aussi.

D'un geste rapide, il s'est penché par-dessus la table et a barbouillé ses mains de peinture bleue. J'ai aussitôt compris son intention et sauté de mon tabouret pour échapper à sa contre-attaque.

— Evan, non ! ai-je supplié.

J'ai contourné la table et je me suis précipitée vers la chambre noire, mais il m'a attrapée par la taille, laissant l'empreinte bleue de ses mains sur mon tee-shirt. Au lieu de me relâcher, il m'a ensuite fait pivoter vers lui, avec un grand sourire, et il a plongé ses yeux gris dans les miens. Mon cœur a fait un bond dans ma poitrine, j'ai senti un afflux de sang me monter à la tête, laquelle s'est mise à me tourner. Avant que j'aie eu le temps de réagir, il a passé sa main humide et bleue sur ma joue et s'est penché sur moi.

Lorsque ses lèvres se sont posées sur les miennes, son odeur m'a fait frémir et j'ai eu l'impression qu'une décharge électrique parcourait tout mon corps. Une multitude de sensations m'a envahie. Quand il s'est écarté, il a scruté mes yeux avec attention. Il m'a fallu quelques secondes pour revenir à la réalité.

— Emma ?

C'était la voix de notre prof. Evan a ouvert des yeux grands comme des soucoupes avant de m'entraîner rapidement dans la chambre noire. Le temps de reprendre mes esprits, j'ai attendu quelques secondes.

— Bonjour, madame Mier, ai-je dit d'une voix peu assurée en sortant de la pièce.

J'avais l'impression d'être écarlate.

— Ah, tu es là ! s'est-elle exclamée avec un sourire étonné.

Elle déplaçait des affaires sur son bureau.

— J'avais besoin de récupérer un papier. Tu pourras fermer la porte à clé quand tu partiras ?

— Bien sûr.

Elle a levé la tête vers moi et son sourire s'est élargi.

— Ça te va bien, cette couleur, a-t-elle remarqué.

Je me suis sentie devenir encore plus rouge. J'ai baissé les yeux sur les traces bleues laissées par Evan sur mon tee-shirt.

— Non, je parlais du rouge…

J'ai froncé les sourcils et l'ai regardée se diriger vers la porte. Avant de sortir, elle m'a jeté un dernier regard et m'a dit :

— Dis à Evan Mathews que je lui souhaite un bon retour parmi nous.

J'ai failli tomber à la renverse. Au bout de quelques instants, j'ai décidé de ne plus y penser et de faire, enfin, ce que j'aurais dû faire trois mois plus tôt.

Je suis retournée dans la chambre noire. Evan était à côté de l'évier, en train de se sécher les mains avec du Sopalin. J'ai fermé la porte et m'y suis adossée. Il a jeté le papier dans la corbeille et a levé les yeux sur moi.

Ma poitrine se soulevait sous l'effet de ma respiration ardente et mon cœur cognait si fort que j'ai eu l'impression qu'il allait s'envoler. Sans un mot, ses yeux rivés aux miens, Evan s'est approché de moi. J'ai passé mes bras autour de son cou et il m'a attirée tout contre lui. Je me suis dressée sur la pointe des pieds pour approcher mes lèvres. Son souffle m'a caressé doucement le visage, faisant frémir ma peau. Lorsque j'ai senti ses lèvres tièdes sur les miennes, une vague de chaleur s'est répandue dans mes veines. Son baiser, délicieusement intense, a fait naître une myriade de petites lumières derrière mes paupières closes.

Sous l'effet de l'émotion, mes jambes tremblaient si fort que j'ai fini par baisser la tête et la poser sur sa poitrine pour retrouver mon équilibre. Il a passé ses bras autour de mes épaules et a appuyé son menton sur le sommet de mon crâne. Pendant que j'écoutais le rythme soutenu de son cœur, j'ai essuyé une larme qui glissait le long de ma joue.

— Cela valait la peine d'attendre, a-t-il murmuré.

Avant d'ajouter, avec une pointe d'ironie :

— Je t'ai manqué, on dirait ?

J'ai levé les yeux et j'ai répondu, avec un petit sourire :

— J'ai survécu.

— C'est ce que j'ai entendu dire.

Je me suis écartée et l'ai dévisagé d'un air suspicieux.

— J'ai encore des amis ici !

À cet instant, la sonnerie a retenti, indiquant la fin de la journée.

— Qu'est-ce que tu veux faire ? Tu dois rentrer chez toi ?

— Ce soir je dors chez Sara.

— Ah oui ? a-t-il réagi, une étincelle malicieuse dans les yeux. Et tu penses que Sara sera d'accord si je te kidnappe pendant quelques heures ?

Il s'est appuyé contre le mur pendant que je suis allée à l'évier effacer la trace de peinture sur ma joue. Mon cœur a bondi dans ma poitrine.

— Euh… Oui, je pense, ai-je répondu en me tournant vers lui. Pourquoi ?

— Il faut qu'on parle. Je voudrais te dire certaines choses avant qu'il n'y ait de nouveaux malentendus.

J'ai fait une grimace, inquiète. Mais cela pouvait-il être pire que tout ce que je m'étais imaginé depuis son départ ?

— Ne sois pas si nerveuse. Je suis là, non ?

Il m'a pris la main et sa chaleur s'est diffusée dans tout mon bras.

Les couloirs étaient déjà presque déserts. Nous avons marché jusqu'à mon casier, sa main tenant fermement la mienne. J'avais l'impression d'être dans un rêve.

— Ah, il t'a trouvée ! s'est exclamée Sara en nous voyant arriver. J'avais peur que l'un de vous ait jeté l'autre par la fenêtre, mais je vois que non.

— On a des choses à se dire, a expliqué Evan. Est-ce que je peux la ramener chez toi un peu plus tard ?

— Mes parents ne sont pas là ce soir. Si tu veux, tu peux rester à la maison avec nous. À condition que tu ne dises rien qui dévaste Emma à nouveau.

Evan a blêmi en entendant ça. J'ai dévisagé Sara, stupéfaite.

— Quoi ? s'est-elle défendue. Je dis juste que…

— Ça suffit ! ai-je coupé.

J'ai lancé un coup d'œil à Evan. Il était blanc comme un linge. Avant qu'il ne puisse comprendre à quel point elle disait vrai, je me suis tournée vers mon casier pour prendre mes livres.

— Donc on se voit plus tard ? a-t-elle interrogé d'une voix parfaitement normale.

— Bien sûr, ai-je répondu du bout des lèvres, encore choquée par la franchise de mon amie.

Elle est partie, nous laissant seuls, Evan et moi.

— Qu'est-ce qu'elle a voulu dire exactement ? a-t-il demandé en me regardant droit dans les yeux.

— Rien d'important, ai-je répondu en haussant les épaules.

Après un court silence, il a ajouté :

— J'ai l'impression que c'était pas formidable non plus de ton côté…

Je lui ai jeté un regard interrogateur.

— On va en parler, m'a-t-il assuré. On y va ?

— Oui !

Son assurance me déconcertait. Et m'inquiétait.

Pendant le trajet, je n'ai pas dit grand-chose, trop absorbée par la perspective de notre « discussion ». Je n'ai pas été surprise lorsque nous sommes arrivés devant chez lui : c'était probablement l'endroit qui offrait le plus d'intimité. Avant qu'il ouvre sa portière, je me suis tournée vers lui.

— Est-ce qu'on peut attendre demain avant de « parler » ? Que je profite un peu de ta présence.

Il a fait une grimace amusée.

— J'ai absolument besoin de te dire ce que je vais te dire. J'ai passé trois mois à me repasser cette discussion en boucle dans ma tête, il faut que ça sorte.

Avec un sourire rassurant, il a ajouté :

— Ne t'inquiète pas, ça sera mieux après.

Je n'étais pas convaincue.

Je l'ai suivi dans la maison, dans l'escalier. Au moment d'entrer dans sa chambre, j'ai hésité. Il se tenait près de son lit et m'attendait.

— Je voulais te montrer que je suis vraiment de retour.

J'ai regardé autour de moi. Les étagères étaient remplies de livres et d'objets. Aucun carton, nulle part.

— J'ai tout déballé.

Après avoir dit ça, il est sorti de la pièce et m'a conduite à la grange. Lorsque je me suis assise sur le canapé, en face de lui, j'avais le ventre totalement noué. J'ai retiré mes chaussures et je me suis appuyée contre l'accoudoir, les genoux ramenés sous le menton. J'étais prête. Enfin...

— Ce dont je veux te parler date d'avant mon départ, a-t-il commencé en tripotant nerveusement la couture du coussin. C'est une chose que j'aurais dû te dire pendant le mois où on ne se parlait pas. Avant de partir.

Il a marqué une pause puis m'a regardée droit dans les yeux. J'ai vu sa mâchoire se contracter tandis qu'il prenait une profonde inspiration. J'attendais, retenant mon souffle, l'estomac retourné par l'angoisse.

— Je t'aime.

J'ai senti un gros choc dans ma poitrine. Mon cœur réagissait. C'était la première fois qu'on me disait ces trois mots.

— Je n'ai pas du tout assuré. Je n'aurais pas dû m'énerver contre toi. Je t'ai dit des choses que je ne pensais pas et qui t'ont éloignée de moi. C'est moi qui t'ai pratiquement poussée dans les bras de Drew Carson, et ça m'a tué.

J'ai ouvert la bouche pour protester mais je n'ai pas eu le temps d'articuler un mot.

— Je sais très bien ce que j'ai fait, Emma. Tu n'es pas responsable. Mais le pire de tout, ç'a été de te voir évanouie sur le terrain de basket. Je ne parviens pas à chasser cette image de ma tête.

J'ai baissé les yeux, incapable d'affronter la souffrance dans son regard.

— C'était le pire moment de ma vie. Et après, quand tu n'as plus voulu me voir...

Sa voix a tremblé. Il s'est interrompu une nouvelle fois avant de poursuivre.

— Si tu ne me laissais même pas être là pour toi, alors il valait mieux ne pas être là du tout. Donc je suis parti. Mais c'était horrible. Des copains me parlaient de toi, me racontaient t'avoir croisée à une fête ou à un match de basket. Je ne demandais que ça : entendre parler de toi. Enfin… Sauf une fois…

Il a détourné le regard. Je me suis crispée.

— Tu n'es plus avec lui ?

— Avec Drew ? Plus du tout.

— C'est lui qui t'a larguée, d'après la rumeur ? a-t-il demandé, l'air perplexe.

— Les gens peuvent croire ce qu'ils veulent, ça m'est égal.

— Ah… Donc tu n'as pas…

Ne sachant pas comment finir sa phrase, il m'a jeté un regard interrogateur. J'ai froncé les sourcils.

— Couché avec lui ? Non ! me suis-je exclamée en rougissant.

— Désolé, a-t-il lâché, manifestement soulagé. J'avais entendu dire…

— Ouais… Comme à peu près tout le lycée, ai-je soupiré. C'était horrible.

Evan a ri doucement.

— C'est cool si mes malheurs te font marrer ! ai-je réagi.

Il a ri de plus belle. Sa gaieté était contagieuse, je n'ai pas réussi à garder mon air fâché très longtemps.

— Ça n'est pas ta faute, ai-je dit au bout d'un instant, redevenant sérieuse.

Il m'a dévisagée, étonné.

— J'étais vraiment en colère. À cause de toi et Haley. Je me suis imaginé des trucs.

— Je…

— Je sais ! l'ai-je interrompu. Je suis désolée d'avoir cru que tu étais avec elle. Tout ça ne serait peut-être pas arrivé. J'étais persuadée que tu me détestais.

Il était interloqué.

— J'ai pensé que tu étais parti parce que tu m'avais vue avec Drew, ai-je avoué, tête baissée. J'imagine ce que tu as dû ressentir. Je suis tellement désolée…

Les larmes me sont montées aux yeux. Evan s'est approché de moi, m'a relevé le menton et a plongé ses beaux yeux gris dans les miens.

— Je ne te détestais pas, a-t-il dit doucement. Je ne pourrai jamais te détester.

Il s'est penché et a posé ses lèvres sur les miennes. Lorsqu'il s'est écarté, il m'a fallu quelques secondes pour reprendre mes esprits.

— Et maintenant ? ai-je murmuré.

— Je suis là. Avec toi… si tu veux bien.

— Évidemment !

— Encore une chose. Je sais que tu ne me parleras pas de ce qui se passe chez toi et j'ai eu tort de vouloir te forcer à le faire. J'ai compris à quel point c'était compliqué pour toi. Sara m'a dit que même à elle, tu ne racontais pas grand-chose. Mais je sais…

Ses paroles ont aussitôt réveillé une angoisse sourde en moi.

— Même si tu ne me dis rien, je sais ce qui se passe. Et je te préviens : plus jamais je ne me retrouverai dans la salle d'attente d'un hôpital.

— Je suis tombée…, ai-je expliqué.

— Stop ! Je n'ai pas besoin que Sara ou toi me racontiez, je sais. Mais, s'il te plaît, ne me mens pas. Ne les protège pas en prétendant que tout va bien. Je sais que c'est faux. Et je te dis juste que je ne les laisserai pas t'envoyer de nouveau à l'hôpital. S'il le faut on partira…

— Evan, tout va bien, je te promets ! l'ai-je coupé. Depuis cette histoire, c'est tout à fait supportable. Ils ne font pratiquement pas attention à moi et je passe mes week-ends chez Sara. Ça n'a plus rien à voir avec avant. Donc, inutile de dire des choses pareilles. D'accord ?

— D'accord.

Je me suis penchée vers lui, ai passé mes bras autour de son cou et approché ma bouche de la sienne. Son souffle chaud s'est mêlé au mien pendant quelques secondes avant que je capture ses lèvres. Mille picotements délicieux ont parcouru ma peau. Sans réfléchir, poussée par un besoin impérieux, j'ai descendu mes mains le long de son dos pour resserrer mon étreinte. Il s'est écarté légèrement et m'a regardée.

— Quoi ? me suis-je exclamée en rougissant légèrement. J'ai l'impression d'avoir attendu ce baiser pendant mille ans !

— Je suis juste sidéré par ton audace !

Il a jeté un coup d'œil à sa montre avant d'ajouter :

— On devrait retourner chez Sara avant qu'elle ne croie qu'on s'est vraiment entre-tués.

— T'as raison. Qu'est-ce que tu as envie de faire ce soir ? Regarder un film chez Sara ?

— Tu vas t'endormir en plein milieu ?

— Sûrement.

J'ai souri.

Allongée sur le canapé, la tête sur l'épaule d'Evan et ma main dans la sienne, je me suis endormie sans même m'en rendre compte. Lorsque je me suis réveillée, en nage, je me suis aussitôt redressée.

— Je suis là.

J'ai sursauté.

— Emma ?

Sa main a caressé doucement mon dos.

— Ça va ?

— Tu es là ? ai-je soufflé.

J'ai tourné la tête vers lui. Il m'a dévisagée d'un air inquiet et a essuyé doucement les larmes sur mes joues.

— Oui, je suis là, a-t-il répété. Et cette fois, je reste.

Encore choquée par mon cauchemar, je l'ai regardé, pas tout à fait certaine d'être vraiment réveillée.

— Viens là.

Il m'a allongée contre lui et m'a serrée dans ses bras chauds. Je me suis aussitôt rendormie, apaisée.

⁂

Lorsque je me suis réveillée le lendemain matin, tout habillée, je me suis redressée dans mon lit, paniquée.

— Tout va bien, m'a calmée Sara, dans le lit à côté du mien. Tu vas le voir ce soir. Je lui ai proposé de venir avec nous à la fête.

Je me suis recouchée avec un sourire de soulagement : je n'avais pas rêvé.

— Ça fait plus d'une demi-heure que j'attends que tu te réveilles, je n'en peux plus de t'attendre ! Alors ? Est-ce qu'il t'a enfin embrassée ?

— Sara !

— Ah, enfin ! en a-t-elle conclu. Et c'était comment ?

— Arrête !

— Aaaah, si bon que ça ?

— Arrête de faire les questions et les réponses.

— Alors réponds à mes questions. Et je veux tous les détails !

— OK, ai-je lâché dans un soupir.

Je me suis rassise, adossée au mur, les jambes allongées.

— Eh oui, on s'est embrassés. En fait, je crois que je n'ai même pas eu le temps de dire quelque chose, il était déjà en train de m'embrasser.

— Non ? ! Et… ?

— Je ne sais même pas comment te décrire ce baiser, ai-je avoué d'un air pensif. C'était encore mieux que tout ce que j'avais pu imaginer.

— Et de quoi vous avez parlé ?

— En gros, on s'est chacun reproché d'être responsable de son départ.

J'ai fait un résumé rapide de la discussion, sans aller trop dans les détails car je n'avais guère envie de me replonger dans ce moment. Elle a ri aux éclats quand je lui ai raconté la réaction d'Evan à propos de la rumeur sur Drew et moi.

— Mais qu'est-ce que vous avez, tous les deux, à trouver ça drôle ? C'est horrible !

— Désolée, c'est toi qui nous fais rire ! s'est-elle excusée en gloussant. Et maintenant, qu'est-ce qui va se passer ?

— On a conclu que tout allait bien entre nous. Et il reste. On n'a pas eu de discussion officielle sur notre relation, si c'est de ça que tu veux parler. Pour être sincère, je n'en ai pas besoin.

— Parce qu'il t'a dit qu'il t'aimait, c'est ça ?

J'ai souri en rougissant.

— C'est ça, a-t-elle confirmé.

— Quel est le programme aujourd'hui ? ai-je demandé pour changer de sujet.

— Cet après-midi, shopping. Il est temps que tu aies ton propre pull rose ! Ensuite, on va à la fête d'Alison Bartlett. Je te préviens, ça va être un gros truc.

— Super, ai-je marmonné.

Face au miroir, Sara sculptait de grandes boucles dans mes cheveux à l'aide du fer à friser.

— Ça fait un bon moment que tu ne m'as pas parlé d'un garçon, ai-je remarqué. Qu'est-ce qui t'arrive ?

— Je sais pas, a-t-elle soupiré. J'en ai assez des garçons du lycée... D'ailleurs, ça me fait penser que le week-end prochain on va à New York. Le samedi, on ira à l'université de Cornell pour voir le campus et rencontrer les entraîneurs.

— On va quoi ? ai-je répété, abasourdie.

— Désolée, j'ai oublié de t'en parler plus tôt. Ton oncle pense que mes parents seront là. Mais en fait, ce n'est pas le cas. Donc pas de gaffe.

Je lui ai jeté un regard stupéfait.

Elle a ajouté rapidement :

— Ne t'en fais pas, Evan nous retrouvera en ville le samedi soir.

— Je n'ai rien dit !

— Em, tu sais que je suis vraiment contente qu'il soit revenu, n'est-ce pas ?

— Oui, ai-je répondu, troublée.

— Mais je veux être sûre que tout ira bien pour toi si Carol et George découvrent ce qui se passe.

— Je suis sortie avec Drew sans qu'ils se rendent compte de quoi que ce soit, te ferais-je remarquer.

Où voulait-elle en venir ?

— Rien à voir. Avec Evan, tu es métamorphosée ! C'est impossible de ne pas comprendre qu'il se passe quelque chose. Donc je veux être certaine que tout ira bien.

Face à son angoisse, j'ai hésité un instant.

— J'espère que oui, ai-je répondu honnêtement. Tu sais, je me souviens de ce que tu m'as dit l'autre jour, à propos de Jared et des raisons pour lesquelles tu es sortie avec lui. Eh bien, j'ai décidé de faire pareil. Je préfère être avec Evan, sachant que cela peut me causer des problèmes à la maison, plutôt que de renoncer à lui.

— La différence, c'est que toi tu risques gros si Carol le découvre, a-t-elle répliqué d'un air inquiet.

— Je survivrai, ai-je lâché.

Ma réponse n'a pas semblé la rassurer, mais elle n'a rien dit.

— Je suis heureuse pour toi, vraiment, a-t-elle fini par me confier avec un sourire. Allez, on y va ! Il est temps d'annoncer à tout le monde qu'Evan est revenu et que, finalement, vous êtes ensemble !

— Mmmh…, ai-je grommelé en descendant l'escalier. Une soirée de rêve, c'est sûr…

# 30

# La fête

Le sourire éclatant d'Evan nous a accueillies en bas des marches.

— Waouh, le plus beau de tous les pulls roses ! Mon préféré ! s'est-il exclamé.

— Merci ! ai-je bredouillé en rougissant jusqu'aux oreilles.

Pendant que nous mettions nos manteaux, Evan m'a glissé :

— Ces cauchemars… C'est de ça que Sara parlait hier ?

Les yeux baissés, je n'ai pas réagi.

— Je suis désolé, a-t-il insisté en relevant mon menton pour me regarder droit dans les yeux.

— Ça n'est pas ta faute, ai-je murmuré.

— Mais ça n'arrivera plus, je te le promets.

Il a passé sa main autour de ma taille et m'a serrée contre lui. J'ai levé la tête pour accueillir sa bouche. À la seconde où ses lèvres ont rencontré les miennes, des milliers d'étincelles ont pétillé dans ma tête. Des frissons délicieux sont remontés le long de mon dos tandis que nos souffles se mêlaient ; je me suis collée à lui. Il a détaché ses lèvres.

— Pourquoi tu fais toujours ça ? ai-je demandé, en soupirant, frustrée et déçue de voir s'interrompre ce moment magique.

— On est au milieu de la rue ! a-t-il lancé en regardant autour de lui.

Je me suis écartée lentement de lui pour reprendre mes esprits.

Nous nous sommes garés dans un champ, à côté de la maison d'Alison Bartlett, où se trouvaient déjà de nombreuses voitures. L'endroit était très en retrait de la route, il n'y avait aucun voisin à l'horizon. Lorsque nous avons ouvert la portière, un flot de voix et de musique nous est parvenu.

— Je rentre avant vous, on se retrouve à l'intérieur, a déclaré Sara.

— Ah bon, tu préfères ? ai-je demandé, étonnée.

— Oui ! Pour voir la réaction des gens quand vous entrerez, a-t-elle expliqué en riant.

J'ai secoué la tête, incrédule, en la regardant s'éloigner en direction du bruit. Quand Evan est sorti de la voiture et s'est approché de moi, je lui ai adressé un regard angoissé. Il a pris mes mains dans les siennes.

— Prête ?

— Yep.

Il s'est penché doucement et m'a donné un baiser très tendre. J'ai réagi au quart de tour, le corps au bord de l'implosion.

— Ça m'a été interdit pendant si longtemps, maintenant il faut que je m'habitue à l'idée…

Au moment où j'allais répondre, une voix a retenti derrière nous :

— Evan Mathews ! J'y crois pas !

Je me suis écartée de lui.

— Et Emma Thomas ? ! Attends, c'est dingue !

Il fallait que ça soit lui qu'on croise en premier, évidemment. Je me suis tournée pour lui faire face, assez crispée.

— Salut Jay, ai-je lâché d'un ton sec en sentant le rouge couvrir mes joues.

— Tu es arrivé quand ?

— Hier.

Haussant les sourcils, il nous a regardés chacun notre tour.

— Eh ben, t'as pas perdu de temps.

— Jay ! ai-je aussitôt répliqué.

— Je remarque, c'est tout, s'est-il défendu avec son habituel sourire innocent.

Evan m'a pris la main et nous avons suivi Jay. Il y avait des gens sur la pelouse, devant la maison, ainsi que sur les marches. Des voix et de la musique s'échappaient par la porte ouverte. J'ai respiré profondément avant d'entrer. Evan m'a pressé la main et adressé un petit sourire.

C'était exactement ce que j'avais craint… Tandis que nous traversions la foule pour aller vers la cuisine, j'ai perçu les regards et les chuchotements sur notre passage. Les garçons accueillaient Evan avec enthousiasme, tandis que les filles nous dévisageaient en se parlant à l'oreille. Quelle mouche m'avait piquée d'accepter de venir ?

— Bravo ! s'est écriée Sara lorsque nous avons enfin atteint la cuisine.

— C'est complètement dingue, ici ! ai-je hurlé tandis que je me faisais rentrer dedans par ceux qui continuaient leur chemin.

Elle a ouvert des grands yeux et a souri.

— Tu veux quelque chose à boire ? m'a glissé Evan dans le creux de l'oreille.

J'ai hoché la tête.

Il est parti à la recherche du bar et, en quelques secondes, a été englouti par la foule compacte.

— Emma ! a crié Jill en jouant des coudes pour s'approcher de nous. Je suis tellement contente pour toi ! Enfin ! J'ai entendu dire qu'Evan était revenu après avoir appris pour toi et Drew.

— Quoi ? ! me suis-je exclamée, sidérée. D'où ça sort, ça ?

Elle a haussé les épaules.

— Vous êtes ensemble, n'est-ce pas ?

— Oui. Mais Drew n'a rien à voir là-dedans.

— Les rumeurs, comme d'habitude, a déclaré Sara avec un air amusé.

— Coucou ! a hurlé Lauren, avec un immense sourire. Toi et Evan, hein ? C'est vraiment ouf ! Il est où ?

Elle a jeté un coup d'œil circulaire.

— Parti chercher à boire, a crié Jill.

— C'est possible de trouver un endroit où on n'est pas obligées de hurler ? ai-je demandé.

Jill a montré la porte. J'ai hésité un instant, à cause d'Evan, mais j'en avais vraiment assez de me faire bousculer sans cesse. Convaincue qu'il nous retrouverait dehors, j'ai fait un signe aux filles et nous avons traversé la marée humaine pour sortir.

J'ai respiré à pleins poumons l'air frais, soulagée d'avoir échappé à cette cohue étouffante.

— Super ! s'est exclamée Jill en me rejoignant. On va enfin tout savoir. Alors, il est revenu quand ?

Je ne pouvais pas y couper.

— Hier.

— Et… ? m'a encouragée Lauren. Qu'est-ce qui s'est passé ensuite ?

À voir leurs visages impatients, je n'étais pas sûre de savoir quoi leur raconter.

— Ah, vous êtes là ! a lancé Casey en nous rejoignant.

Les filles ont élargi le cercle pour l'accueillir.

— Emma était pile en train de nous raconter ce qui s'est passé avec Evan, a expliqué Lauren. Em, continue !

— Euh… Il s'est excusé, je me suis excusée… Et c'est tout. Maintenant, on est… bien.

Grosse déception sur le visage des filles.

— Comment ça, c'est tout ? a protesté Lauren. Je voulais entendre comment il t'avait prise dans ses bras, et supplié de lui pardonner, et embrassée pendant des heures…

Elles ont toutes éclaté de rire.

— Désolée.

J'ai souri avec un haussement d'épaules.

— Il est au courant pour Drew ? a interrogé Jill.

— Oui.

— Il est au courant *de tout* ? a insisté Casey.

J'ai levé les yeux au ciel, sachant très bien à quoi elle faisait allusion.

— Casey ! a riposté Sara en lui donnant une tape sur le bras. Tu nous saoules avec cette histoire ! Ça ne s'est pas passé.

— Ah, OK…, s'est-elle excusée.

— Je préfère te prévenir : il est là ce soir, m'a informée Lauren. Sans Katie. Ils ont rompu jeudi.

— Pas de problème.

L'idée de voir Drew, avec ou sans Katie, ne m'inquiétait pas plus que ça.

— Ils ont déjà rompu ? a commenté Sara.

— Carrément, même, a laissé échapper Jill.

Tous les regards se sont tournés vers elle.

— Comment ça ? Jill, tu as intérêt à nous dire ce que tu sais ! a menacé Sara.

— OK, mais vous jurez de n'en parler à personne ! a-t-elle exigé, l'air stressé.

Elle a aussitôt enchaîné :

— Katie est tombée enceinte.

— Non ! C'est vrai ? s'est exclamée Lauren, les yeux écarquillés.

— Bon, elle ne l'est plus, maintenant, a poursuivi Jill, savourant son effet.

— Elle a…, a commencé Sara, mais Jill l'a interrompue d'un haussement d'épaules.

— Je ne sais pas ce qui s'est passé exactement, si elle a fait une fausse couche ou si ses parents l'ont fait avorter, a expliqué Jill. Mais je pense que Drew a officialisé leur relation parce qu'elle était enceinte et l'a quittée quand il n'a plus eu à se soucier de ça.

— Attends..., suis-je intervenue. Quand est-ce qu'elle est tombée enceinte ?

— Pas quand tu étais avec lui, a précisé Jill. J'imagine qu'ils sont sortis ensemble pendant les vacances, avant que vous ne soyez « officiellement » ensemble.

Soudain, j'ai commencé à me sentir mal pour Katie ; coupable, à l'idée que nous étions toutes là, à une fête, en train de parler de son secret le plus intime. Je me suis éloignée du groupe pour ne pas en entendre plus et j'ai regardé tout autour de moi à la recherche d'Evan. Je l'ai aperçu, en haut des marches, et nos yeux se sont croisés. On a échangé un sourire.

— Je me suis douté que tu serais sortie, a-t-il dit en me tendant une bouteille d'eau gazeuse.

Il m'a prise par la taille et m'a emmenée vers les filles. Exceptée Sara, elles nous ont toutes regardés avec un sourire idiot.

— Salut, Evan ! s'est écrié Jill.

— Bienvenue ! ont gloussé Lauren et Casey.

— Merci, a-t-il répondu poliment en me regardant.

Le petit groupe est resté dehors un moment, à raconter les derniers potins et à faire des commentaires sur les gens qui passaient. Evan et moi, à côté d'eux, restions debout sans rien dire. De temps en temps, quelqu'un interrompait le bavardage des filles pour saluer Evan.

— Je vais aux toilettes, ai-je informé les filles à un moment donné, alors qu'Evan discutait avec un copain de l'équipe de foot.

— Je t'accompagne, a dit Sara.

Devant la porte des toilettes, il y avait une longue queue. Nous nous sommes adossées contre le mur en attendant notre tour.

— Tony Sharpa m'a demandé de sortir avec lui, a lâché Sara.

— Ah ! Il t'a dit ça ce soir ?

— Non, hier.

— Et pourquoi tu ne m'en as pas parlé avant ? ai-je demandé, étonnée.

— Avec le retour d'Evan, et tout ça, c'était pas prioritaire. En plus, j'ai refusé…

— Ah bon ? Pourtant tu l'aimais bien quand il sortait avec Niki. Et lui pareil quand tu étais avec Jason. Maintenant que vous êtes tous les deux célibataires, tu devrais en profiter. Je comprends pas…

— Je sais pas, a-t-elle dit en soupirant. Ça n'a pas de sens, je trouve…

— J'ai entendu dire que tu étais là, a lancé une voix dans mon dos.

Je me suis raidie.

Un instant plus tard, Drew était à côté de moi, une épaule contre le mur. Son haleine empestait l'alcool et il semblait avoir du mal à tenir debout.

— On dirait que tu as un peu trop bu, a dit Sara.

— Salut, Sara, a-t-il marmonné. Tu m'aimais pas beaucoup, hein ?

— Et je ne t'aime toujours pas, a-t-elle répliqué avec un petit sourire. Tu peux nous laisser tranquilles, maintenant ?

Autour de nous, les gens s'étaient arrêtés de parler et nous écoutaient.

— Il faut qu'on parle.

Il m'a attrapée par le poignet, m'a traînée derrière lui jusqu'à la salle de bains et a écarté les personnes qui se trouvaient devant la porte. Sara a essayé de me suivre, mais il y avait trop de monde. Il m'a poussée dans la pièce et a refermé la porte à clé derrière lui.

— Drew, laisse-la sortir ! a crié Sara de l'autre côté en tambourinant sur la porte.

— Fous-nous la paix ! a hurlé Drew.

D'un coup d'œil, j'ai cherché une autre sortie.

Drew s'est adossé à la porte.

— Qu'est-ce que tu veux ? ai-je lancé fermement, malgré l'angoisse qui montait.

— Juste te parler, a-t-il dit en s'approchant de moi.

J'ai reculé d'un pas.

— Vas-y, parle.

— Sois pas comme ça.

Il s'est avancé vers moi et a essayé de me prendre la main. J'ai esquivé. La musique s'est soudain arrêtée et les coups sur la porte ont redoublé. D'autres voix tonnaient, ordonnant à Drew d'ouvrir. Sans y prêter attention, il a continué à marcher dans ma direction. J'ai glissé sur le carrelage et mon dos a heurté le mur derrière moi.

— Je voulais juste te dire que je ne t'en veux pas…

Il a posé sa main sur ma joue. Je ne pouvais plus échapper à son haleine alcoolisée.

— C'est pas la peine d'être avec lui simplement pour te venger de moi, a-t-il poursuivi.

Je l'ai regardé dans les yeux pour essayer de comprendre. Mais il n'arrivait même pas à fixer son regard.

— Tu es à moi, a-t-il murmuré en se penchant sur moi.

J'ai tourné la tête et sa bouche humide a échoué sur ma joue. Ses lèvres ont glissé sur ma peau, descendant le long de mon cou. Le poids de son corps m'écrasait contre le mur, j'ai essayé de me dégager mais il s'accrochait à moi pour tenir debout. Ignorant mes contorsions, il s'est serré tout contre moi et a commencé à me caresser la poitrine.

— Drew, arrête ! ai-je hurlé en le repoussant de toutes mes forces.

Il a resserré son étreinte et m'a caressée frénétiquement.

Soudain, la porte s'est ouverte dans un fracas. On a écarté Drew et j'ai vu des visages, des bras, des mains entremêlés. J'ai cru apercevoir Evan au milieu de la cohue, juste avant que Sara attrape mon bras et me sorte de la pièce. Des filles criaient, des garçons juraient, tout le monde s'agitait. Sara m'a entraînée rapidement jusqu'à la voiture.

Evan nous a rejointes peu après, essoufflé, les vêtements en désordre. Il s'est précipité vers moi et m'a serrée dans ses bras.

— Ça va, l'ai-je rassuré, essayant de masquer le choc. Il était juste complètement saoul. Il ne voulait pas…

— Arrête, m'a interrompue Evan. Ne cherche pas à l'excuser. Je ne peux pas…

Il s'est tu et a inspiré profondément.

— Partons, a-t-il simplement dit.

Du haut des marches, les gens nous regardaient. Nous sommes entrés dans la voiture. La fête a aussitôt repris – la musique à fond et le bruit des voix qui résonnaient jusqu'à nous.

Sans rien dire, Evan m'a pris la main.

## 31

## REMARQUÉE

Lorsque je suis retournée en cours, le lundi matin, j'avais hâte que la semaine passe. Hâte que l'événement du week-end soit remplacé par un autre scoop et que l'incident Drew-Emily-Evan ne soit plus LE sujet des conversations du lycée.

Lorsque Katie est revenue, j'ai presque regretté mon souhait. Tout le monde la regardait, chuchotait sur son passage, l'évitait comme si elle avait une maladie contagieuse. J'ai hésité sur la manière de me comporter. Je n'avais rien à lui offrir d'autre que de la pitié, et je me doutais qu'elle n'en avait pas besoin. Si un jour *mon* secret était révélé, je voudrais simplement disparaître de la planète. Finalement, sans savoir si c'était ou non la bonne décision, j'ai décidé de la laisser tranquille. Je ne cherchais pas à l'éviter, mais je n'ai fait aucun geste pour la réconforter. C'était probablement lâche de ma part. Le vendredi, lorsque je l'ai entendue pleurer dans le vestiaire des filles, je suis sortie avant qu'elle ne me voie.

⁂

— Ça ne peut plus durer !

La voix menaçante m'a stoppée net tandis que je montais l'escalier, mon sac à dos sur l'épaule. Je rentrais tout juste de mon week-end à New York avec Evan et Sara. Les yeux de Carol brillaient de colère. Depuis le temps que je n'avais pas entendu sa voix haineuse, j'avais oublié à quel point elle pouvait être effrayante.

— Fini, les vendredis soir chez les McKinley. Ça fait trop longtemps que ça dure et tu as pris de mauvaises habitudes. À partir de maintenant, je te garantis que tu vas plus traîner à droite et à gauche. Moi, je serais pour t'enfermer à la maison, mais…

J'ai senti mon pouls s'accélérer à la pensée de ce qu'elle allait dire.

— … ton oncle a l'air de croire que c'est mieux d'avoir une journée dans la semaine où on est en famille, sans toi. C'est même pas la peine d'essayer de discuter. Donc dis à Sara qu'elle pourra venir te prendre à neuf heures le samedi. Et tu devras être de retour le dimanche avant neuf heures. Mais pas le week-end prochain. Samedi, tu resteras ici pour enlever les mauvaises herbes du jardin, et dimanche tu feras la même chose chez ma mère. D'ailleurs, les dimanches…

*Non, pas ça.*

— … tu pourras aller uniquement à la bibliothèque. Nulle part ailleurs. Si j'apprends que tu es allée autre part, je te garantis que tu resteras enfermée jusqu'à ton diplôme.

J'étais pétrifiée.

— C'est clair ? a-t-elle grogné en m'attrapant l'oreille et en tirant violemment dessus de manière à me faire tourner la tête vers elle.

— Oui.

La main sur l'oreille, je l'ai regardée s'éloigner, et ma liberté avec elle. Une fois dans ma chambre, j'ai jeté mon sac sur mon lit, en colère. Pourquoi ? Pourquoi me faisait-elle ça ? Pourquoi ne me laissait-elle pas tranquille comme elle l'avait fait ces trois derniers mois ? Pourquoi ce désir soudain de contrôler mon emploi du temps ? Pourquoi voulait-elle absolument que je sois à la maison alors qu'elle me détestait ? Les larmes me sont montées aux yeux, tandis que je me demandais ce qui était le pire : devoir passer le week-end avec elle, ou ne pas pouvoir voir Evan ?

Le lundi matin, j'ai été surprise de voir la BMW d'Evan qui m'attendait dans la rue. Mais j'étais trop perturbée par le cataclysme du week-end à venir pour me réjouir complètement.

— Coucou !

Il m'a accueillie avec un immense sourire quand je me suis installée.

— Salut, ai-je répondu sans parvenir à décrocher un sourire, l'esprit occupé par mes sombres pensées.

— Waouh ! C'est la joie et la bonne humeur !

— Quoi ? Ah… Excuse-moi, je suis en colère contre ma tante.

— Qu'est-ce qui s'est passé ? a-t-il demandé, de l'inquiétude dans la voix.

— Rien de grave, l'ai-je rassuré. Elle a décidé de m'obliger à rester à la maison ce week-end et ça me rend folle.

— Tu viendras quand même à la bibliothèque, dimanche ?

— Non, je vais chez sa mère pour désherber son jardin.

— Donc…

— Eh ouais. (J'ai soupiré.) J'essaie de réfléchir à quel moment on va pouvoir se voir.

— Il y aura le week-end suivant, de toute manière, a-t-il dit pour me consoler.

— Tu lâches l'affaire aussi facilement ?

— Non ! Mais on a quel autre choix ? Tu veux sortir en cachette ?

À l'idée de sortir de ma chambre par la fenêtre et d'escalader le mur, j'ai senti un frisson nerveux courir le long de mon dos. Puis une décharge d'adrénaline. *Étais-je vraiment capable de faire ça ?*

— C'est peut-être une option…

Evan m'a lancé un regard en biais.

— Tu serais prête à faire ça ? a-t-il insisté, incrédule.

— J'en suis capable, ai-je déclaré à voix haute, pour convaincre autant Evan que moi-même.

En pensant à ce que je risquais si je me faisais pincer, j'ai eu un haut-le-cœur. Mais la perspective de pouvoir sortir de chez moi était tellement excitante que le jeu en valait la chandelle. Désormais, je ne voulais plus qu'elle contrôle ma vie. Et je préférais tenter quelque chose plutôt que de ne rien faire.

— Tu es complètement folle ! s'est exclamée Sara quand je lui ai raconté mon plan. Si tu te fais prendre, on ne te reverra peut-être plus jamais. Tu risques vraiment gros.

J'ai baissé les yeux sur mon assiette intactc. Je comprenais son inquiétude. Nous n'aurions pas eu la même conversation six mois plus tôt. Beaucoup d'événements s'étaient produits depuis, qui avaient changé ma vie, ct je n'étais pas prête à revenir en arrière.

— Qu'est-ce que j'ai à perdre, Sara ? Ce qui compte dans ma vie, c'est toi et Evan. Sans vous, je ne suis rien. Pour avancer, j'ai besoin d'autres choses que le lycée et le sport. Maintenant que j'ai goûté à la liberté, je ne peux plus me contenter d'être celle que j'étais avant.

Sara émiettait silencieusement son cookie dans son assiette, l'air pensif.

— Si tu te fais prendre..., a-t-elle murmuré sans me regarder.

— Je ne me ferai pas prendre.

Nous sommes restées un moment sans rien dire.

— Tu vas à la remise des prix pour le basket demain soir ? a finalement demandé Sara.

— Je l'ai inscrit sur mon emploi du temps et ils n'ont pas émis d'objection, donc je suppose que oui.

— Tu resteras au lycée ou bien mes parents et moi passons te prendre chez toi ?

— Je resterai ici. Je dois travailler sur mon article, je n'ai pas de raison de rentrer.

Pas de raison, non. Mais l'obligation.

⁂

— Bravo, m'a-t-elle lancé, tandis que nous marchions, Sara et moi, dans la douceur printanière de cette soirée.

Contrairement à la première fois, je n'ai pas été étonnée de la voir. J'étais surprise, en revanche, de la voir sobre. Les mains dans les poches de sa veste, les yeux rivés sur moi, guettant ma réaction, ma mère semblait tendue.

Discrètement, Sara s'est éloignée de quelques mètres pendant que je m'approchais de la frêle silhouette. En dehors des cheveux bruns et des yeux en amande, je ne lui ressemblais guère.

— Je suis tellement fière de toi, Emily, a-t-elle dit doucement. Tu vas être capitaine de l'équipe, c'est formidable !

Les yeux brillants, un sourire timide aux lèvres, elle m'a regardée dans les yeux.

— J'ai assisté à quelques-uns de tes matchs et je t'ai vue jouer, a-t-elle ajouté en souriant franchement.

— Je sais. Je t'ai entendue crier dans les gradins.

Impossible de ne pas la remarquer : elle était la seule à encourager « Emily ».

— J'ai décidé d'arrêter de boire, m'a-t-elle annoncé fièrement. Je n'ai pas bu une goutte depuis décembre.

Je me suis contentée de hocher la tête. Pouvais-je la croire sur parole ?

— J'ai un nouveau travail, aussi, a-t-elle poursuivi. Je suis assistante de direction dans une entreprise d'ingénierie, pas loin d'ici.

— Tu as emménagé dans le Connecticut ? me suis-je exclamée, stupéfaite.

— Je voulais être plus près de toi. J'ai pensé qu'on pourrait se voir de temps en temps… Si tu en as envie.

J'ai eu un mouvement de recul.

— On verra, ai-je lâché, refusant de m'engager.

— Je comprends, a-t-elle commenté d'un air déçu.

Elle s'est tue un instant, les yeux baissés.

— Sinon, tu vas bien ?

— Oui, oui.

— Ça t'embête si je viens te voir un jour à l'entraînement ?

J'ai haussé les épaules.

— Tu fais ce que tu veux.

En réalité, j'avais vraiment envie de lui dire que oui, ça m'embêtait. Et que je préférais ne plus la voir. Mais face à ce regard désespéré, je ne pouvais la rejeter aussi durement.

— Je dois y aller, ai-je prévenu en désignant Sara du menton.

Ma mère lui a adressé un charmant sourire.

— Bonjour, je suis Rachel, la mère d'Emily.

— Bonjour, a répondu Sara en souriant à son tour. Je suis Sara. Je suis contente de faire votre connaissance.

— Faites attention en voiture, a conseillé ma mère.

Je l'ai regardée avec étonnement, peu habituée à la voir s'inquiéter pour moi.

— Je suis fière de toi, m'a-t-elle répété avec tendresse.

Son attitude était tellement en contradiction avec tout ce que je connaissais d'elle que j'avais du mal à l'accepter. Elle m'avait abandonnée. Pourquoi, soudain, se préoccupait-elle de moi ?

— Merci, ai-je marmonné avant de faire demi-tour pour monter dans la voiture de Sara.

— Ça va ? s'est inquiétée Sara quelques instants plus tard. Elle a dit un truc qu'il ne fallait pas ?

— Tout ce qu'elle dit, c'est pourri.

Sara a fait marche arrière pour sortir du parking. Je savais qu'elle voulait en savoir plus mais ne trouvait pas les mots pour me faire parler. Je n'ai rien dit.

— Tu veux passer à la maison un moment, ou tu dois rentrer ? Mes parents ne sont pas là, on sera tranquilles.

— Je dois rentrer, ai-je déclaré en regardant par la fenêtre. Je ne sais pas à quoi elle joue. Je n'avais vraiment pas besoin qu'elle vienne me parler ce soir. Elle ne s'en tirera pas comme ça.

Les yeux rivés sur le paysage, j'ai délibérément ignoré la réaction de Sara. Je l'avais probablement choquée.

⁂

— C'est quoi le plan pour demain soir ? a demandé Evan tandis que nous nous dirigions vers l'atelier d'arts plastiques.

— Il y a un parc à quelques rues de chez moi. On se retrouve là-bas à vingt-deux heures.

Durant toute la semaine, j'avais réfléchi aux moindres détails.

— Ils seront déjà couchés ?

— Non, mais si on attend jusque-là, ça ira.

Bien sûr, j'avais conscience du risque énorme que je prenais en quittant la maison en cachette pendant qu'ils regarderaient la télévision dans la pièce voisine. Mais je savais qu'ils ne venaient jamais dans ma chambre le soir, donc j'étais assez confiante.

— Tout ira bien, l'ai-je rassuré.

— On n'est pas obligés de faire ça, a insisté Evan.

— Tu te dégonfles ?

— Non, s'est-il empressé de répondre. Je ne veux pas que tu aies d'ennuis, c'est tout.

— Ne t'inquiète pas.

Ce soir-là, je suis sortie de la voiture de Sara en lui promettant de lui envoyer un message le dimanche matin pour lui montrer que j'étais toujours en vie. Grâce à la perspective de mon rendez-vous clandestin avec Evan, j'étais prête à affronter mon week-end de cauchemar.

J'ai passé le samedi dans le jardin, à désherber pendant que les enfants jouaient à sauter dans le tas de plantes arrachées avec de grands éclats de rire. Comme Carol ne rôdait pas dans les parages, finalement c'était plutôt agréable. George est arrivé quand j'étais en train de terminer. J'ai profité d'être dehors pour déplacer la grosse poubelle en métal et la mettre sous ma fenêtre. Cela me permettrait de remonter plus facilement. J'étais néanmoins inquiète à l'idée de devoir ensuite la remettre à sa place car ça faisait beaucoup de bruit.

Le dîner s'est déroulé sans incident. Carol avait préparé des lasagnes, le seul plat qu'elle réussissait à peu près. Je n'avais pas faim, mais je me suis forcée à finir mon assiette pour ne pas me faire remarquer. Tandis que je lavais la vaisselle, j'ai vu la grosse trace rouge sur mon avant-bras. Juste avant de se mettre à table, Carol m'avait heurté le bras avec le plat de lasagnes qui sortait du four. Elle avait prétendu que c'était un accident mais j'avais bien vu sa mine réjouie quand j'avais fait un bond en arrière. La marque était impressionnante. Comme pour me rappeler de quoi elle était capable. Voulais-je vraiment prendre le risque d'une preuve supplémentaire de sa haine à mon égard ?

L'angoisse m'a noué le ventre. Il ne me restait que quelques heures pour décider si, oui ou non, j'étais capable de faire ça. J'ai pensé à Evan. Il comprendrait parfaitement si je renonçais. Pouvais-je le décevoir ? Puis j'ai songé à quel point je risquais de me décevoir moi-même. L'esprit ailleurs, j'ai rangé la vaisselle propre.

Après avoir sorti les ordures et vérifié que la poubelle était bien en place, je suis allée dans ma chambre. L'espace d'un instant, j'ai envisagé de m'abrutir dans le travail pour faire passer le temps plus vite. Mais je me sentais incapable de me concentrer.

Je me suis allongée sur mon lit et j'ai tenté de dissoudre mon angoisse dans la musique. Rien à faire. Tandis que je regardais fixement le plafond, mille pensées délirantes me traversaient la tête. Je me suis passé le film de ma fugue et des dangers que cela représentait. Est-ce que je ne risquais pas de faire trop de bruit en atterrissant sur la poubelle ? Peut-être que les voisins allaient me voir ? Qu'est-ce que je raconterais s'ils découvraient que je n'étais pas dans ma chambre ? J'avais les mains moites. Et du mal à respirer.

J'ai attrapé mon téléphone pour envoyer un message à Evan lui disant que je ne viendrais pas au rendez-vous. Au fur et à mesure que j'écrivais, d'autres doutes m'ont assaillie. J'avais tellement envie de le voir. Le doigt au-dessus de la touche « Envoyer », j'ai hésité. Puis j'ai finalement appuyé sur « Annuler ».

Il me restait une heure et demie pour décider.

Les dernières quarante-cinq minutes ont été les pires. J'étais incapable de rester en place et les questions fusaient sans répit dans ma tête. J'avais l'impression d'être dans une cocotte-minute. Après avoir éteint la musique, j'ai tendu l'oreille pour écouter le bruit de la télévision dans la pièce voisine. À pas de loup, je suis allée prendre un sac dans mon placard. Je l'ai glissé dans mon lit et j'ai rabattu la couette par-dessus.

L'œil rivé sur les draps froissés, je me suis repassé le plan dans ma tête pour la millième fois, le cœur tambourinant, dévorée par l'angoisse. Devais-je laisser la fenêtre ouverte ? Ne risquaient-ils pas, alors, de sentir le courant d'air en passant devant la porte de ma chambre ? Mais sinon, comment pouvais-je la fermer ? Si je montais sur la poubelle, ils entendraient forcément le bruit. J'ai sorti mon téléphone de ma poche et, les doigts sur les touches, j'ai recommencé à écrire un message à Evan. Pour annuler.

Je me suis alors souvenue que George venait de jeter une caisse de bouteilles en plastique qui serait suffisamment haute pour me permettre d'atteindre la fenêtre et de la fermer. J'ai remis le téléphone dans ma poche. Vingt minutes avant le top départ, j'ai éteint la lumière. Assise par terre, devant la fenêtre, j'ai regardé les étoiles scintiller à travers les branches des arbres. Si je voulais renoncer, c'était maintenant ou jamais.

*Je peux le faire.*

Je me le suis répété plusieurs fois, je voulais à tout prix m'en convaincre. Puis j'ai respiré profondément pour tenter de ralentir le rythme de mon pouls.

J'ai posé mes mains sur le montant inférieur de la fenêtre. Elles tremblaient. Retenant ma respiration, j'ai remonté lentement la fenêtre. Un souffle léger est venu caresser mes jambes. Je me suis arrêtée et j'ai tendu l'oreille pour distinguer les sons dans le salon. La télévision marchait ; je n'ai pas entendu d'autres bruits. J'ai alors poussé la fenêtre jusqu'en haut pour l'ouvrir complètement. Le cœur battant à tout rompre, j'ai passé une jambe, puis l'autre, et je me suis suspendue au montant de la fenêtre pour sauter.

J'ai failli pousser un hurlement en sentant des mains autour de ma taille.

— Chhhut, a-t-il murmuré dans mon oreille en me posant doucement sur le sol.

Je me suis appuyée contre le mur, les mains sur le cœur, au bord de l'évanouissement.

— Désolé, a chuchoté Evan.

D'un regard, je l'ai supplié de se taire.

J'ai cherché la caisse en plastique et l'ai placée sous ma fenêtre. Comprenant mon intention, Evan m'a fait signe qu'il s'en occupait. Il est monté sur la caisse et, tout doucement, a baissé la fenêtre. Je ne l'ai pas quitté des yeux une seconde.

Après être redescendu, il m'a prise par la main et, lentement, nous avons longé le mur jusqu'à l'angle de la maison. En passant sous la fenêtre close du salon, j'ai entendu la télévision. Un frémissement a parcouru mon dos. D'un signe de la tête, Evan m'a encouragée. Au moment précis où nous sommes arrivés devant la maison, sous la baie vitrée du salon, une lampe s'est allumée de l'autre côté de la rue, jetant sur nous sa lumière crue. D'un geste vif, il m'a ramenée en arrière, dans l'obscurité. J'ai entendu son souffle rapide. Peut-être était-ce le mien. Lorsque j'ai aperçu Carol qui écartait le rideau pour voir d'où venait cette lumière, j'ai cru défaillir. Elle l'a aussitôt relâché à la vue du voisin qui montait dans sa voiture. J'ai poussé un soupir de soulagement qui a fait sourire Evan. J'ai froncé les sourcils, il s'est mordu les lèvres pour ne pas rire.

Quand la voiture a disparu au bout de la rue, il m'a prise par la main et s'est mis à courir pour franchir les derniers mètres qui nous séparaient du portail. C'est seulement après avoir passé le coin de la rue que nous avons ralenti notre course.

— Tu pensais qu'on allait se faire prendre, hein ? a-t-il dit au bout de quelques minutes, me faisant sursauter.

— Non. Mais je ne vois vraiment pas ce qu'il y avait de drôle !

— Drôle, peut-être pas, mais c'est la première fois que je fais un truc pareil et j'ai trouvé ça plutôt amusant.

Moi, j'étais encore en train de me dire que j'avais réussi ; donc amusant, non, pas vraiment.

Une fois que nous avons atteint le parc, Evan m'a prise dans ses bras et m'a serrée doucement contre lui. En voyant son visage calme, j'ai senti mon angoisse s'envoler. J'ai posé ma tête dans le creux de son épaule. Il s'est penché, a relevé mon menton et a approché sa bouche. Mon cœur s'est mis à faire des bonds lorsque j'ai senti ses lèvres sur les miennes. Son souffle diffusait dans tout mon corps une énergie puissante. Ma peau frémissait comme si elle était caressée par milles plumes légères. Il a posé ses mains sur mes hanches et les courbes de nos deux corps se sont épousées parfaitement. Sa bouche sollicitait la mienne avec sensualité et je répondais à son baiser avec la même ardeur. J'ai senti son souffle s'accélérer. Il a passé ses doigts dans mes cheveux puis a détaché ses lèvres. Gardant les yeux fermés, j'ai posé ma tête contre sa poitrine. Le rythme rapide de sa respiration me berçait.

Il s'est tu un instant en me dévisageant d'un air pensif, puis il a dit :

— On est peut-être suffisamment proches, maintenant, pour que tu me dises qui est le premier garçon que tu as embrassé ?

Je ne m'attendais pas à ça.

— Tu veux toujours savoir ?

— C'est pas quelqu'un du lycée, si ?

— Non… Je l'ai rencontré l'été dernier, quand je suis allée dans le Maine avec Sara. Il ne sait même pas où j'habite.

— Super, a-t-il commenté avec un sourire. Le premier type avec qui tu es sortie ne sait rien de toi.

— Mais je n'ai pas menti sur tout…

— Le pauvre ! a ri Evan. Mais tu l'as juste embrassé ?

J'ai perçu une inquiétude dans sa voix.

— Tu connais très bien la réponse. Et toi ? Je sais que tu n'as rien fait avec Haley, mais tu ne m'as jamais dit...

Je n'ai pas pu achever ma phrase, incapable de lui demander s'il avait déjà fait l'amour. D'ailleurs, avais-je vraiment envie de le savoir ? Si une partie de moi était curieuse, l'autre n'avait pas du tout envie de l'imaginer dans les bras d'une fille.

Il est resté un moment silencieux. J'étais à deux doigts de lui dire d'oublier ma question lorsqu'il a commencé à parler :

— C'était ma meilleure amie quand j'étais à San Francisco. On était amis depuis plus d'un an et on a fini par sortir ensemble, l'été dernier. Après, ça n'a plus jamais été pareil. On aurait dû rester amis. Le pire, c'est qu'on le savait. Mais c'était trop tard.

— Beth ? ai-je murmuré, me souvenant du prénom qu'il avait mentionné devant sa mère.

J'étais un peu sous le choc.

— Oui.

— Ah..., ai-je simplement dit.

— Ça t'embête ? a-t-il demandé doucement.

J'ai haussé les épaules.

— Je ne te connaissais pas, et...

J'ai hésité, avant d'ajouter :

— C'est vrai que ça fait bizarre de t'imaginer avec une autre fille.

— Je sais.

— Tu penses toujours à elle ? Je veux dire… Tu l'as revue quand tu es retourné à San Francisco ?

Mon ventre s'est contracté à l'idée de sa réponse. Evan s'est tourné vers moi :

— Je n'ai jamais éprouvé ce que je ressens pour toi. Pour personne, a-t-il avoué. Beth et moi étions amis, j'étais attaché à elle, mais je n'ai pas… Ça n'a absolument rien à voir.

J'étais incapable d'articuler un mot, j'avais la bouche sèche.

— Elle est partie en décembre avec sa famille s'installer au Japon. Donc non, je ne l'ai pas revue.

Le silence qui a suivi était pesant.

— J'ai une idée ! ai-je lancé d'une voix un peu forte.

Evan m'a regardée, interloqué.

— Est-ce que ta voiture est garée par ici ? l'ai-je interrogé en montrant la rue qui longeait le parc.

— Oui, elle est juste là.

— Est-ce que tu as une couverture ou quelque chose dans le genre ?

— J'ai un sac de couchage dans le coffre.

— Tu peux aller le chercher, s'il te plaît ?

Sans poser de questions, Evan s'est exécuté. Lorsqu'il est revenu, je lui ai pris le sac de couchage des mains et suis allée l'étaler dans le champ à côté. Il m'a lancé un œil interrogateur.

— J'imagine que tu vas trouver ça bizarre, mais Sara et moi on le fait tout le temps, et j'adore ça ! Surtout quand les étoiles sont aussi brillantes.

Je me suis éloignée de quelques pas du sac de couchage pour lui expliquer le principe.

— Tu fixes une étoile, puis tu tournes sur toi-même sans la quitter des yeux. Jusqu'à ce que tu ne tiennes plus debout.

J'ai tourné sur moi-même pour lui montrer.

— Ensuite, tu t'allonges, et tu peux voir toutes les étoiles tourner au-dessus de toi, sauf la tienne, qui reste immobile.

Vacillante, je me suis arrêtée et j'ai cherché Evan autour de moi. Il m'observait avec un sourire amusé.

— Tu ne veux pas essayer ?

— Non, mais continue, m'a-t-il encouragée en riant.

Il s'est assis sur le sac de couchage pour me regarder dans mon délire. Après avoir tourné pendant quelques secondes, je me suis allongée à côté de lui, les yeux rivés sur les cercles lumineux au-dessus de ma tête.

— Tu rates quelque chose !

Il a ri et s'est penché sur moi, me cachant de sa tête le spectacle des étoiles. La terre a continué de tanguer sous moi, mais cela n'avait plus rien à voir avec mon jeu de toupie.

Après avoir quitté Evan au coin de la rue, j'ai poursuivi dans l'obscurité. Le sourire n'avait pas quitté mes lèvres. J'étais encore sous l'effet de notre nuit magique dans le parc. Lorsque j'ai reconnu la maison des voisins, j'ai pris une profonde inspiration pour redescendre de mon nuage. Je me suis glissée le long du mur pour rejoindre la grosse poubelle métallique ; la vue des fenêtres éteintes m'a rassurée. Retenant mon souffle, j'ai soulevé la caisse en plastique et l'ai posée sur la poubelle métallique. Puis, l'esprit probablement encore trop absorbé par mes souvenirs « evanesques », je suis montée. Un peu rapidement. Sous l'effet de mon poids, le couvercle s'est gondolé, ça a fait un gros bruit. Dans le silence de la nuit, je l'ai entendu résonner comme un roulement de tambour. Agrippée au montant de la fenêtre, j'ai guetté un bruit suspect.

Après avoir attendu un temps raisonnable, j'ai voulu soulever la fenêtre. Mon cœur s'est arrêté de battre. La fenêtre était coincée, elle ne bougeait pas. Je me suis mise à trembler, la poitrine prise dans un étau. J'ai essayé de nouveau, de toutes mes forces. Quand elle a fini par coulisser, j'ai failli dégringoler et je me suis rattrapée de justesse. Les deux mains sur le montant, je me suis glissée à l'intérieur. Je suis restée quelques secondes allongée par terre, le souffle court, épuisée. Après avoir tendu l'oreille vers l'étage au-dessus, je me suis relevée pour fermer la fenêtre. J'ai enlevé le sac dans mon lit et l'ai rangé dans le placard. Puis j'ai posé mon manteau sur le dossier de ma chaise, retiré mes chaussures. Enfin, j'ai plongé dans mon lit et, le sourire aux lèvres, je me suis endormie.

— On y va, a déclaré Carol d'une voix forte.

Je me suis redressée d'un coup dans mon lit, totalement perdue.

— Tu as dormi tout habillée ? a-t-elle demandé en me détaillant d'un air suspicieux.

Au bout de quelques instants, j'ai fini par émerger de ma torpeur pour me rendre compte qu'elle se tenait au bout de mon lit, la porte de ma chambre ouverte derrière elle. J'ai soulevé la couette.

— Ah... euh..., ai-je bafouillé. J'ai dû m'endormir sur mon livre.

Elle m'a dévisagée avec méfiance avant de jeter un œil autour de la pièce. J'ai retenu mon souffle, paniquée à l'idée qu'elle devine mon mensonge.

— Tu as raté ta douche, en tout cas. On part dans dix minutes, tu as intérêt à être prête.

Elle est sortie de ma chambre en claquant la porte derrière elle. Pendant quelques secondes, je suis restée sans bouger, sous le choc. Puis je me suis rappelé ma nuit avec Evan. Et j'ai souri.

## 32

## La question

— C'est une méchante brûlure que tu as là, a observé Mme Straw, lorsqu'elle m'a vue monter l'escalier pour me rendre au vestiaire.

D'un geste rapide, j'ai ramené mon bras le long de mon corps pour tenter de cacher la marque rouge et les cloques sur ma peau.

— Peut-être, ai-je marmonné sans lever les yeux.

À cet instant, j'aurais rêvé avoir des manches longues.

Mme Straw s'est arrêtée et m'a dévisagée. En sentant son regard posé sur moi, j'ai eu une bouffée d'angoisse. Elle a hoché lentement la tête.

— Je te verrai dehors, a-t-elle dit en fronçant les sourcils.

J'ai poussé un soupir.

— Tu viens ? m'a lancé Sara en me dépassant.

— Ouais, ai-je aussitôt répondu en reprenant mes esprits.

— Tu ne peux pas savoir à quel point j'étais soulagée quand j'ai reçu ton message, hier, m'a-t-elle confié tandis que nous marchions vers les pistes.

— Je t'avais dit de ne pas t'inquiéter.

— Comme si ça pouvait me rassurer !

Pendant nos échauffements, j'ai raconté à Sara ma virée nocturne.

— Waouh ! s'est-elle exclamée. Bon, j'avoue que ça ne me surprend pas vraiment qu'il ait déjà couché. Mais tu le vis comment, toi ?

— Ça va… C'est pas non plus comme s'il avait une vraie collection. Simplement, c'est un peu bizarre de l'imaginer avec une autre fille.

— Et tu crois pas qu'il pense la même chose en ce qui te concerne ? Sauf que lui, il voit ton ex tous les jours.

— Je sais, ai-je reconnu, gagnée par un sentiment de culpabilité. Mais je ne serais jamais allée aussi loin avec Drew.

— Et avec Evan ?…

À cette seule pensée, je me suis sentie devenir écarlate.

— Tu y as déjà pensé, non ? a insisté Sara.

J'ai haussé les épaules et je me suis mordu la lèvre pour réprimer un sourire.

— Ça ne fait pas assez longtemps qu'on est ensemble, ai-je déclaré après m'être éclairci la voix.

— Mais vous vous connaissez pratiquement depuis la rentrée, a-t-elle argumenté. Et, même si tu ne veux pas le reconnaître, vous êtes dingues l'un de l'autre depuis le premier jour.

Je n'ai pas réagi. Nous avons continué à courir en silence, jusqu'à ce que la prof nous donne d'autres instructions. Durant tout le cours, j'ai eu l'esprit ailleurs. La question de Sara m'a trotté dans la tête jusqu'au soir. Au point que, lorsque je me suis couchée, je n'ai pas réussi à m'endormir. Allongée dans le noir, je regardais le plafond, cherchant la réponse.

— Levée du pied gauche ? m'a interrogée Evan, quand je suis montée dans sa voiture le lendemain matin, rêveuse.

— Non, non..., ai-je répondu, sentant mes joues rougir.

Je devais absolument chasser cette satanée question de mes pensées.

— Bon... J'ai raté quelque chose, alors ?

— Pas du tout, ai-je lâché en retenant un sourire.

Pour le convaincre que tout allait bien, je l'ai regardé en face. Un seul instant, car les joues me brûlaient si fort que je craignais d'être repérée. Avec un rire forcé, j'ai tourné de nouveau la tête vers la fenêtre, en implorant mon cerveau de penser à autre chose. À tout, sauf à ça.

— Si, j'ai visiblement raté un truc, a conclu Evan après m'avoir observée. Mais tu ne veux pas me le dire. Ça a quelque chose à voir avec Sara ?

Nouveau rire gêné.

— D'une certaine manière, oui. Mais ne t'inquiète pas, ça va passer.

En fait, non. Ça ne passait pas. J'avais beau faire tous les efforts possibles pour ne pas y penser, la question m'obsédait. Je me suis surprise en train de le regarder en classe en y pensant. Est-ce que ça allait bientôt m'arriver ? Ou pas ? Avec lui ? Ou pas ? Impossible de le savoir.

Une chose était sûre : le simple fait d'être dans la même pièce qu'Evan me perturbait, même s'il n'était pas assis à côté de moi. Au lycée, nous ne montrions pas manifestement que nous étions ensemble. Notre lien était plus subtil. Ce qui ne m'empêchait pas de sentir mon corps frémir lorsqu'il me frôlait ; ou lorsqu'il me murmurait quelque chose à l'oreille, si proche que je sentais son souffle sur ma peau. Il n'avait pas besoin de me toucher ; exister dans son regard suffisait à réveiller chaque cellule de mon corps.

Jusqu'à présent, toutes les fois que nous avions eu un moment à nous, le fait d'avoir passé la journée en sa présence, je sentais mon corps au bord de l'implosion. Après LA question de Sara, j'avais carrément du mal à respirer à la seconde où je me trouvais dans ses bras, et je m'efforçais de me retenir dans mon élan, de peur de révéler les pensées qui me consumaient. Ces idées lancinantes m'ont obnubilée toute la semaine.

Mais, dès l'instant où Carol est entrée dans la pièce, elles ont disparu de mon esprit.

— Ferme le frigo, espèce d'idiote, a-t-elle aboyé.

— Hein ? ai-je réagi, avant de m'apercevoir que j'étais debout devant, tenant la porte ouverte, sans bouger.

J'ai attrapé le lait en vitesse et refermé la porte.

Elle m'a observée d'un air mauvais, adossée au bar en train de boire son café.

— Pourquoi la moustiquaire de ta fenêtre est ouverte ?

J'ai cru avoir une attaque. La moustiquaire. J'avais oublié de la refermer après mon escapade, l'autre nuit. D'un air dégagé, j'ai versé le lait sur mes céréales. En essayant de ne pas en mettre à côté.

— Euh..., ai-je lâché d'une voix tendue. Il y avait une araignée dans ma chambre et je l'ai jetée par la fenêtre pour m'en débarrasser. J'ai dû oublier de refermer la moustiquaire. Désolée.

Évitant son regard, j'ai mis une cuillerée de céréales dans ma bouche.

— Tu es vraiment stupide, s'est-elle contentée de dire.

Avant d'ajouter :

— Il y a des boîtes, à l'arrière de ma voiture. Il faut que tu les apportes ici avant de partir. Tu les poseras dans la salle à manger.

— OK, ai-je marmonné, la bouche pleine, les yeux toujours baissés.

Après avoir lavé mon bol, je suis sortie chercher les boîtes dans la voiture. Il y en avait trois, énormes, sur la banquette arrière de la Jeep. En soulevant la première, je me suis aperçue qu'elle était moins lourde que je ne craignais. En revanche, elle m'empêchait de voir où je mettais les pieds.

— Fais très attention ! a crié Carol depuis le perron.

Après avoir monté les marches, je suis passée devant elle en m'efforçant de l'ignorer. Plantée devant la maison, elle me regardait transporter la première boîte, encombrée par son gros volume. Au dernier trajet, elle n'était plus sur le perron.

Au moment de monter la deuxième marche, mon pied gauche a heurté quelque chose. J'ai aussitôt perdu l'équilibre et suis tombée en avant de tout mon poids. Mais sans lâcher la boîte, qui a atterri sur le perron. Mon genou droit, lui, a violemment cogné l'angle des marches. J'ai serré les dents pour ne pas hurler.

— Mais quelle empotée ! a lancé Carol dans mon dos. J'espère au moins que tu n'as rien cassé. Sinon, tu paieras.

Elle m'est passée devant sans même un coup d'œil et est entrée dans la maison. J'étais hors de moi.

En m'appuyant sur la rampe, je me suis relevée lentement. Une vive douleur a traversé mon genou lorsque je l'ai bougé et j'ai difficilement étouffé un cri. J'ai monté la dernière marche en m'appuyant sur la jambe gauche, ai ramassé la boîte et l'ai emportée dans la maison.

Evan devait venir me chercher, il ne fallait surtout pas qu'il me voie boiter. Espérant que, le temps d'arriver à l'école, la douleur s'atténue, j'ai pris mon sac et suis sortie de la maison. Au bout de la rue, je l'ai vu qui m'attendait dans sa voiture. Malgré tous mes efforts pour marcher normalement, je n'y suis pas parvenue.

— Qu'est-ce qui t'est arrivé ? a-t-il demandé en sortant précipitamment de la voiture.

— Tout va bien, ai-je répondu en me glissant sur le siège. Je suis tombée dans l'escalier. Je portais une énorme boîte qui m'empêchait de voir où je posais les pieds et j'ai trébuché. Mon genou a heurté la marche. Mais ça va passer. J'ai dû tomber sur la rotule, ça m'a fait très mal sur le moment.

— Tu as trébuché ? a-t-il répété.

— Oui.

Ça n'était pas un mensonge. Simplement, je ne disais pas à cause de quoi j'étais tombée. Ou à cause de qui.

Serrant les mâchoires, j'ai relevé mon pantalon pour voir mon genou. Il s'est penché pour regarder aussi. Il y avait juste une trace rouge, rien d'autre. Pour l'instant.

— Tu vois, c'est rien. Ça va partir.

Mais la matinée a passé, et la douleur n'a fait qu'augmenter. Lorsque j'ai revu Evan, un peu plus tard, j'étais incapable de m'appuyer sur la jambe droite.

— Ça ne va pas, je le vois bien, a-t-il dit en me regardant dans les yeux.

— Pas trop, non, ai-je avoué. Je vais passer à l'infirmerie pour mettre de la glace. Je pense que ça a enflé.

— Je t'accompagne, a-t-il déclaré en me prenant mes livres des mains.

— Ouh là là, ça doit faire mal, s'est exclamée l'infirmière en découvrant le gros hématome sur mon genou. Il avait tellement enflé qu'on ne pouvait même plus distinguer la rotule.

— Je vais te mettre de la glace et te le maintenir surélevé pendant un moment, a-t-elle ajouté.

Derrière elle, j'ai aperçu le visage décomposé d'Evan. Dès qu'elle est sortie de la pièce pour aller chercher un bandage, il a planté ses yeux dans les miens.

— Tu me promets que tu as trébuché ?

— J'ai trébuché, ai-je répété, soutenant son regard.

L'infirmière m'a rapporté une poche de glace que je devais poser sur mon genou le plus souvent possible. Malheureusement, elle m'a aussi obligée à prendre la paire de béquilles qu'elle a sortie d'un placard, en me recommandant de m'appuyer le moins possible sur ma jambe droite.

— Tu as trébuché ? a répété Sara, lorsque je l'ai retrouvée pour déjeuner.

La jambe étendue sur une chaise, j'avais posé la poche de glace dessus. Evan était assis en face de moi.

— Pourquoi vous ne me croyez pas ? ai-je demandé d'un ton agacé.

— Parce que je sais que tu mens, a répliqué Sara du tac au tac.

Evan a relevé la tête, son regard passant de moi à Sara.

— Tu mens ? a-t-il murmuré d'un air déçu.

— Bien sûr, a répondu Sara à ma place. Elle n'est pas maladroite à ce point. Il y a généralement quelqu'un pour l'aider à l'être.

— Sara, stop ! J'ai *vraiment* trébuché, même si je ne sais pas sur quoi, parce que je ne voyais pas où je mettais les pieds. C'est vrai qu'elle était dans le coin, mais je ne sais vraiment pas ce qui m'a fait tomber. Je ne peux pas nier qu'elle avait l'air plutôt ravie de me voir par terre. Mais j'ai trébuché.

La mâchoire d'Evan s'est crispée ; Sara secouait la tête.

— Tu n'as pas besoin de la couvrir vis-à-vis de nous, a-t-elle lâché. Bon... Ça veut dire que tu l'as à nouveau sur le dos, c'est ça ?

J'ai haussé les épaules en repoussant mon assiette. Je n'avais plus faim du tout.

— Peut-être que tu peux dormir chez moi, ce soir ? a suggéré Sara. On a une bonne excuse : on doit se lever tôt à cause des tests d'entrée à l'université. Je vais appeler ma mère pendant l'étude pour qu'elle demande à Carol.

Au souvenir du visage réjoui de ma tante lorsqu'elle m'a vue boiter, j'ai senti ma gorge se serrer.

— Tu as trébuché ? a répété la prof, Mme Straw, en examinant mon genou violet, presque noir.

Pourquoi personne ne voulait me croire ?

— Oui.

— Ça n'a pas l'air cassé, a conclu l'entraîneur à côté d'elle, après avoir fait doucement bouger mon genou. La glace devrait aider à le faire désenfler. Reste tranquille ce week-end, et si lundi c'est toujours enflé ou que tu ne peux toujours pas t'appuyer dessus, alors va voir le médecin pour faire une radio.

La simple idée de devoir retourner à l'hôpital m'a fait frémir. Je n'avais pas le choix : le lundi, ça devait absolument aller mieux.

— Pas d'entraînement aujourd'hui, évidemment, a déclaré Mme Straw. Tu dors chez Sara ce soir ?

Elle avait l'air de bien connaître ma vie privée.

— Oui.

Après un instant de réflexion, elle a proposé :

— Si tu veux, tu peux assister au match de baseball.

Je l'ai regardée, étonnée.

— Vraiment ?

Pour la première fois, j'avais l'occasion de voir Evan jouer !

— Tu n'as pas ton petit ami dans l'équipe ?

Comment savait-elle autant de choses sur moi ?

— Oui, en effet, ai-je répondu rapidement. Merci.

— Alors ? m'a interrogée Sara quand je suis sortie du bureau.

— Je vais voir le match de baseball ! ai-je annoncé gaiement.

— OK. Sinon, c'est bon pour ce soir, tout est organisé. En revanche, j'ai une mauvaise nouvelle... Mon grand-père est à l'hôpital. Ce qui veut dire qu'on partira pour le New Hampshire juste après les tests. Donc tu ne pourras pas dormir chez moi demain soir.

— Oh, j'espère que ça n'est pas grave ?

— Non, je ne pense pas. Intoxication alimentaire, un truc du genre, c'est tout. Je suis désolée...

— T'en fais pas, ça ira, ai-je répondu en cachant ma déception du mieux que je pouvais. Au moins, je n'ai pas à l'affronter ce soir.

Nous avons décidé que Sara me retrouverait après l'entraînement et nous sommes parties chacune de notre côté. Je me suis dirigée avec mes béquilles vers le terrain de baseball, où les joueurs étaient en train de s'échauffer. Dans les gradins, je me suis installée de façon à pouvoir allonger ma jambe. Le sourire jusqu'aux oreilles, j'ai cherché Evan des yeux.

## 33

## DÉCOUVERTE

— Tu pourrais venir chez moi, m'avait proposé Evan quand je lui avais annoncé que je ne dormirais pas chez Sara le samedi soir.

Le match venait de se terminer et nous étions tous les trois assis dans les gradins.

— C'est une idée, est convenue Sara.

Je lui ai lancé un regard stupéfait. Comment pouvait-elle être d'accord avec ça ?

— Ton oncle et ta tante n'ont aucune raison de l'apprendre. Mes parents ne diront pas que tu n'étais pas avec moi. Em, comme ça tu ne seras pas obligée de rentrer chez toi avant dimanche matin !

— Et mes parents ne sont pas là, donc ils ne diront rien non plus, a enchéri Evan.

Cette remarque ne m'a pas aidée du tout... Après avoir réfléchi aux différentes options, j'ai fini par accepter de passer la nuit de samedi chez Evan.

— Tu es dans de beaux draps, maintenant..., a ironisé Sara lorsqu'elle m'a ramenée chez moi pour que je prenne quelques affaires.

— La ferme ! C'est toi qui as trouvé que c'était une bonne idée, non ?

— Tu me raconteras tout ! En détail.

— Arrête ! Il ne va rien se passer du tout, ai-je affirmé, plus pour me convaincre moi-même.

Sara m'a accompagnée dans la maison pour m'aider à porter mon sac. Afin de ne pas en rajouter, j'ai laissé les béquilles dans la voiture. Toute la famille était dans la salle à manger en train dc dîner.

Carol nous a accueillies avec un grand sourire.

— Bonjour, Sara ! s'est-elle exclamée d'une voix mielleuse.

Puis, se tournant vers moi, toujours sur le même ton :

— Emma, l'infirmière a téléphoné. Elle voulait être sûre que tu garderais bien ta jambe au repos, ce week-end, en mettant de la glace. Donc reste tranquille, OK ?

Son inquiétude hypocrite m'a fait bouillir intérieurement.

— OK, ai-je marmonné sans la regarder tandis que je me dirigeais vers ma chambre.

— Ménage dimanche matin, ça ira ? a-t-elle susurré d'une voix doucereuse.

J'ai hoché la tête, gardant mon calme.

⁂

— Ne me demande pas comment ça s'est passé, ai-je lancé à Evan en sortant de la salle où j'avais passé des heures à lire des questions, rédiger des textes et cocher des milliers de cases.

Après cette utilisation intensive de mon cerveau, la tête me tournait et je me sentais au bord de la nausée. Les dés étaient jetés : mon avenir n'était désormais plus entre mes mains.

— OK, a promis Evan. On va manger quelque chose ? Tout le monde va chez Franck, si ça te dit.

— Parfait.

— Tu as réussi ? a demandé Jill avec une énergie incroyable pour quelqu'un qui venait de passer des heures à remplir des tests qui décideraient de son avenir.

Elle s'est assise en face de nous. J'ai posé ma tête sur mes bras en poussant un grognement.

— Elle ne veut pas en parler, a expliqué Evan.

— Arrête, Em ! S'il y en a une qui ne doit pas s'inquiéter, c'est bien toi !

— Tout se mélange dans ma tête. Je ne sais même plus à quoi j'ai répondu ni ce que j'ai répondu. J'ai juste envie de vomir.

— Détends-toi, a conseillé Kyle. C'est fini, de toute façon.

— Facile à dire, ai-je soufflé en levant la tête. Toi, tu es déjà accepté à l'université.

Evan m'a fait un clin d'œil, ce qui n'a pas du tout calmé mon angoisse. Au contraire.

— Tu ne vas pas être de mauvaise humeur toute la journée, hein ? s'est inquiété Evan tandis que nous nous dirigions vers sa voiture.

— Je vais faire un effort, promis. Qu'est-ce qu'on fait aujourd'hui ?

— Pas grand-chose, tu dois ménager ta jambe, rappelle-toi. On peut jouer à des jeux vidéo, ou autre chose qui te permette de garder la jambe étendue.

— Mais tu vas t'embêter, à rester sans bouger ?

— Non, ne t'en fais pas, a-t-il répondu avec un sourire. J'aime bien traîner, aussi.

C'est en effet ce qu'on a fait pendant tout l'après-midi. Installée sur le canapé, la jambe allongée sur les genoux d'Evan, je l'ai regardé manipuler ses manettes et ses boutons. On pouvait imaginer pire.

— Tu veux voir un film ? m'a-t-il demandé lorsque nous avons fini de manger son délicieux dîner.

— Tu sais bien que je vais m'endormir.

— Ça ne me dérange pas.

— Où est-ce qu'on regarde les films, chez toi ?

Je me suis soudain rappelé que je n'avais vu que deux écrans dans la maison – dans la grange et dans sa chambre.

— Dans ma chambre.

Un éclair de panique m'a brusquement traversée. J'ai réussi à masquer ma réaction, mais, à l'intérieur, c'était l'ébullition.

— Tu joues du piano ? ai-je enchaîné, décidée à trouver une autre idée.

— Un peu…

Il était surpris par ma question.

— Tu veux bien jouer pour moi ?

— Je préfère écouter ceux qui savent vraiment en jouer !

Avant que je n'aie eu le temps de réagir, il m'a soulevée dans ses bras et s'est dirigé vers l'escalier.

— Mais tu n'as pas besoin de me porter, Evan !

Me retrouver ainsi dans ses bras a provoqué un afflux de sang dans mon cœur, qui s'est mis à cogner comme un forcené dans ma poitrine. Et le fait que sa chambre soit notre destination n'arrangeait rien.

— Ça te prendrait trop de temps avec tes béquilles, s'est-il défendu.

Arrivé dans sa chambre, il m'a doucement allongée sur le lit. Je me suis aussitôt redressée pour m'asseoir, adossée contre le mur. Mon pouls battait à mille à l'heure. Sur son iPod il a choisi une chanson calme, en mettant le volume assez bas pour que nous puissions parler.

— Il faut que je te demande quelque chose, a-t-il avoué d'un air tendu en s'asseyant à côté de moi. Mais je sais que ça ne va pas te plaire.

Je l'ai dévisagé, alarmée.

— Quand Sara a dit que tu l'avais « à nouveau sur le dos », elle avait raison ?

Après un court silence, il a ajouté :

— Et ne me mens pas, s'il te plaît.

J'ai baissé les yeux.

— Je ne sais pas. Je ne la comprends pas suffisamment pour deviner ce qui l'énerve. Mais je ne suis pas inquiète, et je ne veux pas que toi et Sara le soyez.

J'ai croisé son regard et esquissé un sourire pour le rassurer. Mais il a gardé cet air soucieux.

— J'étais sérieux quand je t'ai proposé de fuir avec toi.

Mon sourire s'est agrandi jusqu'aux oreilles.

— Tu le sais, n'est-ce pas ? a-t-il insisté. Tu me dis un mot, et on s'en va.

— On n'en arrivera pas là. Je vais tenir, du moment que tu me promets de ne pas repartir.

— Je te le promets, a-t-il déclaré avant de se pencher pour m'embrasser.

Quand ses lèvres se sont détachées des miennes, j'ai aussitôt enchaîné avec une série de questions. J'avais décidé de ne pas me laisser emporter. Soit je restais maître de moi-même… soit je dormais.

— Emma…

Evan chuchotait dans mon oreille. J'ai senti ses doigts caresser doucement mon cou et j'ai souri. C'était délicieux.

— Tu peux rester ici, si tu veux, sinon tu peux dormir dans la chambre d'amis.

J'ai ouvert les yeux. Ma tête était posée sur son épaule, et mon bras tranquillement étendu en travers de son torse. Je me suis assise dans le lit pour jeter un œil autour de moi. La pièce était plongée dans l'obscurité. Seule la lumière de l'écran de télévision brillait.

— Euh… La chambre d'amis, c'est parfait.

— Je vais te chercher ton sac et tes béquilles.

— Je n'ai pas besoin des béquilles. Franchement, ça va mieux. Je crois que je peux m'appuyer dessus.

Evan m'a lancé un regard sceptique et m'a indiqué la porte de la chambre dans le couloir avant de descendre l'escalier. Avec précaution, j'ai commencé à marcher. Mon impression était bonne : même s'il était encore douloureux, mon genou allait beaucoup mieux.

La chambre était décorée avec beaucoup de goût. Les murs blancs et les rideaux brodés de fleurs colorées rendaient la pièce gaie et lumineuse, tandis que le dessus-de-lit en boutis rose donnait à l'ensemble un cachet particulier.

— Ça te va ? s'est inquiété Evan, derrière moi.

— Yep ! ai-je répondu en m'asseyant au bord du lit.

Après avoir posé mon sac par terre, il a paru hésiter.

— Eh ben… Bonne nuit, lui ai-je aussitôt souhaité.

Je ne suis pas certaine que c'est ce qu'il espérait.

— Oui, bonne nuit, a-t-il lâché.

Il m'a donné un rapide baiser sur les lèvres et est sorti de la pièce.

Je me suis affalée avec un énorme soupir, les yeux au plafond. Dormir ici, plutôt que dans sa chambre, c'était la bonne décision, c'est sûr. Je me le suis répété pour mieux m'en convaincre.

Après une rapide toilette dans la salle de bains de la chambre, je me suis glissée dans les draps de satin et j'ai éteint la lampe.

Sauf que je n'ai pas réussi à m'endormir. Je me tournais et me retournais dans le lit, cherchant le sommeil. En vain. Je suis restée dans l'obscurité, les yeux grands ouverts, en m'efforçant de chasser de mon esprit la tentation croissante d'aller le retrouver. Mon cœur cognait dans ma poitrine, au rythme de mon désir. Je le sentais battre jusque dans ma gorge. Il fallait absolument que je me calme. Que je dorme. Que je pense à autre chose.

— Em ? Tu es réveillée ?

Je n'ai pu réprimer un sourire en me tournant vers la porte. Evan était là, debout dans l'entrebâillement.

— Je n'arrive pas à dormir en sachant que tu es à cinq mètres de moi..., a-t-il murmuré en se glissant sous les draps à côté de moi.

Mon sourire s'est élargi.

— Comment va ton genou ?

— Tu n'es quand même pas venu jusque-là pour me demander des nouvelles de mon genou ?

Avec une légère moue, il m'a attirée contre lui. Ses lèvres avaient beau m'être familières, lorsque j'ai senti leur chaleur sur les miennes, la tête s'est mise à me tourner. Il avait une manière si douce, si voluptueuse d'en prendre possession, d'enrober ma bouche en un mouvement délicieux, que j'étais chaque fois surprise. Pendant que j'abandonnais ma bouche à la sienne, il a glissé ses mains sous mon haut et m'a caressé le dos. Lorsque ses doigts sont venus sur mon ventre, un picotement m'a parcouru la nuque. Je me suis collée plus près de lui, le souffle court. J'ai poussé un gémissement lorsque mon genou a heurté le sien.

— Ça va ?

Il a aussitôt reculé.

— Oui, oui, ai-je murmuré.

Il m'a regardée d'un air sceptique avant de s'approcher de nouveau. J'ai devancé son geste, je me suis serrée contre lui, en faisant attention de protéger ma jambe droite de manière à ce qu'elle ne nous perturbe plus. Avec une facilité déconcertante, j'ai plongé dans la chaleur de son étreinte. À mon tour, j'ai passé mes mains sous sa chemise pour sentir sa peau veloutée, suivre les contours de son torse et descendre jusqu'à sa taille. Son souffle s'est nettement accéléré. D'un geste rapide, il a enlevé sa chemise. Mon cœur s'est arrêté de battre lorsque j'ai aperçu, dans l'obscurité, les lignes parfaites de son corps – ses longs muscles, ses épaules carrées, le dessin harmonieux de ses pectoraux. Avec délicatesse, il s'est penché pour poser ses lèvres sur mon cou.

Le feu m'a emportée. Cette fois, aucun signal d'alarme ne m'a retenue dans mon élan. Je n'entendais que le bruit de nos respirations et ne sentais que sa peau contre la mienne. Ma tête s'est mise à tourner et j'ai senti mon pouls s'accélérer. J'ai laissé échapper un gémissement sorti du plus profond de moi. Nos corps faisaient connaissance, ma poitrine se soulevait sous l'effet de ma respiration haletante. Mon souffle s'est apaisé comme Evan s'écartait légèrement. Il a posé ses mains autour de ma taille tandis que j'enfouissais mon visage dans son cou, l'effleurant de mes lèvres.

— Comment va ton genou ? a-t-il murmuré en posant un baiser sur le sommet de ma tête.

Alors que je l'avais oubliée, la douleur s'est fait de nouveau sentir.

— Ça va.

— Je vais te chercher de la glace, a-t-il dit en se redressant.

À peine s'était-il levé que la chaleur de sa peau m'a manqué. Avec un pincement au cœur, je l'ai regardé enfiler sa chemise et sortir de la pièce. Quelques instants plus tard, il est revenu avec une poche de glaçons. Il a glissé délicatement un coussin sous mon genou avant de poser le sac dessus.

— Je vais retourner dans ma chambre, comme ça je ne risquerai pas de te heurter pendant que tu dors, a-t-il chuchoté.

Il m'a couverte avec la couette avant de poser un baiser sur mon front.

— Bonne nuit.

— Bonne nuit, ai-je répondu à moitié assoupie, le sourire aux lèvres.

À cet instant précis, alors que j'étais sur le point d'être happée par les rêves, j'étais sûre d'une chose : jamais, de toute ma vie, je n'aimerais quelqu'un comme j'aimais Evan Mathews.

## 34

## FAIRE ATTENTION

— Qu'est-ce qui s'est passé ? s'est empressée de demander Sara lorsque je suis montée dans sa voiture, le lendemain matin.

Elle avait parlé très fort, visiblement surexcitée.

— Et, à voir ta tête, si tu me réponds « rien », je ne te croirai pas !

Décidément, je ne pouvais vraiment rien lui cacher. J'ai tâté mes joues brûlantes.

— Pas ce que tu crois, ai-je précisé. Mais c'était… intéressant.

Je n'ai pas pu m'empêcher de sourire.

— « Intéressant », c'est pas suffisant ! s'est-elle exclamée avec impatience. Tu ne veux pas me raconter, c'est ça ?

— Pas aujourd'hui.

Je savais que je le ferais, de toute manière. Pas avec TOUS les détails, mais de façon suffisamment précise pour satisfaire sa curiosité.

Les pensées gravitaient dans mon esprit, absorbant toute mon attention. À tel point que, même si je boitais encore, j'ai à peine senti la douleur en faisant le ménage. J'étais encore ailleurs lorsque Carol est arrivée dans mon dos pendant que je faisais la vaisselle.

Tiré d'un geste vif, le couteau a glissé dans ma main savonneuse. Le sang s'est aussitôt mis à couler.

— Oh, je t'ai blessée ? a remarqué Carol. J'avais absolument besoin de ce couteau.

Le regard rivé sur son visage perfide, j'ai sorti ma main de l'eau. Sous mon crâne, j'entendais résonner les mots que je mourais d'envie de lui hurler. Le sang a commencé à goutter dans la bassine où trempait la vaisselle. Avec un sourire réjoui, elle a posé le couteau sur la table et elle est sortie de la pièce. Bien sûr, elle ne s'en était même pas servi.

J'ai pris des serviettes en papier que j'ai enroulées autour des doigts blessés. Au bout de quelques secondes seulement, elles étaient déjà imbibées. Je me suis alors précipitée dans la salle de bains pour mettre ma main sous l'eau du robinet. Le sang n'arrêtait pas de couler. J'ai dû prendre une serviette pour faire pression sur la coupure et stopper l'hémorragie – sachant que je devrais ensuite la laver et que les traces de sang partiraient difficilement.

Après quelques minutes, j'ai enfin pu mettre des pansements, suffisamment serrés pour que les plaies ne menacent pas de se rouvrir. Les mâchoires crispées, je bouillais intérieurement. Comment pouvait-on être aussi cruel ? J'avais plus de mal que d'habitude à évacuer ma colère et, pendant un long moment, je l'ai sentie peser sur ma poitrine.

⁂

Le lundi, dès le premier cours, j'ai remarqué le coup d'œil suspicieux de Sara et d'Evan sur mon pansement. Mais c'est seulement au déjeuner que Sara m'en a parlé.

— Tu comptes nous dire ce qui s'est passé, ou même pas ?

— Je me suis coupée en lavant un couteau.

Elle a croisé les bras en me lançant un regard noir.

— Trois doigts d'un coup ?

— On veut la vérité, a poursuivi Evan sans me laisser le temps de réagir.

Mais pour qui se prenaient-ils à me dévisager tous les deux de leurs yeux accusateurs ? Ça n'était pas leurs oignons. Et ils n'avaient pas à me culpabiliser ainsi, comme si c'était moi qui avais fait quelque chose de mal.

— Vous savez quoi ? Si mon explication ne vous convient pas, eh bien imaginez l'histoire qui vous plaît. Moi, je ne vous dirai rien de plus. Vous savez où je vis et avec qui je vis et je n'ai pas franchement besoin de revivre cet épisode en vous le racontant.

Excédée, je me suis levée de table, j'ai repoussé brutalement ma chaise et me suis dirigée vers la sortie en boitant. C'était plus que je ne pouvais en supporter.

Pendant l'heure de journalisme, ni Evan ni Sara ne m'ont adressé la parole, préférant me laisser mijoter dans mon jus. Mais dès la fin du cours, ils m'ont sauté dessus.

— Ne sois pas fâchée, a supplié Evan.

Assise devant l'ordinateur, j'ai continué à leur tourner le dos.

— Emma, tu as toujours tendance à minimiser la gravité de tes blessures, c'est pour ça qu'on s'inquiète, a ajouté Sara.

— Je peux me débrouiller toute seule, ai-je répliqué en leur faisant face.

— Tu m'as dit exactement la même chose le jour où tu as fini à l'hôpital, a dit Sara.

Sa voix s'est brisée lorsqu'elle a achevé sa phrase. J'ai baissé les yeux.

Evan a pris ma main indemne entre les siennes.

— Nous savons parfaitement bien que tu peux te débrouiller et supporter bien plus que tu ne devrais, a-t-il déclaré. Mais ça nous stresse. Je pense vraiment que nous devrions…

Un accès de panique m'a saisie quand j'ai compris ce qu'il avait l'intention de dire. Il n'a même pas eu besoin de finir sa phrase.

— Tu ne comprends pas. Je ne peux pas partir. Pas encore. Je ne veux pas courir le risque de démolir la vie de Leyla et Jack. Ni celui de perdre tout ce à quoi j'ai travaillé. En plus, je n'ai pas d'endroit où aller.

— Tu…, ont-ils rétorqué en chœur.

— Pas d'endroit où je pourrais rester sans que cela pose un problème, ai-je précisé. Vous croyez vraiment qu'ils vont me laisser vivre tranquillement, dans la même ville qu'eux, en se demandant ce que je raconte à vos parents ? Je devrai quitter Weslyn, et alors, les gens commenceront à poser des questions. Je n'ai pas le choix.

J'ai vu leurs visages s'assombrir, ils avaient compris. Toutes ces pensées, je les avais tournées et retournées dans ma tête des centaines de fois. En leur exposant la situation, je leur avais fait prendre conscience de la véritable menace qui pesait : nous risquions de tout perdre. J'espérais les avoir convaincus.

— Je vous promets que je vous préviendrai quand je n'en pourrai plus, ai-je déclaré en les regardant. Et là, on ira ailleurs, n'importe où.

En prononçant ces derniers mots, mes yeux se sont fixés sur Evan. Sara a eu l'air étonnée mais elle n'a pas demandé d'explication.

— De toute manière, il ne me reste plus que quatre cent quatre-vingt jours à tirer ! ai-je annoncé en souriant, pour détendre l'atmosphère.

Ça n'a pas marché.

— Je pense que ça serait un super cadeau d'anniversaire ! s'est exclamée Sara tandis que nous marchions sur la plage, un vent léger nous soulevant les cheveux.

— Génial ! Je vais dîner chez ses parents dimanche, tu sais ?

— Non, tu ne me l'avais pas dit !

— Sa mère m'en avait déjà parlé une fois, à l'automne. Et là, elle m'a proposé de venir dimanche.

C'est dingue que je ne t'en aie pas parlé ! Le pire, dans l'histoire, c'est qu'elle a aussi invité George et Carol. Donc j'ai été obligée de leur dire, pour Evan.

— Non…, a lâché Sara, stupéfaite.

— De toute façon, ils l'auraient appris un jour ou l'autre, ai-je répondu en haussant les épaules. Tu aurais dû voir la tête de Carol quand elle a appris que je sortais avec un garçon. On aurait dit qu'elle avait des couteaux dans les yeux, c'était flippant.

— Mais ils vont aller au dîner ? a poursuivi Sara.

— Bien sûr que non ! Mais George est d'accord pour que j'y aille, même si Carol est contre.

— Em, je le sens mal, tout ça…

Sara avait l'air complètement flippée d'apprendre que Carol était au courant pour Evan, après tous les efforts que nous avions fait pour le lui cacher. Moi, dès l'instant où il m'avait embrassée, je m'étais faite à cette idée. Même si j'avais l'estomac retourné au moment de le dire, j'étais prête. Sara, visiblement, ne l'était pas.

— Franchement, qu'est-ce que tu veux qu'elle me fasse de plus ?

— Tu retournes chez toi après la compétition d'athlétisme, samedi ?

— Oui, pourquoi ?

— Dès que tu seras rentrée, je veux que tu m'envoies un message pour me dire que tout va bien.

— Sara, arrête !

Elle m'a jeté un regard noir. Le message était clair : je n'avais pas d'autre solution que de lui obéir, sinon elle ferait la tête pendant au moins deux jours.

— Bon, d'accord. Je t'enverrai un message.

Nous n'en avons plus reparlé jusqu'à la fin de la semaine, mais, plus le samedi approchait, plus Sara était anxieuse. Afin de ne pas être contaminée, je me suis concentrée sur la perspective de revoir Evan à la compétition. Cela suffisait pour tenir à distance l'image de Carol.

# 35

# SABOTAGE

— N'oublie pas de m'envoyer un SMS, a répété Sara pour la cinquantième fois en me déposant devant chez moi, ce samedi-là, après la compétition.

Levant les yeux au ciel, j'ai fait un bref signe de la tête avant de me tourner vers la maison. Tandis que je montais les marches, je me préparais mentalement. En poussant la porte, j'ai entendu un bruit de voix dans la salle à manger. Celle de Carol a résonné dans la cuisine. Elle parlait à George sur un ton inhabituellement tranquille.

— Emma !

Leyla s'est précipitée vers moi pour m'accueillir et s'est blottie contre mes jambes en les serrant avec ses petits bras potelés. Je me suis penchée pour l'embrasser.

— Va poser tes affaires dans ta chambre, a ordonné Carol calmement. Nous allons nous mettre à table.

L'amabilité de sa voix m'a tellement surprise que j'ai regardé derrière moi pour vérifier qu'elle ne s'adressait pas à quelqu'un d'autre.

— Comment ça a été, avec Sara ? m'a-t-elle demandé en me regardant, lorsque je me suis assise à ma place, devant une assiette de spaghettis et de boulettes de viande.

— Bien, ai-je répondu prudemment.

Cette soudaine attention m'a rendue méfiante.

— Parfait, a-t-elle souri.

C'était la première fois que je la voyais me sourire. Crispée, j'ai attendu l'attaque, mais aucune catastrophe ne m'est tombée dessus. Elle s'est tournée vers George et ils se sont mis à discuter du choix des fleurs qu'ils achèteraient le lendemain pour planter devant la maison.

Au moment de franchir la porte, la veille au soir, j'avais imaginé les pires scénarios possibles et mon cerveau était resté en alerte toute la soirée dans l'attente d'une éventuelle agression. Mais, j'avais beau la connaître par cœur, je n'avais pas envisagé un tel degré de cruauté.

— J'imagine que tu n'es pas en état d'aller chez ton « petit copain » ce soir, n'est-ce pas ? a lancé Carol, le matin, en passant la tête par la porte de la salle de bains.

Elle a refermé la porte, m'abandonnant à mon désespoir.

Une sueur froide est descendue le long de mon dos, juste avant que mon estomac ne se contracte violemment. Les spasmes ont secoué mon corps, une fois de plus, avec la même intensité que celle qui m'avait tenue éveillée toute la nuit. Étendue sur le carrelage, épuisée, j'avais juste envie de mourir. J'avais passé la nuit à vomir, comment mon estomac pouvait-il encore contenir quoi que ce soit ?

— Tu devrais lcs appeler pour leur dire que tu ne pourras pas venir, a crié Carol à travers la porte.

La tête lourde et le corps douloureux, je me suis redressée pour m'adosser à la baignoire puis je me suis relevée lentement. Chaque geste me coûtait, j'avais l'impression d'être vidée de mes forces. Une fois debout, j'ai marché jusqu'à la cuisine, où se trouvait le téléphone. Sauf que je ne connaissais pas le numéro d'Evan par cœur… Je devais aller dans ma chambre pour prendre mon carnet – un effort éprouvant, compte tenu de mon état. Alors que je m'apprêtais à le faire, mes yeux sont tombés sur un bout de papier, à côté du téléphone, avec « Mathews » écrit de la main de Carol, et le numéro juste en dessous. Comment avait-elle eu leur numéro ?

Pendant que je composais les chiffres sur le clavier, j'ai senti mon estomac se manifester de nouveau.

— Allô, a répondu Evan.

— Evan, c'est moi, ai-je dit d'une voix éteinte.

— Emma ? Ça va ? a-t-il demandé avec inquiétude.

— Je suis malade. Une indigestion ou un truc du genre. Désolée, mais je ne vais vraiment pas pouvoir venir dîner ce soir.

— Tu veux que je vienne ?

Mon explication ne l'avait visiblement pas rassuré.

— Non, pas la peine. Il faut juste que j'aille me coucher.

Mon estomac me tiraillait de plus en plus fort.

— On se voit demain matin, alors ?

— Mmmh, ai-je marmonné avant de raccrocher et de me précipiter dans la salle de bains.

C'est seulement dans la soirée que mon ventre s'est à peu près calmé et que j'ai pu retourner dans ma chambre. Je me suis blottie sous la couette, encore frissonnante, avec l'envie de ne plus jamais me réveiller.

Le lendemain matin, j'ai dû me préparer tant bien que mal pour le lycée. Hors de question, pour Carol, de me laisser seule à la maison. Une fois prête, j'ai bu un verre d'eau avant de sortir, en espérant que le tremblement de mes jambes s'arrête. Mes muscles n'avaient plus aucune force. Je me suis presque évanouie en montant dans la voiture d'Evan. Pendant qu'on s'éloignait de la maison, il n'a pas dit un mot. Au bout de la rue, j'ai senti mon estomac se réveiller.

— Arrête-toi !

Je me suis ruée hors de la voiture juste avant que mon corps ne rejette le malheureux verre d'eau que j'avais avalé. Épuisée, je me suis laissée glisser sur le sol, le visage dans les mains.

— Tu n'iras pas au lycée, a lancé Evan d'une voix ferme.

Il m'a aidée à m'installer dans la voiture et c'est seulement lorsque nous sommes arrivés devant chez lui que j'ai remarqué où nous étions.

— Je ne peux pas rester là, ai-je soufflé, à bout de forces. Si je rate les cours, je vais vraiment avoir des ennuis.

— Ne t'inquiète pas, je vais dire à ma mère d'appeler le lycée.

Incapable d'argumenter, je suis sortie péniblement de la voiture et j'ai suivi Evan jusqu'à sa chambre. Je me suis effondrée sur son lit et il m'a enlevé mes chaussures. La seconde d'après, recroquevillée sous la couette, je dormais.

Lorsque je me suis réveillée, la chambre était plongée dans l'obscurité et il m'a fallu quelques secondes pour comprendre où j'étais. Le lit était vide, j'étais seule dans la pièce. Mon estomac me semblait revenu à la normale. Avec précaution, je me suis levée et suis allée dans la salle de bains pour voir à quoi je ressemblais. En apercevant mon visage blême dans le miroir, j'ai compris l'étendue du désastre. Pire que ce que j'avais imaginé.

Après m'être attaché les cheveux avec un élastique, je me suis passé de l'eau fraîche sur la figure pour tenter de lui redonner un peu de couleur. Pas gagné.

— Emma ? a appelé Evan.

J'ai passé la tête par la porte.

— Comment tu te sens ?

— Un peu comme si un bulldozer m'était passé dessus…

Il a souri, rassuré, et m'a ouvert ses bras. Je me suis pelotonnée contre lui, heureuse de retrouver la chaleur de son étreinte.

— Tu as bien meilleure mine que ce matin. J'avais déjà entendu parler de teint vert, mais je n'y croyais pas.

J'ai voulu m'écarter pour protester mais il m'a serrée plus fort en riant.

— Tu es encore toute pâle, quand même. Tu veux t'allonger ?

D'un hochement de tête, j'ai acquiescé. Il m'a relâchée et je me suis glissée sous la couette.

— Je t'ai apporté du thé pour que tu te réhydrates un peu. D'après ma mère, ton estomac devrait le tolérer.

— Elle est là ?

— Non, mais je l'ai appelée pour lui dire que tu étais malade, qu'elle prévienne le lycée. Elle m'a donné plein de conseils.

Il s'est assis à côté de moi, adossé contre la tête de lit, et m'a caressé doucement les cheveux. J'ai fermé les yeux pour savourer les délicieux frissons qui parcouraient mon corps.

— Quelle heure est-il ? ai-je murmuré.

— Quatorze heures passées.

— J'ai dormi longtemps.

— Tu ne bougeais pas du tout, j'ai dû vérifier que tu respirais encore. Je suis content de te voir en meilleure forme.

Je me suis redressée pour prendre la tasse de thé sur la table de nuit et j'ai bu quelques gorgées.

— Tu as ta carte d'identité avec toi ? a soudain demandé Evan, sans raison.

— Oui.

— Tu as un moyen de récupérer ta carte de sécurité sociale ? a-t-il enchaîné.

Sans un mot, j'ai froncé les sourcils.

— Je pense que tu devrais. Pour le cas où, a-t-il expliqué.

Devant son air grave, j'ai compris qu'il se préparait réellement à fuir avec moi si cela s'avérait nécessaire.

— Je peux raconter à George que j'en ai besoin pour postuler de nouveau à un job cet été. Tu es sérieux ?

— Absolument.

J'ai baissé les yeux. Une telle décision supposait beaucoup de sacrifices de sa part : il serait obligé de renoncer à sa famille, à ses amis, à ses études…

— Evan, on n'en arrivera pas là. Et puis, où est-ce qu'on irait ?

— Ne t'inquiète pas, j'ai eu le temps d'y réfléchir. De toute façon, ce serait provisoire.

Je n'ai pas posé d'autres questions. Je ne pouvais pas accepter l'idée que les choses s'aggravent au point que nous soyons obligés de fuir. Pour Evan, c'était la seule façon qu'il avait de m'aider, donc il voulait croire en son plan. Je savais que ça n'était pas réaliste. Mais je ne pouvais pas le lui dire.

36

# Dîner

— Où est-ce qu'elle est ? a-t-elle hurlé tandis que je versais la lessive dans le lave-linge.

Étonnée, je l'ai regardée se précipiter vers la corbeille de linge sale et sortir les affaires l'une après l'autre en les jetant sur moi comme une furie.

— Qu'est-ce que tu en as fait ? a-t-elle aboyé.

— De quoi ? ai-je répondu calmement.

— Cette foutue serviette ! Celle que tu as bousillée. Qu'est-ce que tu en as fait ?

— Je ne sais pas de quoi tu parles, ai-je menti.

La serviette dont je m'étais servie pour arrêter le sang qui coulait de mes doigts : je l'avais jetée. Mais comment avait-elle pu la voir ?

— Tu sais très bien de quoi je parle, sale menteuse.

Elle continuait à m'envoyer les vêtements à la figure. Le visage déformé par la rage, elle était en train de vider complètement le panier, tout le linge était éparpillé sur le sol. C'en était ridicule. Devant ce spectacle, je me suis soudain redressée, et j'ai regardé cette femme pathétique comme si je la voyais pour la première fois. Le dégoût et la colère m'ont assaillie. J'en avais désormais assez de ce comportement délirant.

— C'est juste une serviette, ai-je hurlé pour couvrir ses cris.

Elle s'est figée, choquée par la force de ma voix.

— Qu'est-ce que tu viens de dire ?

Sans me démonter, j'ai soutenu son regard accusateur et furieux, et, tandis que je la regardais, je me suis rendu compte que j'étais beaucoup plus grande qu'elle. Cette idée m'a renforcée dans ma détermination. Ma faiblesse et ma crainte s'éloignaient à grands pas.

— C'est juste une serviette, ai-je répété calmement, avec un aplomb que je me découvrais.

Tournant le dos, j'ai fini de verser la lessive dans la machine.

— Juste une serviette, hein ?

À l'instant où je lui ai fait face, elle m'a donné un violent coup à l'abdomen avec la bouteille d'adoucissant. Le souffle coupé, je me suis pliée en deux en me tenant le ventre. Le deuxième coup a atterri sur mon épaule et m'a projetée à terre. Je n'ai pas eu le temps de me relever qu'un autre coup s'abattait sur mon bras gauche.

— Ne me parle plus jamais comme ça, espèce de sale pute.

— Carol, a crié George du haut des marches. Tu es en bas ? Ta mère, au téléphone.

Avant de sortir de la pièce, elle m'a jeté :

— Range tout ce bordel.

Je suis restée un instant sans bouger, pour récupérer. Les poings serrés, j'ai respiré profondément : il me fallait retrouver mon calme avant de parvenir à me relever et à ranger le désordre qu'elle avait mis dans la pièce.

— Emma ? a fait George en frappant à ma porte. Evan est là.

Mon sang s'est figé. Evan ? Chez moi ? Mais quelle mouche l'avait piqué ?

— J'arrive, ai-je dit d'une voix étranglée.

J'ai attrapé mon manteau, les jambes tremblantes.

— Salut, ai-je lâché, les sourcils froncés, en arrivant dans l'entrée.

Ignorant ma nervosité, il m'a fait un large sourire.

— Je suis ravie de te rencontrer enfin, a déclaré Carol en affichant un grand sourire hypocrite.

Insupportable à voir.

— Moi aussi, a répondu Evan poliment.

— Bon, on y va ?

— Vingt-deux heures, OK ? a rappelé Carol de sa voix mielleuse.

Insupportable à entendre.

— OK, ai-je lâché sans décrocher un sourire.

Au moment de sortir, Evan a posé sa main sur ma taille. Sachant qu'elle continuait certainement à nous observer, je me suis crispée.

— Qu'est-ce qui t'a pris ? me suis-je exclamée aussitôt dehors.

— Em, ils savent que tu viens chez moi. Je ne peux pas juste me pointer et klaxonner ! Je ne suis pas comme ça.

C'était trop bizarre de l'avoir vu dans ma maison ; là où ma vie n'était que souffrance.

Quand nous sommes arrivés dans sa rue, une vague d'angoisse a saisi ma poitrine.

— Prête ? a demandé Evan en se garant.

— Bien sûr, ai-je répondu avcc un pauvre sourire.

Il a ri devant mes efforts.

Lorsque nous sommes parvenus en bas des marches, il m'a pris la main. À l'évidence, cela ne lui posait aucun problème que ses parents nous voient ainsi. Moi, je devais m'y habituer…

— Bonjour Emily, bienvenue ! s'est exclamée chaleureusement Vivian.

Elle m'a embrassée sur les deux joues et nous a emmenés dans la cuisine, où flottaient des odeurs délicieuses. Pendant que nous étions assis, elle a continué à préparer le repas.

— Est-ce que je peux faire quelque chose ? a demandé Evan.

— Non merci, c'est presque prêt. Ton père cuit les steaks au barbecue et je finis la salade. Tu peux peut-être proposer quelque chose à boire à Emily ?

— Oh, bien sûr, désolé ! a-t-il dit en se tournant vers moi. Qu'est-ce qui te ferait plaisir ?

— Toujours la même chose, tu sais bien.

Un petit sourire est apparu sur le visage de sa mère.

— Je suis contente que tu ailles mieux, a-t-elle observé. J'ai cru comprendre que tu avais été bien malade.

— Oui, mais ça va beaucoup mieux, maintenant.

— Les steaks sont prêts, a annoncé Stuart en apportant un grand plat.

— Excellent timing ! a remarqué Vivian. Evan, tu peux m'aider à finir de mettre la table, s'il te plaît ?

— Bien sûr.

Il a pris les bols et les couverts de service et les a emportés dans la salle à manger. C'est seulement en le suivant dans la pièce que j'ai aperçu la table, élégamment dressée avec un magnifique service de porcelaine chinoise. Au milieu, les nombreuses bougies d'un chandelier diffusaient une lumière tamisée.

Vivian et Stuart se sont assis chacun à un bout de la table, Evan et moi étions au milieu, l'un en face de l'autre. Il m'a lancé un petit sourire discret, auquel j'ai répondu par un regard paniqué. J'avais peur de ne pas savoir comment me tenir. Le dîner était divin, mais j'étais tellement tendue que chaque bouchée était une épreuve.

— Comment s'est passé ton séjour en Californie ? m'a interrogée Vivian au moment précis où j'enfournais une bouchée de viande dans ma bouche.

Rougissante, j'ai attendu de finir de mâcher le morceau avant de pouvoir répondre. Vivian attendait patiemment.

— J'ai adoré.

— L'université de Stanford est toujours ton premier choix ?

— Oui, j'ai beaucoup apprécié la rencontre avec l'entraîneur et le conseiller d'éducation. Ça va dépendre de mes résultats aux tests et de mes performances pendant la saison de football, mais ils ont l'air vraiment intéressés.

— Tu as décidé quelle matière principale tu prendrais ?

— En voyant mes notes en science et en maths, le conseiller m'a suggéré la classe préparatoire pour médecine.

Evan m'a lancé un regard stupéfait. En fait, je n'en avais encore parlé à personne.

— Ça serait formidable ! a-t-elle réagi avec enthousiasme. Et toi, Evan, tu as un peu précisé tes choix ?

— Maman, on ne va pas parler de ça, a-t-il dit. Tu sais très bien où j'ai envie d'aller.

Posant ses yeux sur moi, il a ajouté :

— Ma mère veut que j'aille à Cornell et mon père à Yale, comme lui.

Ces deux universités se trouvaient à l'autre bout du pays par rapport à Stanford.

— Maintenant, c'est vrai que si Emily va en Californie, ça peut avoir un sens d'y aller aussi, a dit Vivian.

Stuart a toussé légèrement.

— Il y a de très bonnes universités en Californie, a poursuivi Vivian.

Les entendre évoquer mon avenir avec Evan m'a paru surréaliste. Je n'avais pas encore réfléchi à la question, mais le fait que sa mère commence à programmer ainsi notre futur me mettait plutôt mal à l'aise.

— Maman, a insisté Evan, visiblement aussi gêné que moi. On a tout le temps de parler de ça. On peut changer de sujet ?

— Si tu veux, a-t-elle concédé. Est-ce que vous irez au bal de promo du lycée, le mois prochain ?

Evan s'est étranglé en avalant son eau. J'ai cessé de respirer.

— Quoi ? a-t-elle demandé, surprise par sa réaction.

— Nous n'en avons pas encore vraiment parlé, a-t-il avoué en me lançant un regard d'excuse.

J'ai baissé les yeux sur mon assiette et joué avec mon asperge du bout de ma fourchette.

— Mais Evan, elle a besoin de temps pour se choisir une robe ! Tu aurais déjà dû lui proposer.

Je me suis mordu la lèvre pour ne pas sourire.

— Si tu as besoin d'aide pour en trouver une, je serai ravie de t'emmener dans une boutique formidable à New York, a-t-elle poursuivi en s'adressant directement à moi.

— Euh... D'accord... Merci, ai-je bafouillé.

La simple idée d'aller faire du shopping à New York m'a terrifiée. J'avais déjà du mal à accompagner Sara dans les boutiques de Weslyn, alors New York...

Après un court silence, Vivian a repris la conversation.

— Et que fait ton oncle ? m'a-t-elle demandé poliment.

Aïe. Est-ce qu'on allait parler de ma famille, maintenant ?

— Il est géomètre.

— Fantastique ! Et ton père, que faisait-il ?

Evan m'a jeté un regard désolé. J'ai pris une profonde inspiration.

— Il était ingénieur dans une agence d'architectes à Boston.

— Tu ne t'occupes pas d'une soirée de bienfaisance là-bas, d'ailleurs, maman ? est intervenu Evan avant que sa mère ne puisse poser d'autres questions embarrassantes.

Vivian a aussitôt rebondi avec passion sur le sujet et elle en a parlé un bon moment.

— Evan et toi devriez venir à la soirée de gala, a-t-elle finalement proposé. Vous pourriez rencontrer plein de gens intéressants.

— Quand est-ce ? ai-je interrogé.

— À la mi-juin.

— Ah, malheureusement je ne pourrai pas, ai-je répondu en m'efforçant de paraître déçue. Je serai au camp de football à ce moment-là.

— C'est le camp où tu t'es aussi inscrit, Evan ? a questionné sa mère.

Je me suis tournée vers lui avec étonnement.

— Ah oui, a-t-il dit en croisant mon regard interrogateur. Sara m'a donné le bulletin d'inscription il y a quelques semaines.

La perspective de passer l'été avec Sara *et* Evan m'a fait avoir un sourire radieux, auquel il a répondu par un clin d'œil discret. Vivian m'a demandé de lui expliquer ce qu'était ce camp. Ce que j'ai fait bien volontiers, et avec force détails. Depuis deux ans que j'y travaillais, il m'était désormais familier.

Après le dessert, Vivian m'a emmenée dans le salon. Tout en débarrassant la table, Evan nous a regardées quitter la pièce d'un œil méfiant. J'ai compris pourquoi lorsqu'il est venu nous rejoindre.

— Tu n'es quand même pas en train de lui montrer l'album de photos de moi enfant ? s'est-il énervé.

— Allez, Evan ! Tu étais super mignon, l'ai-je taquiné en riant.

Il a fermé l'album qui était sur mes genoux et l'a rangé dans la bibliothèque avant de me prendre par la main pour me tirer de ma chaise.

— C'est bon, a-t-il déclaré. Je crois que vous l'avez assez vue. À moi, un peu. On va dans la grange avant que je la ramène chez elle.

— D'accord, a approuvé sa mère. J'étais tellement contente de pouvoir enfin parler un peu avec toi ! J'espère qu'on va te revoir très vite.

Elle m'a prise dans ses bras et m'a embrassée affectueusement.

— Bonne soirée, ai-je lancé à Stuart tandis qu'Evan me conduisait vers la cuisine.

— Bonne soirée, Emily, a-t-il répondu de sa voix grave.

— Alors ? Ça a été vraiment horrible, pour toi ? ai-je plaisanté en montant l'escalier.

— J'allais te poser la même question ! a-t-il répliqué.

En entrant dans la pièce, il s'est tourné vers moi et a pris un air sérieux.

— Désolé… J'ai essayé de l'en empêcher mais elle n'écoute pas vraiment.

— Pas de problème, l'ai-je rassuré.

Passant son bras autour de mon épaule, il m'a donné un tendre baiser.

— C'est bientôt ton anniversaire, ai-je murmuré. Qu'est-ce que tu as envie de faire ?

— Tu penses pouvoir sortir ce jour-là, le vendredi ?

Avec un air triste, j'ai fait non de la tête.

— Samedi ? ai-je suggéré.

— OK. Comme ça, je sortirai avec les copains vendredi, et samedi on sera juste tous les deux.

— Pour dîner, par exemple ?

— Excellent ! a-t-il réagi, les yeux brillants. J'ai même une idée, si tu me laisses choisir.

— D'accord, ai-je dit, intriguée.

À mon retour à la maison, Carol et George m'attendaient dans la cuisine. Ils faisaient semblant de discuter, mais je suis certaine qu'en réalité ils voulaient voir si Evan me raccompagnerait jusqu'à la porte. Heureusement, j'avais réussi à le convaincre de ne pas le faire.

— Comment s'est passée ta soirée ? m'a demandé Carol d'un ton pincé.

— Bien, ai-je simplement répondu en me dirigeant vers ma chambre.

— Attends un instant, a lancé George. Il y a une chose dont nous souhaitons te parler. Nous devons instaurer quelques règles de base pour la suite.

Stoppée dans mon élan, j'ai respiré profondément avant de me tourner vers eux pour entendre le nouveau stratagème destiné à détruire encore un peu plus ma vie.

— Tu ne peux pas aller chez Evan quand il n'y a personne là-bas, a décrété Carol. Si nous apprenons que tu l'as fait, tu n'auras plus le droit de le voir.

— Il n'a pas le droit de te conduire à la maison après les cours, a ajouté George. Le matin, il peut t'emmener, mais l'après-midi, c'est seulement Sara ou une autre amie à toi.

— Et enfin…, enchaîna Carol avec un sourire en coin. Si on découvre que tu couches avec lui, tu ne sortiras plus de cette maison jusqu'à ton bac. Sauf pour aller au lycée, bien sûr.

Sans un mot, sans un geste, j'ai laissé sa menace tourner dans ma tête.

— Pourquoi tu nous regardes comme ça ? a-t-elle sifflé. Nous n'avons pas été assez clairs ?

— Je ne comprends pas pourquoi vous supposez que je couche avec lui, ai-je lâché sur un ton plus accusateur que défensif. Qu'est-ce que vous savez de moi ?

— Nous en savons assez, a aboyé Carol. Nous savons à quel point tu es naïve et combien on peut profiter de toi. Ne crois pas une seconde qu'il se préoccupe de ton bien-être. Il est comme tous les garçons : il ne veut qu'une chose.

— Vous ne savez rien non plus de lui, ai-je rétorqué d'une voix forte.

Carol a haussé les sourcils et j'ai vu le visage de George se crisper.

— En fin de compte, tu n'es peut-être pas prête pour sortir avec un garçon…, a menacé Carol.

Mon cœur a cessé de battre.

— Est-ce qu'il y a quelque chose que nous devrions savoir ? a-t-elle ajouté en plissant les yeux. C'est trop tard, c'est ça, il a déjà eu ce qu'il voulait ?

— Non, ai-je répondu rapidement tandis qu'une sueur froide me parcourait la nuque.

— Donc la discussion est close, a conclu George. Les choses sont claires, à présent.

## 37

## CADEAUX

Pendant les deux semaines suivantes, j'ai obéi sans le vouloir à leurs « règles de base ». Tout simplement parce que, le dimanche, Evan et moi ne sommes pas allés chez lui, mais sur le terrain de baseball, où il m'a appris quelques nouveaux coups.

Au lycée, j'ai passé beaucoup de temps à l'atelier pour travailler sur le cadeau d'anniversaire d'Evan. Même si elle ne savait pas réellement quel était le projet, Mme Mier m'a encouragée à chaque étape. Quand enfin je l'ai terminé, je l'ai montré à Sara pour être certaine de ne pas avoir exagéré. Je l'ai regardée tourner les pages, un peu crispée, en attendant son verdict.

— Em, c'est sublime ! s'est-elle exclamée après avoir refermé l'ensemble.

— Vraiment ?

— Il va carrément adorer !

— Ça me stresse à mort, l'idée de lui donner…

— Je comprends. C'est tellement intime et plein d'attention. Mais il va forcément aimer.

J'espérais qu'elle ne se trompait pas.

⁂

Le vendredi matin, tandis qu'Evan nous conduisait au lycée, j'avais une grosse boule dans l'estomac qui m'empêchait de dire un mot. Les mains sur les genoux, je regardais droit devant moi en silence.

— Qu'est-ce qui se passe ? a fini par demander Evan lorsque nous sommes sortis de la voiture, sur le parking du lycée.

J'ai respiré un bon coup avant de me lancer :

— Je ne sais pas si c'est le bon moment, mais tant pis.

J'ai ouvert mon sac à dos et sorti le paquet carré.

— Joyeux anniversaire !

— Merci, a-t-il répondu avec un grand sourire.

— Tu n'es pas obligé de l'ouvrir tout de suite. C'est même mieux si tu attends d'être seul.

Sans m'écouter, il a déchiré le papier cadeau.

— C'est toi qui l'as fait ?

J'ai baissé les yeux.

À ma consternation, il a ouvert le grand album relié que j'avais fabriqué et a commencé à tourner les pages où figuraient mes différents travaux – peintures, dessins, photos, collages… Il souriait. Pendant que son regard s'attardait sur mes coups de pinceau, j'ai retenu mon souffle.

Lorsqu'il est tombé sur l'empreinte de main bleue, son sourire s'est élargi et j'ai senti un frisson courir le long de ma colonne vertébrale. Puis, tantôt riant, tantôt l'air grave, il a parcouru les pages : la transcription des paroles d'une des chansons qu'il avait mises sur mon iPod, le chandelier sur la table au dîner chez les Jacobs, un dessin du ruisseau dans la forêt, une photo de New York prise du haut de l'immeuble... Ses joues se sont colorées quand il a vu les roses très roses de la dernière page. Il a refermé lentement l'album.

— C'est ce que tu as fait cette année en arts plastiques, c'est ça ? a-t-il demandé en me prenant la main.

— Seulement les meilleurs travaux, ai-je précisé, rougissant à mon tour.

Il s'est penché doucement vers moi. Fermant les yeux pour mieux apprécier cet instant, j'ai senti son souffle tiède sur mon visage avant d'éprouver la chaleur de sa bouche. Un délicieux frémissement m'a traversée des pieds à la tête tandis que le rythme de mon cœur s'accélérait. Après m'avoir embrassée, il m'a serrée dans ses bras, tout contre lui.

— C'est le plus beau cadeau que j'ai jamais eu, a-t-il murmuré, le nez dans mes cheveux.

J'ai relevé la tête pour plonger mon regard dans ses yeux gris.

— Je suis contente qu'il te plaise.

— Demain, c'est mon tour, a-t-il annoncé en me caressant doucement la joue.

Puis il est entré dans le hall du lycée, me laissant intriguée par cette phrase mystérieuse.

Tout au long de la journée, il a refusé de m'en dire plus. Il m'a seulement demandé de mettre mon pull rose pour la soirée. Sara était tellement excitée qu'elle a passé en revue toutes sortes d'hypothèses, plus farfelues les unes que les autres.

— On dîne chez toi ? ai-je interrogé, étonnée, lorsque nous sommes arrivés devant chez lui.

Il a fait un sourire en coin.

— Ferme les yeux.

— Quoi ! Mais pourquoi ? Evan, qu'est-ce que tu as fait ? C'est censé être *ton* anniversaire, on est d'accord ?

— Oui, et j'ai justement organisé ce dont j'avais envie pour mon anniversaire. Ferme les yeux.

Légèrement angoissée, j'ai obéi. Une fois que nous étions sortis de la voiture, il m'a caché les yeux avec un foulard.

— Tu es sérieux, là ?

— Je sais que, sinon, tu vas regarder avant que je te le dise.

— Mais j'ai des talons ! Je vais me casser la figure.

— Ne t'inquiète pas, a-t-il répliqué avant de passer sa main sous mes genoux pour me faire basculer dans ses bras.

Avec un cri de surprise, je me suis accrochée à son cou. Le bruit de ses pas sur le gravier m'a indiqué que nous nous dirigions vers la grange. Une porte a grincé, et tandis qu'il montait les marches d'un escalier j'ai reconnu l'odeur du garage. Lorsqu'il m'a enfin reposée sur le sol, et enlevé le bandeau, j'ai ouvert les yeux avec une certaine appréhension.

En pénétrant dans la salle, je suis restée muette. Des dizaines de photophores disposés un peu partout dans la pièce diffusaient une lumière douce et romantique. Le canapé avait été poussé contre le mur et, sur la petite table installée au milieu de la pièce, des bougeoirs éclairaient le couvert mis pour deux personnes. La voix qui sortait des enceintes était celle d'une chanson de ma playlist.

— Alors ? qu'est-ce que tu en penses ? m'a demandé Evan sur le qui-vive.

— C'est magnifique !

Debout derrière moi, les mains sur mes hanches, il a déposé un baiser sur mon épaule. Il m'a ensuite menée jusqu'à la table, a tiré une chaise pour que je puisse m'asseoir, puis s'est installé en face de moi. J'ai regardé la salade colorée qui était devant moi.

— C'est *ton* anniversaire, ai-je lâché avec un sourire crispé.

— Mais c'est justement ce qui me fait plaisir pour mon anniversaire ! Alors relax, d'accord ? Et sers-toi !

J'ai hoché la tête et je me suis généreusement servie de salade.

— On va ensemble au bal de promo du lycée, n'est-ce pas ? Je ne t'ai pas officiellement invitée, mais ma mère s'en est chargée.

— Bien sûr que je viens avec toi.

— Ne me dis pas que tu vas faire du shopping avec elle…

— Ah non, pitié ! Je ne supporte pas ces magasins.

— Mais je suis sûr qu'elle va vouloir t'acheter la robe et ça sera trop bizarre de vous imaginer toutes les deux, ma mère et toi. Je parie qu'elle va te raconter toutes sortes de trucs qui m'énerveront.

— Ah oui ? Finalement, c'est assez tentant…

Une fois les premières émotions passées, je me suis détendue et nous avons passé la soirée à parler et à rire. Une soirée parfaite. Tout était tellement bien décoré que j'avais presque oublié que nous étions dans la grange. La lumière tamisée avait transformé la pièce ; dans la pénombre, on ne voyait plus les tables et les jeux. La musique douce, l'éclat des bougies dans les yeux d'Evan, sa délicieuse cuisine – tout était beau et romantique. Une bouffée d'angoisse m'a à nouveau saisie lorsque, au moment du dessert, Evan a posé devant moi une petite boîte bleue.

Le souffle coupé, j'étais incapable d'articuler un mot. En face de moi, il souriait.

— Ouvre-la, s'il te plaît !

J'ai poussé un petit soupir avant de soulever la partie supérieure de la boîte. Puis j'ai écarquillé les yeux, stupéfaite.

— Je me suis dit que tu avais besoin d'en avoir un à toi pour aller avec le pull, a-t-il expliqué. Il te plaît ?

— Oui…, ai-je murmuré, trop bouleversée pour oser prendre le diamant qui brillait de tout son éclat.

Evan est venu à côté de moi, l'a sorti de son écrin de velours et a attaché la fine chaîne d'argent autour de mon cou.

Sans y croire, j'ai doucement caressé le diamant posé sur ma peau. Puis je me suis levée.

— Merci, ai-je chuchoté en le prenant dans mes bras.

Hissée sur la pointe des pieds, j'ai tendu mes lèvres vers les siennes. Un bras autour de ma taille, Evan me tenait contre lui. Lentement, au rythme de la musique langoureuse, nous avons commencé à bouger.

— On est en train de danser, là ?

— Je crois que oui… Pourquoi ? C'est mal ?

— Non, c'est juste une chose que je n'avais encore jamais faite, ai-je avoué en posant ma tête sur son torse.

Tandis que la voix envoûtante résonnait autour de nous, je percevais la chaleur du corps d'Evan à travers sa chemise. Plongeant ses yeux gris acier dans les miens, il m'a dévisagée un long moment. Un tourbillon s'est engouffré dans ma tête, faisant frémir chaque millimètre carré de ma peau.

— Je t'aime, ai-je murmuré.

Les mots étaient sortis naturellement. Comme une évidence.

Evan m'a serrée contre lui et a posé sa bouche sur la mienne. Son baiser s'est fait passionné, déclenchant des décharges électriques dans tout mon corps. Ses lèvres descendaient le long de mon cou. Sa main, dans mon dos, s'était faufilée sous mon pull. Mon souffle s'est accéléré lorsque à mon tour j'ai fait glisser mes doigts sous sa chemise. D'un geste rapide, il l'a enlevée et l'a laissée tomber sur le sol.

Sans relâcher notre étreinte, nous avons dansé doucement en direction de la chambre. J'ai retiré mon pull.

— Tu es sûre ?

— Oui.

Je l'ai serré plus fort contre moi.

Puis, m'écartant une seconde, je me suis débarrassée de mes chaussures et j'ai déboutonné mon pantalon. Il m'a pris les mains.

— Tu n'es pas obligée. Vraiment.

— Evan, je t'aime. J'en ai envie. Mais si toi tu ne veux pas…

J'ai fait mine de remonter ma fermeture éclair mais il a interrompu mon geste. Durant quelques instants, nous sommes restés à nous dévisager l'un l'autre, puis il a redescendu ma fermeture éclair et a fait glisser mon pantalon le long de mes hanches. Je l'ai suivi dans la chambre. Il m'a prise dans ses bras, pressant sa peau nue et chaude contre la mienne, avant de m'étendre délicatement sur la couette en accompagnant son geste d'une série de baisers. Il s'est ensuite redressé pour enlever ses chaussures et son pantalon.

Lorsqu'il s'est allongé sur moi, j'ai passé mes jambes autour de sa taille. Ma bouche a parcouru son cou, puis ses épaules, descendant ensuite le long de son torse. Nos souffles, unis par la même ardeur, devenaient de plus en plus pressés. L'excitation montait. Avec ses doigts, il a parcouru un dessin imaginaire autour de ma poitrine, puis de mon ventre, effleurant à peine ma peau. J'ai fermé les yeux, débordée par les sensations qui envahissaient mon corps.

Soudain, des lumières ont éclairé la pièce à travers les fenêtres et des portières de voiture ont claqué. Evan s'est figé et j'ai brutalement ouvert les yeux, retenant mon souffle.

— Oh non, a-t-il soupiré en se levant d'un bond pour voir ce qui se passait.

Il a enfilé son pantalon et ses chaussures à toute allure.

— Ne bouge pas, a-t-il ordonné en se précipitant hors de la pièce, fermant la porte derrière lui.

— Evan ! tu es là-haut ? a lancé une voix masculine en même temps que des bruits de pas résonnaient dans l'escalier. Ah… Peut-être qu'on dérange ?

Sous la porte, j'ai vu la lumière s'allumer. Panique à bord. Il y avait quelqu'un dans la pièce voisine. Là où se trouvaient mes vêtements ! D'autres voix et bruits de pas se sont fait entendre. J'ai sauté hors du lit et me suis précipitée dans le placard pour trouver quelque chose à me mettre.

— Non, a répondu Evan, mal à l'aise. J'étais en train de ranger. Mais qu'est-ce que tu fais là, Jared ?

— Je suis venu avec quelques potes pour te faire une surprise et te souhaiter un bon anniversaire !

— Ah… C'est super sympa, a lâché Evan.

— On met un peu de musique et on se fait une partie de billard ? a lancé Jared. Servez-vous dans le bar.

— Génial ! a approuvé quelqu'un.

Dans la pénombre, j'ai réussi à dénicher un pantalon de jogging et un sweat-shirt. Un peu larges pour moi, mais c'était mieux que d'être pratiquement nue.

— Je dois rapporter ces assiettes à la maison, a déclaré Evan aux autres types. Je reviens tout de suite.

De l'autre côté de la porte, les décibels puissants d'un groupe de hard rock ont définitivement modifié l'ambiance ; j'entendais les boules de billard s'entrechoquer.

Comment faire pour me sortir de là ? Hors de question d'ouvrir la porte tant qu'ils étaient dans la pièce. Assise sur le lit, je réfléchissais.

— Emma...

La voix d'Evan m'a fait sursauter. Je me suis penchée de l'autre côté du lit et je l'ai aperçu, soulevant une trappe dans le sol. Il se tenait sur une échelle qui descendait dans le garage.

— Tu peux sortir par là, a-t-il expliqué.

Je l'ai suivi avec précaution et, après avoir refermé la trappe et remonté l'échelle, il m'a emmenée dehors.

— Je suis vraiment désolé, a-t-il lâché dans un soupir. Je ne me doutais pas un instant qu'ils viendraient.

— Ça va, ne t'inquiète pas.

— J'ai réussi à mettre tes vêtements dans le placard avant qu'ils ne montent.

Après quelques instants de silence, il a ajouté :

— On trouvera un autre moment, promis. Je ne pars plus d'ici ! Pas sans toi.

— Je sais.

— Quel style, a commenté Sara en souriant lorsque je suis rentrée dans sa chambre. J'ai l'impression que tu as des choses à me dire... Et c'est un diamant que tu as autour du cou ! Em, raconte !

Évitant les détails les plus intimes, j'ai fait le récit de la soirée à Sara. Lorsque je suis arrivée à la scène finale, elle a éclaté de rire. Au bout de quelques secondes, je l'ai suivie.

— Non, mais sérieux ! a-t-elle réussi à articuler entre deux gloussements. Tu as failli te faire surprendre pendant ta *première fois* ? C'est quand même dingue !

— Ferme-la ! ai-je lancé en lui jetant un coussin à la tête. Ça n'était pas ma première fois ! Puisque ça n'a pas eu lieu.

— T'as vraiment la poisse, a-t-elle conclu, un sourire jusqu'aux oreilles.

38

# Brisée

— T'es vraiment qu'une traînée, a marmonné Carol dans mon dos tandis que je balayais la cuisine.

Je me suis tournée vers elle.

— Qu'est-ce que t'as fait pour avoir ça ? a-t-elle demandé en montrant mon collier.

Vivement, j'ai reculé d'un pas. Elle a froncé les sourcils.

— Ne crois surtout pas qu'il tient à toi, a-t-elle persiflé. Il l'a sûrement récupéré auprès de la dernière fille qu'il a baisée.

Un volcan s'est allumé en moi tandis que je regardais, dégoûtée, le visage haineux de cette femme.

— Tais-toi, Carol, ai-je répliqué sèchement en marchant vers elle.

— Qu'est-ce que tu as dit ? a-t-elle hoqueté avec fureur.

Sa main est venue frapper violemment ma joue et le balai m'a échappé des mains. Une fois le choc passé, je me suis approchée plus près encore. Chaque muscle de mon corps tendu à l'extrême, j'ai levé le poing.

— Quoi ? Tu vas me cogner ? a-t-elle provoqué. Vas-y, tape.

Son ton m'a instantanément calmée. En voyant mon poing serré, j'ai pris conscience de ce que j'étais sur le point de faire et je me suis efforcée de chasser ma colère. Je ne devais pas me laisser dominer par elle.

— Je ne suis pas comme toi, ai-je simplement dit. Tu me dégoûtes.

Elle m'a dévisagée d'un air méprisant. J'ai aussitôt regretté mes paroles. La peur a remplacé la colère et je me suis mise à trembler. Elle m'a agrippé le bras. Je me suis dégagée vivement.

— T'es qu'une sale pute, a-t-elle grogné en me poussant avec force contre la porte.

J'ai glissé sur le balai. Une violente douleur a cisaillé mon bras quand il traversé une des vitres de la porte. Les morceaux de verre ont jailli autour de moi. J'ai poussé un cri tandis que les éclats de verre, aussi pointus que des épingles, rentraient dans ma chair. J'ai ramené mon bras contre moi, le sang s'est mis à couler, dégoulinant sur le sol. À travers mes dents serrées, je gémissais.

— Mais qu'est-ce qui se passe ici, bon Dieu ? ! a hurlé George en montant les marches quatre à quatre.

Il s'est arrêté net en m'apercevant, allongée par terre, saignant abondamment. Il a levé les yeux sur Carol et l'a fixée, choqué.

— George, a-t-elle bredouillé. C'est un accident. Elle a glissé. Je te jure.

— Ne reste pas là comme ça, a-t-il crié. Va lui chercher une serviette.

Obéissant aussitôt, Carol s'est précipitée dans la salle de bains.

George a ouvert la porte avec précaution et s'est penché sur moi pour évaluer l'étendue des dégâts. Paralysée par le choc, je n'ai pas bougé d'un millimètre.

— Je vais t'emmener à l'hôpital. Il y a encore des bouts de verre dans les plaies et je pense que tu as besoin de points de suture.

Les larmes ont commencé à couler le long de mes joues. George m'a aidée à me mettre debout, au moment où Carol revenait avec une serviette. Elle lui a lancé un regard suppliant, mais il a pris la serviette sans lever les yeux et l'a doucement enroulée autour de mon bras.

— George, je suis vraiment désolée, a-t-elle couiné.

— On en parlera à mon retour, a-t-il répliqué sèchement.

Sans un mot, il m'a amenée jusqu'à sa voiture et m'a ouvert la portière. Le silence a duré tout le trajet jusqu'à l'hôpital. J'ai été aussitôt admise aux urgences, dans un box fermé par des rideaux. Un médecin a examiné les différentes blessures avant d'anesthésier la zone pour retirer les morceaux de verre et recoudre certaines plaies. Assise au bord du lit, j'entendais les éclats de verre tomber l'un après l'autre dans le récipient. Je ne pouvais plus m'arrêter de pleurer.

Lorsque le médecin m'a demandé de lui expliquer comment c'était arrivé, George s'est crispé. Mais mentir m'était devenu tellement familier que je n'ai eu aucun mal à raconter comment j'avais glissé sur le carrelage mouillé. Le médecin n'a pas paru mettre en doute mon histoire. Au bout de quelques heures, nous avons finalement pu prendre le chemin du retour.

— Je vais m'occuper de ça, a grommelé George en arrivant. Monte dans ta chambre et laisse-moi faire, OK ?

— OK, ai-je murmuré.

— Il faut trouver un moyen pour que vous arriviez à vivre sous le même toit, a-t-il dit comme pour lui-même.

À son ton, j'ai compris qu'il continuait à penser que c'était moi, la responsable. Que tout était ma faute, et non celle de Carol. C'était clair : il serait toujours de son côté. Et tant qu'il en serait ainsi, elle ne s'arrêterait pas.

En arrivant à la maison, je m'attendais à ce que la voiture de Carol ne soit pas là. Plus exactement, j'espérais qu'elle soit partie. Mais non, sa Jeep bleue était à sa place habituelle. Nous nous sommes garés, je suis sortie en faisant attention à mon bras bandé et je suis entrée d'un pas lourd.

Pas de Carol en vue lorsque je suis allée dans ma chambre. Une fois la porte fermée, je me suis allongée sur mon lit, les yeux fixés au plafond. Trop épuisée pour ressentir la moindre émotion – colère ou tristesse –, j'ai laissé mes pensées vagabonder, le cerveau aussi anesthésié que le bras.

Des voix énervées ont résonné au-dessus de ma tête, puis les pleurs de Leyla et Jack. J'ai cru entendre Carol supplier George en pleurnichant. Ensuite, plus rien. Le silence. George a descendu l'escalier et est allé dans la cuisine. C'est à ce moment-là que, cédant à la fatigue, je me suis endormie.

Lorsque je me suis réveillée le lendemain matin, il m'a fallu un moment pour me rappeler pourquoi j'étais allongée sur mon lit tout habillée. Je me suis levée et, aussitôt, une douleur aiguë a traversé mon bras. Découragée, je suis restée un moment sans bouger. À l'idée d'affronter les questions de Sara et d'Evan, j'ai poussé un profond soupir. N'y avait-il pas moyen de ne pas aller au lycée aujourd'hui ?

En sortant de ma chambre, je me suis arrêtée un instant dans le couloir. Aucun bruit. Une fois dans la salle de bains, j'ai fait une toilette rapide en prenant soin de ne pas mouiller mon bandage. Puis je me suis dirigée vers la cuisine, tendant l'oreille. Mais, en dehors du ronronnement du frigidaire, la maison était parfaitement silencieuse.

Sur la table de la cuisine était posé un sac en papier avec, à côté, un mot et une clé.

*Voici la crème que tu dois mettre sur tes blessures deux fois par jour. Carol est partie quelques jours chez sa mère. Elle a besoin d'un peu d'espace. Tout va changer. Ferme à clé quand tu pars.*

Incrédule, j'ai relu le mot une dizaine de fois. Il croyait réellement que les choses allaient changer ?

Des larmes ont coulé lentement sur mes joues. Je les ai essuyées du revers de la main et j'ai respiré profondément pour faire fondre la boule dans ma gorge.

Après avoir posé le sac en papier sur mon bureau et rangé mes livres dans mon sac à dos, je suis sortie de la maison pour retrouver Evan. Cela m'a fait un drôle d'effet d'entendre le déclic de la serrure lorsque j'ai tourné la clé pour fermer la porte. C'était la première fois. J'ai descendu les marches la gorge serrée, luttant contre les larmes qui ne demandaient qu'à jaillir.

— Qu'est-ce qu'elle t'a encore fait ? a dit Evan quand je suis montée dans la voiture.

Malgré le pull à manches longues que j'avais mis pour cacher les pansements, le bandage formait une bosse peu discrète qu'il avait visiblement remarquée. Mon visage livide, probablement, était un indice supplémentaire.

— Elle est là ? a-t-il demandé en s'efforçant de rester calme.

— Non, ai-je répondu, le regard perdu. Elle est partie chez sa mère quelques jours.

— Tu ne peux pas rester ici.

*Je sais.* Les mots n'ont pas franchi mes lèvres mais des larmes se sont échappées de mes yeux. J'étais incapable de le regarder. L'esprit vide, je refusais de penser à ce que signifiaient réellement ses paroles. Le trajet s'est déroulé en silence.

Lorsque nous sommes sortis de la voiture, sur le parking du lycée, Evan s'est placé devant moi et m'a regardée dans les yeux.

— Em, est-ce que ça va ?

J'ai secoué la tête.

D'un geste tendre, il m'a caressé la joue, et j'ai éclaté en sanglots, blottie dans ses bras. Il m'a serrée contre lui et a attendu que mes pleurs s'apaisent. Quand, finalement, j'ai réussi à me calmer, j'ai levé les yeux sur lui et la souffrance que j'ai lue dans son regard m'a étreint le cœur.

— Et si on partait *maintenant* ? m'a-t-il dit, après m'avoir doucement embrassée.

— *Maintenant* ? ai-je répété, choquée.

— Oui, maintenant. Qu'est-ce qu'on attend ?

Soudain, ce que signifiait ce départ m'a submergée. Faire ma valise, laisser Sara, abandonner le lycée, fuir avec Evan – toutes ces images ont jailli dans mon cerveau. L'adrénaline a envahi mes veines et j'ai senti une boule se former dans ma gorge. J'avais besoin d'un peu plus de temps pour affronter cette réalité.

— Demain, ai-je supplié. Elle ne sera pas à la maison ce soir, je peux préparer mes affaires cette nuit et on part demain, quand tu veux.

Evan m'a dévisagée attentivement avant de répondre.

— Il n'y aura personne chez toi quand tu partiras le matin ?

— Personne.

— OK. Donc quand je passe te prendre demain matin, tiens-toi prête avec tes bagages, et on part.

Mon cœur a eu un raté. J'ai hoché lentement la tête. Pouvais-je vraiment faire ça ? Tout laisser derrière moi et risquer mon avenir, simplement pour lui échapper ? Après tout ce que j'avais traversé, tout ce à quoi j'avais survécu, cela me semblait injuste de la laisser gagner la partie.

J'avais besoin de vingt-quatre heures supplémentaires pour me décider.

Comme nous avions manqué la première heure de cours, nous sommes passés au bureau pour nous excuser de notre retard avant d'aller au cours d'arts plastiques. Pendant que nous marchions dans le couloir, Evan est resté constamment à mes côtés en me tenant la main. Sa force m'aidait à avancer.

— Comment ça, partir ? ! a réagi Sara quand Evan lui a fait part de notre projet. Mais comment ça peut marcher ? Vous allez partir combien de temps ?

Ses questions étaient exactement les mêmes que celles qui tournaient en boucle dans ma tête. Et je n'avais pas les réponses.

— J'ai un plan, a simplement répondu Evan. Je vous le dirai plus tard, promis.

Les yeux de Sara passaient de l'un à l'autre tandis qu'elle hochait la tête, stupéfaite. Comment pouvait-on en être arrivés là ?

Soudain, une annonce a retenti dans la salle, demandant que je me rende dans le bureau du principal adjoint. Des regards intrigués se sont posés sur moi quand je me suis levée, une boule dans le ventre. Evan s'est levé également, pour m'accompagner.

— Ça va aller, l'ai-je rassuré. Je te retrouve en cours de journalisme.

D'un pas lourd, je suis allée dans le bureau du principal adjoint. M. Montgomery se tenait devant la porte, guettant mon arrivée. Je suis entrée dans la pièce, j'ai eu un choc en voyant les personnes autour de la table.

— Emily, assieds-toi, a déclaré M. Montgomery d'une voix autoritaire.

Je me suis glissée sur une chaise au bout de la table, les yeux rivés sur tous ces visages. En une seconde, mille questions ont jailli dans mon cerveau. Mais, en fait, je savais pourquoi tous ces gens étaient réunis ici. Serrant les mâchoires, j'ai rassemblé mes forces pour ne pas me laisser anéantir par leur trahison.

— Nous sommes tous ici parce que nous sommes inquiets pour toi, a commencé M. Montgomery de sa voix grave et sans une once de compassion. Nous voulons que tu nous expliques d'où viennent tes blessures. Je serai direct, Emily : est-ce que tu es battue ?

— Non, ai-je répondu d'un air catégorique.

— Emma, a poursuivi Mme Straw, d'un ton plus chaleureux que M. Montgomery, mais où pointait néanmoins une légère accusation. Nous savons que tu n'es pas maladroite, comme tu essaies de nous le faire croire. Nous voulons simplement savoir ce qui se passe.

— Rien.

— Notre but n'est pas de te rendre les choses plus difficiles, a enchaîné Mme Mier de sa voix douce et mélodieuse. Nous sommes là parce que nous tenons à toi et que nous voulons t'aider.

Face à son regard affectueux, j'ai senti de nouveau la grosse boule dans ma gorge.

— Je vous promets que je n'ai pas besoin d'être protégée de quoi que ce soit.

Mais ma voix tremblante m'a trahie.

— Est-ce qu'Evan Mathews te frappe ? a questionné M. Montgomery.

Sidérée, j'ai ouvert des yeux grands comme des soucoupes. Mme Mier lui a aussi lancé un regard stupéfait.

— Evan ne me ferait jamais de mal ! me suis-je exclamée, furieuse.

— Je sais ça, a soufflé Mme Mier. Mais quelqu'un d'autre s'en prend à toi. S'il te plaît, dis-nous qui c'est.

— Je ne peux pas.

Serrant les mâchoires j'ai essayé de lutter contre les larmes qui montaient.

— Emma, je sais que c'est difficile à dire, est intervenu la psychologue, Mme Farkis. Mais je peux te garantir que personne ne te fera du mal parce que tu nous as parlé.

— Ça, vous n'en savez rien, ai-je murmuré.

Ils m'ont tous regardée en silence, guettant mes paroles. J'ai posé mes poings sur la table.

— Je ne peux pas faire ça.

Je me suis levée d'un bond et suis sortie de la pièce. Derrière moi, j'ai entendu les chaises racler le sol.

— Laissez-la partir, a conseillé Mme Farkis.

J'ai couru dans les couloirs, la vue brouillée par les larmes. En approchant de la classe de journalisme, j'ai essuyé rapidement mon visage et j'ai repris mon souffle. Sara m'a vue arriver par la porte vitrée et est sortie de la salle pour me retrouver.

— Il faut qu'on parte, ai-je lancé en me précipitant vers les casiers.

— Qu'est-ce qu'ils t'ont dit ?

— Ils essaient de savoir ce qui se passe, mais je ne veux pas leur raconter. Sara, il faut que je m'en aille d'ici.

— Où veux-tu aller ?

— D'abord on retourne chez moi pour que je fasse ma valise. Ensuite… Où tu veux, ça m'est égal.

— Tu veux que je prévienne Evan ?

— Pas tout de suite. Il faut d'abord qu'on sache où on va le retrouver. Ils ont osé me demander s'il me frappait.

— Quoi ? ! Ils sont bêtes à ce point ?

Après avoir récupéré nos sacs dans nos casiers, nous avons couru à travers les couloirs pour sortir du bâtiment. Sara est allée chercher sa voiture pendant que je l'attendais près de l'entrée, le cœur battant à tout rompre, les jambes tremblantes. Dès qu'elle est arrivée, je me suis laissée tomber sur le siège avant. Tout allait trop vite pour moi et j'étais tétanisée par la peur. Mon cerveau ne parvenait plus à fonctionner normalement et les doutes m'assaillaient. Ma réaction n'était-elle pas disproportionnée ? Est-ce que je faisais le bon choix ?

Nous sommes restées silencieuses pendant tout le trajet. J'étais tellement absorbée par mes pensées que je ne me suis même pas rendu compte que nous avions tourné dans ma rue. Le portable de Sara a vibré dans sa poche. Elle a regardé l'écran avant de répondre.

— Salut, a-t-elle dit en me regardant. Ouais, on va chez elle pour prendre ses affaires.

Elle s'est tue quelques instants pour écouter son interlocuteur.

— Evan, je ne suis toujours pas convaincue que ça soit la meilleure idée.

Nouveau silence.

— OK, on te retrouve là-bas dans une heure.

— Qu'est-ce qu'il a dit ?

— On le retrouve chez lui dans une heure. Em, je ne crois pas que disparaître comme ça je ne sais où soit la bonne solution. Je pense vraiment qu'il y a un moyen de te sortir de là sans que tu partes.

— Je sais, ai-je reconnu à voix basse. Mais, au moins, on va écouter son plan.

— Emily ?

Après un bruit de clé dans la serrure, la voix de George a retenti dans la cuisine.

En silence, j'ai continué à jeter mes affaires dans ma valise. Sans même un regard vers lui lorsqu'il est entré dans ma chambre. Il a jeté un œil sur ma valise en fronçant les sourcils.

— Mais qu'est-ce que tu fabriques ? ! On m'a téléphoné du lycée pour me dire que tu étais partie bouleversée et que nous devions venir pour parler avec eux. Qu'est-ce que tu as raconté ?

— Ne t'inquiète pas, George, ai-je répondu en lui faisant face. Je ne leur ai rien dit. Mais je ne peux plus vivre ici.

J'ai ajouté, d'une voix forte :

— Je ne peux plus vivre avec *elle* !

Il a sursauté en entendant la colère résonner dans mes paroles.

— Tu ne partiras pas d'ici, a-t-il déclaré d'un ton sévère. Écoute, on va régler tout ça, mais il est hors de question que tu quittes cette maison. C'est compris ?

La menace sourde m'a fait hésiter quelques instants. Me laisserait-il passer devant lui ? Devrais-je attendre d'être seule pour m'enfuir par la fenêtre ?

C'est alors que j'ai vu un voile de tristesse passer sur son visage et ses traits s'adoucir.

— Je comprends que tu sois bouleversée et je te promets qu'on va trouver une solution pour se sortir de tout ça. Aucun de nous ne peut continuer à vivre de cette manière. Mais si tu pars maintenant, ça n'arrangera rien. Carol est chez sa mère ce soir. Reste jusqu'à demain. Nous irons au lycée ensemble pour les rencontrer et si, après ça, tu veux toujours partir, on trouvera un arrangement. D'accord ?

Les pensées tourbillonnèrent dans mon esprit. Était-il sincère ? Est-ce que, vraiment, il me laisserait partir le lendemain si je le souhaitais ? Peut-être, aussi, que je pourrais finalement rester ici au lieu de m'enfuir Dieu sait où ?

Ça valait le coup d'essayer. Juste une nuit de plus.

— D'accord, ai-je murmuré.

— Va prévenir Sara que tu la verras demain.

Tandis que je me dirigeais lentement vers la voiture de Sara, je continuais à douter : avais-je, oui ou non, pris la bonne décision ? Au plus profond de moi, quelque chose me suppliait de partir.

— Je reste, ai-je informé calmement Sara.

— Comment ça ? a-t-elle rétorqué, paniquée.

— Elle ne dort pas ici ce soir. Demain matin, nous irons au lycée pour tout expliquer et George m'a assuré que si, après cette rencontre, je voulais toujours partir, je pourrais le faire.

— Tu le crois ? a-t-elle demandé, mal à l'aise.

— Je dois le croire, ai-je chuchoté, les yeux remplis de larmes. Il me donne la possibilité de régler la situation sans blesser personne ni m'obliger à m'enfuir.

Sara est sortie de sa voiture et m'a serrée très fort dans ses bras. Nous avons essuyé nos larmes avant de nous séparer.

— Je te vois demain, OK ? ai-je lâché, la voix tremblante.

— OK, a-t-elle répondu en reniflant. Qu'est-ce que je dis à Evan ? Il ne va pas être content quand il va me voir arriver sans toi. C'est même très possible qu'il rapplique ici pour venir te chercher.

— Oh non…, ai-je soupiré. Il faut absolument que tu arrives à le convaincre que ça va aller et que je le verrai demain. Tu peux faire ça ?

— Je vais essayer.

— Fais en sorte qu'il t'écoute. Je vous promets que tout va bien se passer.

## 39

## Respirer

Quelque chose m'empêchait de bouger. J'ai voulu remuer les bras. Impossible. D'un coup, ma respiration s'est accélérée. Je ne pouvais respirer que par le nez. Ma bouche ne s'ouvrait pas. J'ai scruté frénétiquement la pénombre autour de moi. Où étais-je ?

Soudain, le noir. Quelque chose a recouvert mon visage et je n'ai plus rien vu. Difficile de respirer. Mon cœur s'est mis à cogner violemment dans ma poitrine. J'ai cru qu'elle allait exploser. J'ai tiré de nouveau sur mes bras, mais ils étaient attachés au-dessus de ma tête. Tandis que des bords acérés me cisaillaient les poignets, j'ai entendu le bruit métallique des menottes.

— Je ne vais pas perdre ma famille à cause de toi, a-t-elle sifflé entre ses dents.

La panique m'a submergée. J'ai commencé à m'agiter pour me dégager, en essayant de crier. Le coussin m'a étouffée davantage. Affolée, j'ai secoué la tête dans tous les sens pour m'en débarrasser. Pour trouver un peu d'air.

Un poids a pesé sur ma poitrine. Lourd, oppressant. Pour y échapper, je me suis contorsionnée comme je pouvais. C'est alors que ses mains froides ont serré mon cou. J'ai poussé un hurlement – en réalité, à cause du scotch sur ma bouche, ce ne fut qu'un pauvre gémissement. J'avais beau soulever mon corps de toutes mes forces, les menottes ne me laissaient aucune chance d'échapper à l'étreinte de plus en plus forte de ses mains sur mon cou.

C'était juste un cauchemar. Cela ne pouvait pas être vrai. *S'il vous plaît, faites que quelqu'un m'entende.*

Encore et encore, j'ai lutté pour me libérer, tirant comme une forcenée sur mes bras tandis que le fer des menottes pénétrait dans ma chair. Mais, tandis qu'elle était assise sur moi, l'étau se resserrait, implacable, sur ma gorge. L'air se faisait de plus en plus rare et ma respiration devenait difficile. Poussant sur mes pieds et usant de toute la puissance de mes muscles, je me suis arc-boutée sur le lit pour la déséquilibrer. Immédiatement, j'ai entendu un bruit mat et une vive douleur a irradié dans mon épaule.

Par miracle, une de ses mains a relâché son étreinte. J'ai aussitôt pris une longue inspiration. Si forte que l'air m'a brûlé le nez et la gorge. À peine ai-je eu le temps d'en profiter que j'ai poussé un long gémissement : l'os de ma cheville venait d'émettre un craquement sinistre après avoir reçu un coup. Je suis retombée sur le dos, la respiration saccadée. La tête me tournait, j'étais terrassée par une douleur insoutenable.

Épuisée, je me suis concentrée sur mes ultimes ressources pour résister.

Ne pas succomber. Tenir.

Les mains glaciales sont revenues se poser sur ma gorge. Toujours plus froides. Toujours plus dures. Serrant de plus en plus fort. J'ai tressailli, essayé de respirer, cherché désespérément ne serait-ce qu'une bouffée d'air. Un filet d'oxygène.

Il fallait que quelqu'un m'entende. Rassemblant mes dernières forces, oubliant la douleur, j'ai donné un grand coup de pied dans le mur.

La pression montait sous mon crâne. Les poumons me brûlaient. Autour de ma gorge, les doigts continuaient à serrer.

J'ai donné un nouveau coup dans le mur. *Faites que quelqu'un m'entende, s'il vous plaît.*

J'ai senti cette force me tirer vers le fond. Je ne pouvais plus me battre. La brûlure était trop vive.

J'ai cédé. J'ai succombé à ses mains et plongé dans l'obscurité.

# Épilogue

Dans ma vie instable, j'ai connu l'amour et la perte. La perte, au-delà de ce que je pensais pouvoir supporter. L'amour, lui, était inattendu. J'ai failli passer à côté, tellement j'en avais peur.

L'amour m'a aidée à vivre pleinement, au lieu de simplement survivre. Il a renforcé ma détermination et m'a prouvé que j'étais bien plus forte que ce que j'avais cru. Il m'a permis de panser mes plaies et d'effacer mes cicatrices. Grâce à l'amour, j'ai pris toute mon ampleur ; j'étais grande à l'intérieur.

Dans l'obscurité, j'espérais trouver son aide, mais j'étais bel et bien seule. Totalement seule.

Je ne sentais plus la douleur dans mon corps brisé. Je n'entendais plus les battements sourds de mon cœur qui ralentissaient dans ma poitrine, ni les gémissements implorants quand il m'a serrée contre lui. Tout était silencieux. Il ne restait que moi.

Dans ce silence, régnait la paix. Une paix qui venait trop tôt, mais dans laquelle je trouvais refuge. Une paix qui me libérait de la souffrance, de la peur et du chaos. Trouver du réconfort dans ce calme exigeait un sacrifice. Un sacrifice que je ne voulais pas faire. Mais je n'étais pas certaine d'avoir la force de me battre encore.

Le temps s'écoulait, les secondes passaient. Je percevais un bruit sourd ; mon cœur luttait pour garder le rythme. Mais les battements s'espaçaient de plus en plus. Autour de moi, l'obscurité gagnait du terrain. Une solution s'offrait à moi, si facile. Si tentante. Il suffisait de céder à la tranquillité et d'accepter l'idée du néant. De renoncer. J'ai cherché les souvenirs qui méritaient un sacrifice. La chaleur, les palpitations de mon cœur, la vérité dans ses yeux. La vie était-elle un choix ? L'amour ou la perte ?

Dans ma vie instable, c'est l'amour qui, finalement, m'a poussée à me battre. Qui m'a convaincue de… *Respirer.*

# Remerciements

Je ne fais pas facilement confiance. Cependant, pour publier cette histoire, j'ai dû faire confiance aux autres pour l'aimer autant que moi.

Merci à mon agent, Erica, et à l'équipe incroyablement patiente du Trident. Ils ont cru en moi et m'ont soutenue à chaque étape.

Merci à mon éditeur chez Amazon Publishing, Tim, qui a trouvé dans mes mots une voix qu'il voulait entendre. Et à toute son équipe qui a réalisé le rêve de cette fille.

*À mes fans de toujours…*

Un énormissime merci à :

ma fidèle amie, Faith, pour être la première à lire chaque mot et parce qu'elle est, dans ma vie, la voix de la raison ;

ma talentueuse éditrice et amie, Elizabeth, qui a l'œil sur les détails et la passion de l'écriture ;

ma fan la plus assidue et véritable amie, Emily, qui, à certains moments, a cru en moi plus que moi-même ;

mon amie sincère, Amy, pour m'avoir encouragée et avoir cru en moi pendant tout le processus ;

mon ami perspicace, Chrissy, qui m'a appris combien c'était important d'aller droit au but, et que s'ouvrir n'est pas une mauvaise chose ;

ma Sara à moi, ma sœur dans ma vie, Steph, pour être toujours honnête, même quand je ne suis pas prête à entendre la vérité ;

ma sincère et véritable amie, Meredith, qui croit en mon potentiel et à la portée de mes mots ;

mon amie fervente, Nicole, pour avoir vécu et respiré à Weslyn pendant plus de cinq cents pages, et pour avoir partagé tout le long chaque émotion ;

Amy, pour avoir vu grand ;

Erin, pour sa candeur rafraîchissante ;

Galien, qui a permis à mes mots de nous rapprocher ;

Stephanie, pour être une fan totalement passionnée depuis le début ;

ma douce amie, Kara, qui attend mon succès comme une évidence ;

mon adorable amie, Katrina, pour les nuits de rires indispensables et les encouragements ;

Ann, qui a su transformer une simple idée en une incroyable couverture de livre, sans beaucoup de travail – c'est ça, le talent ;

Dru, pour m'avoir mise au défi d'ouvrir mes propres portes ;

Dan, pour notre lien pendant que vous lisiez cette histoire ;

et Lisa, pour ses conseils qui ont laissé une empreinte éternelle.

Maintenant que son secret est révélé,
que va devenir Emma ?

Inspirez,
expirez
et préparez-vous…

La suite de *Ma Raison de vivre*
arrive en septembre 2015.

Ouvrage composé par
Facompo

Cet ouvrage a été imprimé
en Allemagne par

GGP Media GmbH
à Pößneck

Dépôt légal : mars 2015

Pocket Jeunesse, une marque d'Univers Poche,
est un éditeur qui s'engage pour
la préservation de son environnement
et qui utilise du papier fabriqué à partir
de bois provenant de forêts gérées
de manière responsable.

12, avenue d'Italie – 75627 PARIS Cedex 13